W9-CTZ-532

L'ŒUVRE VIVE

Jean-Guy Soumy

L'œuvre vive

roman

ROBERT LAFFONT

© Éditions Robert Laffont, S.A., Paris, 2006
ISBN 2-221-10580-X

Pour Ginnie et Burt

1.

On le sait à présent. Ici, tout se sait. Même les silences font écho dans ce vieux pays qui a conservé le sens du tragique et du récit. Lui, Barthélémy, n'est plus là pour le dire. Ce sont pourtant ses yeux, cette nuit, qui ont vu pour la première fois. Et ceux d'aucun autre. Avant qu'il n'en finisse, de cette manière si brutale qui n'a étonné personne, il évoquera plusieurs fois ce moment où des phares blancs ont éclairé le ciel sur la crête, là où bascule la route. Les arbres en sommet de côte lui ont soudain paru s'arracher à la terre et s'animer. Mais cela, il ne le dira jamais, faute de mots assez souples pour exprimer une telle vérité. Et parce qu'on ne l'aurait pas cru. C'est pourtant ce qu'il avait éprouvé, Barthélémy. Avec, tout de suite, le sentiment d'un danger.

Ce soir-là, il part au bois faire son tour, repérer les habitudes d'une compagnie de sangliers. Il gèle. Barthélémy avance dans les ténèbres comme en plein jour. Cela fait soixante ans qu'il arpente ce monde. Ce n'est certes pas un vaste monde adossé à des sommets enneigés, aux rives ourlées d'océans. Il tient dans le creux de quelques collines, se limite aux contreforts d'un plateau râpé, dans les pentes d'une vieille montagne qui finit en tourbières, en pacages et en landes. Si l'on excepte quinze mois en Algérie, Barthélémy n'a jamais quitté ce pays. Depuis la mort de sa mère, il y a cinq ans, il vit seul avec son père dans la ferme-d'en-haut. De toute la soirée, les deux hommes n'ont pas échangé un mot. Un long silence les sépare.

Les phares plongent dans la pente. Leur lumière fouille la forêt, dégageant l'étrange spectacle de boules de granit posées entre les troncs sur leur litière de feuilles mortes. Trois véhicules suivent la voiture de tête. Barthélémy se plaque contre un châtaignier et s'agenouille. Voilà le commencement, songe-t-il, sans pouvoir donner à sa pensée un sens plus précis. Car, s'il faut chercher un début à ce qui va advenir, il ne fait aucun doute pour Barthélémy qu'il lui est accordé d'y assister. Un sentiment de fierté le traverse, comme chaque fois qu'il nous est permis d'observer une naissance. Et puis, telle une évidence, dans la vision de ce convoi descendant la route départementale, l'intuition que l'ordre des choses se trouve déjà imperceptiblement brouillé.

La voiture, aussi large que la chaussée à ce que peut en juger Barthélémy, une américaine dira-t-il plus tard, est en vue dans le virage en épingle à cheveux creusé dans le tuf. Il perçoit son murmure tout en puissance, six cylindres au moins, peut-être davantage. Derrière, à une centaine de mètres, trois camions. Barthélémy inspire doucement. Posée sur l'effluve d'humus, une odeur d'essence.

La voiture ralentit et s'immobilise à quelques mètres en contrebas, à hauteur de la bifurcation qui mène d'un côté au village et de l'autre au château de Provenchère. Les poids lourds se rangent en file indienne.

Une portière s'ouvre et un homme de haute stature, le crâne rasé, un manteau noir sur les épaules, descend de l'américaine. Il échange quelques mots avec le chauffeur en tête du convoi. La rumeur de la forêt s'est estompée pour laisser place au grondement des moteurs. Barthélémy guette, comme si sa vie était en jeu.

Le Crâne, c'est ainsi que Barthélémy nomme spontanément le chauffeur de la voiture, revient vers la portière laissée ouverte. Il y a dans sa démarche une manière singulière d'aller, une souplesse pleine de vitalité. Barthélémy se détend. Son souffle traverse ses lèvres serrées. Il porte la main droite au col de sa veste de velours, ses doigts courent sur les reprises usées que sa mère y avait faites autrefois. Un éclair de mélancolie le bouleverse. À ce moment-là le Crâne s'immobilise. Et regarde dans la pente.

Impossible que l'autre le voie. Barthélémy le sait aussi sûrement qu'il n'ignore pas habiter la ferme-d'en-haut. Il est à bon vent, telle une pierre, immergé dans une nuit sans lune. Pourtant, le Crâne a les yeux braqués sur lui. Le fixe comme s'il était planté devant, au plein du jour. Barthélémy reste accroupi. Son fusil lui manque. Les ténèbres, les arbres ne le dissimulent pas. Seul un animal pourrait me percer ainsi, pense-t-il.

La voiture a mollement redémarré. Elle a quitté la route qui mène au bourg pour prendre la direction de Provenchère. Les trois camions suivent. Barthélémy les voit osciller sur leurs suspensions malmenées. Leurs feux rouges brillent derrière les arbres. Il devine, à leur ralentissement, le passage sur le pont. Les

11

moteurs grondent, une fois abordée la pente plus forte sur l'autre rive. Ses pensées sont ailleurs. Il est comme vide, privé de sa substance. On lui a volé quelque chose et il ne sait pas quoi. Cette sensation qui l'accable, il l'a déjà ressentie et il n'est pas certain qu'elle ne soit pas la chair même de sa vie. Mais à présent, elle l'occupe entièrement. Le regard du Crâne l'a démasqué. Barthélémy ne pourrait pas affirmer que ces yeux-là étaient hostiles. Au moment le plus intense de l'échange, alors qu'il ne parvenait pas à détourner la tête du visage levé vers lui, il avait eu la certitude que l'autre ne voulait aucun mal. Et même, cette manière d'observer rappelait une attention qui s'était jadis posée sur lui. Laquelle ? Barthélémy ne sait plus.

Lorsqu'il se relève, ses jambes sont gourdes et il doit s'appuyer contre le tronc du châtaignier creux. La rumeur du convoi a disparu, les véhicules doivent être aux grilles de Provenchère. Le château, comme l'appellent les gens du pays, a été acheté par des Anglais. On les voit quelquefois au village prendre l'apéritif. Originaires de la région du Staffordshire, ils ne séjournent à Provenchère que quelques mois par an. En ce moment, Barthélémy sait qu'ils sont absents. L'idée de prévenir la gendarmerie d'un cambriolage le traverse si vite qu'il n'a pas à y résister. La délation n'est pas son fort. D'ailleurs, le vieux garçon est en froid avec les forces de l'ordre qui lui ont retiré son permis de conduire, le contraignant à acheter une voiture sans permis qui peine à gravir la route menant à la ferme-d'en-haut.

Les épaules voûtées, dans sa veste étroite, Barthélémy remonte par les chemins de traverse. Ce soir, les sangliers ne le préoccupent plus. Lorsqu'il pousse la porte, son père n'est plus là.

*

Une bouteille à la main, Ben Forester avance vers le mur bas qui enserre la cour du château. C'est le frémissement de l'aube, le lent défroissement humide de la nuit. Le soleil émaille l'horizon au-dessous des mouillères d'herbes rousses qui filent au loin vers le village. Le déménagement a duré toute la nuit, sans un moment de répit pour la dizaine de gros bras recrutés pour cet extra. Les camions sont repartis. Ben est seul. Il n'a pas sommeil. D'un geste naturel, il porte le goulot à ses lèvres, avale une gorgée de whisky. L'alcool lui arrache la gorge, il s'en moque.

Il se redresse, inspire longuement. La bouteille brille à son poing. Une force sourd de son visage puissant, de ses yeux gris, de sa nuque de lutteur. Quiconque l'observerait verrait en lui la figure d'un mage guettant le jour sur une proue de granit dominant des tourbières. Mais personne ne sait encore que le château a changé de propriétaire. Que jamais plus les Anglais du Staffordshire ne reviendront au pays.

Ben se retourne vers la façade de Provenchère. Un corps massif de deux étages, quatre tours d'angle dont deux carrées datant des fondations primitives. Les autres, rondes, ajoutées au XVIe pour y inscrire des escaliers à vis, décoiffées sous la Révolution, chapeautées en biseau. Une toiture pentue, des fenêtres à meneaux, des grilles sur les ouvertures du rez-de-chaussée, une porte cloutée de chêne gris, Provenchère conserve l'apparence brutale d'un château de plaine à peine sorti du Moyen Âge.

Ben Forester détaille les cicatrices faites à ces murs de granit, la lassitude perceptible dans la langueur des toitures, les reprises des murailles, le délavé des boiseries. Provenchère lui conviendra. Il est assez fort pour habiter ce sarcophage de pierre. Il peut y entrer, s'y étendre et en soulever le couvercle pour en sortir quand bon lui semblera. Ici, le temps a largement poussé son étrave comme il a laissé sa marque dans sa propre chair. Provenchère est une demeure propice à quiconque désire ne pas se laisser distraire. Un lieu idéal pour un homme qui comme lui, tout au long d'une vie nomade, a vécu à Manhattan, à Genève, sous le feutre des yourtes, derrière les verrières d'un atelier d'artiste en plein Paris... Il a tellement voyagé, Ben, tellement roulé sa bosse. Il n'y a plus aucune vanité en lui. Cette demeure lui convient telle qu'elle est, comme un outil convient à un moment donné pour une tâche précise. Elle n'est pas faite pour le repos. À soixante-quatre ans, Ben Forester n'a aucun désir de repos.

Portant régulièrement la bouteille à ses lèvres, il marche et scrute Provenchère d'un regard qui, au comble de l'attention, paraît aveugle. Çà et là, d'énormes caisses de bois blanc déposées par les déménageurs parsèment l'esplanade gazonnée de la façade. Un manitou a été nécessaire à la manœuvre. Sur l'herbe humide, la trace éphémère de ses roues. Ben inspecte les caisses, colle le visage contre le bois, capte les vapeurs de résine des emballages d'épicéa. Il passe l'index au travers des planches mal jointives, gratte comme pour attirer l'attention de ce qui se trouve à l'intérieur. Murmure ces mots qu'on destine aux captifs. Et puis se recule, écarte les bras, les yeux levés au ciel, tourne sur lui-même autour d'un pivot imaginaire qui passe par l'axe d'un quinze ans d'âge élevé en fût de chêne. Ses mouvements sont d'une gaieté étrange, ses balancements enfantins. Il est même gracieux pour un type qui, un instant auparavant, paraissait si vieux.

À aucun moment il ne semble ivre. S'il est groggy, c'est d'inhaler depuis toujours la vie à hautes doses. Presque un demi-siècle à flirter avec le dépassement. Ben Forester est au-delà de l'ébriété, de son abrutissement. Il est un rescapé des *seventies*. Il a franchi d'autres comas infiniment plus profonds que l'alcool et s'en est revenu de tant d'exils. Il a traversé tant de deuils. Presque tous ses amis des premiers jours sont morts. Il a survécu à deux guerres mondiales : overdose et sida.

Soudain, il s'arrête et regarde comme s'il découvrait le château, le lavis de ciel posé sur les toitures percées de cheminées noires, les éclairages fuyants et le froid qui resserre sa prise au lever du jour. C'est l'automne, quelques semaines avant l'hiver. Aucune saison ne convient mieux à ce vieux pays.

Seul le rez-de-chaussée est aménagé. Une immense cuisine, une salle à manger et un salon, deux chambres dans la base des tours carrées. Rien que de très ordinaire. Ben ne s'y attarde pas. Les choses sont restées en l'état et ne l'intéressent pas. Comme si les Anglais avaient disposé d'une heure pour emballer leurs affaires et filer. Le désordre qu'ils ont laissé ajoute à l'impression d'effraction. C'est incroyable ce qu'un chèque comportant assez de zéros peut accomplir. Ce pouvoir n'amuse plus Ben. Il en connaît trop l'absence de limites, la monstruosité. Les contingences matérielles ne l'ont jamais préoccupé. Il est capable de se nourrir de n'importe quoi. En Amazonie, chez les Indiens, il a avalé des plats tièdes d'une matière grouillant encore. Ses hôtes riaient de toutes leurs dents déchaussées avec cette expression dont on ne sait jamais ce qu'elle peut signifier et qui possède toujours, sous un voile d'innocence, un fond de cruauté. Une volée de marches de pierre permet d'accéder au premier. Ben s'y engage. Quand son agent lui a transmis des photographies de Provenchère, Ben a eu le coup de foudre. *I just want it*, avait-il dit au téléphone, usant d'une langue qui signifiait clairement que le prix n'avait aucune importance. Sur toute la surface du château, environ deux cents mètres carrés, une seule pièce. Aucune cloison délimitant des recoins pour s'isoler, se recroqueviller sur ses petites misères. En ce sens, Ben est un seigneur. Il a conservé des années 1960 l'habitude de vivre sans contrainte, libre de ses gestes, débarrassé de l'idée d'intimité. Les toilettes de son appartement à Soho perdirent leur porte le jour où il cherchait un support rectangulaire pour un portrait acrylique. Et personne ne songea jamais à la remplacer.

Ben inspecte le sol dallé d'un carrelage de tuilots rouge et ocre. Au plafond, les poutres maîtresses creusent à peine les reins. Quatre fenêtres au nord et au sud, les escaliers à vis qui débouchent aux angles. La presque totalité du déménagement, si l'on excepte la demi-douzaine de caisses déposées sur la pelouse, se trouve là. Ben s'avance. Les talons de ses bottes résonnent sur le dallage. Une odeur de grain flotte encore, accentuant l'antiquité du lieu.

L'œuvre vive

Ben parcourt les allées entre les empilements de caisses montées par les déménageurs. Il y a là l'essentiel de ce qu'il a produit ces dernières années. La plupart des œuvres offertes ou achetées en un demi-siècle de vie au cœur de l'art moderne et qui le suivent dans son errance, s'accumulant, nécessitant chaque fois plus d'espace, plus d'attentions dans leur vagabondage. Tant de travail à batailler avec la lumière et la matière. Contre soi, surtout. Un morceau d'existence à vif, tranché dans l'alcool, la drogue, l'épuisement, le dégoût et l'engouement, à la lame d'une fièvre qui dévore chaque instant. Sans s'économiser. Tout est là. Et pourtant rien n'est là, comme si l'essentiel était ailleurs, à venir, toujours refusé.

Dans un angle de l'*atelier*, c'est ainsi que Ben nomme chaque lieu où il installe ses pénates en souvenir de son ami Andy, des ordinateurs, des imprimantes, des scanners, un écran mural, installés par un informaticien qui accompagnait les déménageurs. Appuyés contre les murs, des caissons contenant des dizaines d'œuvres. Parmi elles, des toiles de Ben que moins de dix personnes au monde ont eu le privilège de voir. Ainsi que des tableaux de sa collection privée, ses peintres et ses sculpteurs favoris, Delvaux, Pollock, Cardenas, Cuéco, Masson, Soulages, Rudolf Hass, Warhol, Hockney, Bacon, des photographies de Smithson, une série de ses amis Barbara et Michael Leisgen, des toiles inconnues de Per Kirkeby. Tant d'autres encore. Devant une fenêtre, posée sur le sol, une installation destinée au MCA de Chicago. Plus loin, un amoncellement de cartons et de caissons contenant des sculptures ou des maquettes prêtes à être livrées. Le projet, au cinquantième, d'un jardin pour une place de Genève, ensemble de pylônes cylindriques en acier disposés en amphithéâtre et surmontés de thuyas. Là-bas, près des chevalets, tout son matériel de peinture acrylique, domaine sur lequel Ben travaille depuis trente ans.

Vers les tours carrées, parce que le solivage lui a semblé plus sain qu'ailleurs, Ben a fait regrouper ce qui concernait la sculpture. Personne n'a oublié la série des trois totems à base d'assemblages d'acier inoxydable qui hante les salles du musée d'Art contemporain de Montréal et qui a contribué dès 1969 à le faire basculer dans la célébrité. Depuis quelque temps, Ben a éprouvé le besoin de revenir à la sculpture classique, non pour renouer avec un académisme dont il a fait le tour mais pour retrouver des sensations éprouvées dans sa jeunesse, lorsqu'il fréquentait les Beaux-Arts à Paris. En 1956. Il avait seize ans.

Entre deux empilements de cartons près de s'écrouler, un canapé de velours avachi. Une lampe de chevet et les rayonnages sommaires d'une bibliothèque en vrac, à l'ordre brouillé par le déménagement. A-t-elle jamais été en ordre, cette bibliothèque ? Ben s'assoit sur ce lit de fortune, dans ce gîte entouré de livres et d'objets hétéroclites. Il n'aimerait pas dormir ailleurs qu'au milieu de ce chaos qui tient de la réserve d'usine, du garde-meuble et du chantier. Il n'aimerait pas reposer loin de la bataille, autre part que sur son lit de camp. Sans l'odeur des huiles et du métal froid, du bois, de la terre crue. Il détesterait être séparé de cette matrice de toiles, d'acier et de couleurs dont on ne sait pas si c'est lui qui l'ensemence ou si c'est elle qui lui insuffle la vie.

Ben s'étend. Il songe avec complaisance à toutes les femmes qu'il a entraînées là. Ben Forester n'a jamais différencié amour et création. La vie et la sculpture sont une même explosion convoquant les mêmes gestes. Pour l'une comme pour l'autre, il puise dans la force de ses reins. Il y a du satyre en lui. Il possède la vigueur qui féconde. Sa réputation de bon coup est universelle dans le milieu de l'art. La perdre serait commencer à mourir.

La lumière, brisée sur la pierre des croisées et le chêne gris des appuis, pailletée d'une fine poussière tombée du solivage, est d'une texture qui contraint à des efforts d'invention. Les yeux de Ben scrutent les particules de blé en suspension. Une pluie d'or invisible recouvrira bientôt tout ce fatras. Sa vie. Il aime cette idée d'un ensevelissement. Sa fascination pour les ruines et les résurrections est l'un des axes de son œuvre.

Ses yeux s'apaisent. Il porte le goulot à ses lèvres, l'alcool coule sur son menton, dans le col de son pull. Ben repose le bras le long de son gisant et le cul de la bouteille sonne sur le carrelage. Il n'a toujours pas sommeil. Il est un vieux cheval fourbu las de tourner en rond dans sa carrière, sous le regard d'une foule qu'il méprise. Il attend. Il désire se fondre dans Provenchère. Il demande humblement à la demeure de l'accepter, de le digérer, de l'évacuer autre qu'il est entré en elle. Ben espère une nouvelle métamorphose. Une dernière. Il s'offre à l'histoire insondable contenue dans ces murs de granit. Il s'offre à être une pierre de plus dans ces fondations, une poutre surnuméraire de la charpente, une marche inutile dans l'une des tours rondes. Il sera, s'il le faut, l'un des oiseaux de nuit qu'il entend battre des ailes dans le grenier. Ben Forester, les yeux grands ouverts, est à l'affût. Comme ce type au pied du châtaignier qui cette nuit l'observait à la croisée des chemins.

*

Barthélémy a mal dormi. Ce matin, dans la maison glacée, il a retrouvé le père assis dans la salle commune, fixant la cheminée éteinte. Depuis longtemps un grand froid a pénétré la ferme-d'en-haut. Pas un mot, pas un signe. Barthélémy accomplit les gestes routiniers, allume le gaz, réchauffe un mauvais café, coupe des tranches de pain, sort deux bols, jette quatre morceaux de sucre dans chacun. Conjurer le silence. Sitôt avalé le bol de café, il saisit sa vareuse accrochée à un clou derrière la porte. Et sort.

La scène de la nuit ne l'a pas quitté. Barthélémy pense qu'il ne doit pas rester grand-chose à Provenchère, que tout a été déménagé, sauf les murs. Il n'en conçoit aucune peine pour ces Anglais suffisamment riches pour acheter des châteaux en France. Au contraire. Il n'aime pas les Anglais, les étrangers et encore moins les riches. Ni les pauvres non plus. Il n'y a plus que la colère de vivante en lui. Il a fini par s'y habituer, à cette rancœur répugnante, à ce dégoût des hommes, à commencer de lui-même, si éloigné des sentiments de son enfance, du gamin innocent qu'il sait avoir été. Aujourd'hui, il se dit que l'aigreur montée en lui au fil des années est la dernière force qui lui demeure. La perdre serait se désarmer, admettre sa fin. Seule une femme aurait eu peut-être le pouvoir de prendre en elle ce venin et de le transmuter. Non pas en amour mais en repos.

L'idée d'être parmi les derniers hommes à avoir connu un monde disparu l'atteint profondément. Il est un Indien, un survivant, on devrait l'exposer. Construire une réserve, un parc. Il aurait tant à dire, Barthélémy, tant à transmettre si on le lui demandait. Seulement, sa mémoire touche aux choses modestes. Ce sont de pauvres connaissances, lier les vaches pour le labour, faucher à grands coups de reins inépuisables. Chercher l'eau avec une baguette de coudrier. Barthélémy a accompli des gestes qui n'avaient pas changé depuis mille ans. Que reste-t-il de tout cela ? Ce n'est pas si vieux, pourtant. En quoi se sont-ils trompés, les anciens, pour que les fils en soient là ? Et l'image du père revient, douloureuse, porteuse de colère.

Certains soirs, lorsqu'il se rend Chez Thérèse, le café-restaurant du bourg, si l'un de ses compagnons évoque des souvenirs de cinquante ans, du temps où ils avaient dix ans, Barthélémy se tait. Si on le relance, il hausse les épaules. Les autres croient qu'il n'a pas de souvenirs, qu'il a oublié. Ou qu'il s'en moque. Il n'en est rien. Barthélémy sait que les soldats des armées défaites n'ont pas droit à la nostalgie. Il s'agit d'une mémoire de vaincus sans personne pour l'écouter autrement que sur le mode de la dérision ou des regrets déplacés. Il a honte de ses souvenirs, Barthélémy. C'est pour cela qu'il se tait.

Une légère brume monte du sol glacé. Il a gelé. Barthélémy longe les étables vides, saisit un bâton de noisetier dans la bergerie abandonnée. Et sans un regard pour la cour qui n'est plus qu'un vaste dépotoir, voûté, sec et nerveux dans ses vêtements rapiécés et sales, il prend la traverse dans la descente qui mène à la châtaigneraie. Derrière la fenêtre, le regard du vieux est planté dans son dos. Son père a deviné qu'un grain de sable s'était introduit dans la mécanique terrible de leurs existences parallèles. Barthélémy enrage d'être ainsi percé.

Il est en vue de Provenchère. Posté à la lisière du bois, il découvre la lande qui borde la route en cul-de-sac menant aux grilles. Le château, juché sur cette pointe de terre relevée, flotte au-dessus de la tourbière. Là-bas, assez loin, on devine les premières maisons du village. Des cheminées fument. Aucun autre bruit que cette rumeur dans les branches hautes et qui fait songer à la mer.

Barthélémy imagine les camions, cette nuit, stationnant sur la partie herbeuse de l'esplanade en façade. Il connaît les lieux pour avoir participé, il y a quarante ans, au déménagement d'un piano. Les propriétaires d'alors avaient une fille éprise de musique. Le père avait demandé à quelques jeunes gens du pays de transporter l'instrument dans le grand salon. Après une suée, car le Pleyel était aussi lourd qu'une vache crevée, on leur avait offert à boire. Pendant qu'ils se désaltéraient, la fille de la maison s'était installée devant le clavier et avait interprété une musique compliquée. Elle avait dit que c'était pour eux, pour les remercier. Son visage concentré sur le mouvement des doigts exprimait quelque chose d'indiscret qui avait gêné Barthélémy.

Lorsqu'il aperçoit la voiture américaine stationnée au milieu de la pelouse, Barthélémy comprend que les Anglais n'ont pas été cambriolés. Le Crâne, car il ne peut concevoir qu'un autre que lui soit demeuré

là, est toujours dans le château. Le mystère s'épaissit.
Un désordre s'est installé dans l'intimité de Provenchère qui aura un retentissement sur tous. Cette idée
distrait Barthélémy. Il aimerait que tout s'écroule
autour de lui, que soit rasé cet ordre qui semble
convenir aux autres et qui lui est odieux. Il aime à
imaginer des catastrophes qui ramèneraient chacun à
la raison. À plus d'humilité. Elles viendront. Il n'en
doute pas.

Il sort du bois, longe la lande d'un air dégagé, fait
semblant de s'intéresser aux champignons, tape la tête
des herbes et des fougères gelées de l'extrémité de son
bâton. Peut-être le Crâne l'observe-t-il depuis une
fenêtre. Il regrette de s'être mis à découvert. Trop
tard. Il remarque les énormes caisses sur la pelouse.
Cela fait longtemps que la curiosité ne lui a pas fait
battre ainsi le cœur.

Barthélémy a contourné Provenchère. Il remonte
par une coulée de prairies humides. Là-bas, le village
apparaît, centré autour de l'axe de son clocher au
creux d'un vallon aux flancs couverts de bois mauves.
Les toits d'ardoise renvoient au ciel une lumière de
pierre sombre. De sa position, Barthélémy entend à
peine le vrombissement d'un moteur sur la route qui
passe au pied de la ferme-d'en-haut. Tout son univers
est là, à portée de regard, dans cette vaste cuvette où
a roulé sa vie, où il a tourné en rond comme un mulet
attaché à sa meule. Il va, les yeux rivés au sol. Les
traces du passage des bêtes le distraient de ses idées
sombres. Les chevreuils pullulent cette année, les bracelets ne suffiront pas. Sur l'autre versant, il aperçoit
les toitures de la ferme de Blessac, grosse bâtisse flanquée d'une grange et entourée de bâtiments agricoles.

Un chemin de terre battue mène à la propriété située au centre de ses terres que les remembrements successifs ont transformées en un immense vallonnement privé de haies.

Barthélémy s'arrête. Très au-delà de la ferme, il voit le tracteur de Jean travaillant un blé d'hiver sur une terre que les défrichements ont gagnée sur les bruyères. Jean a quarante-cinq ans. En épousant Elma dans des circonstances singulières, il est devenu maître de Blessac. Barthélémy sait qu'il reste chez Jean une sorte de honte. Le choix qu'Elma a fait en l'épousant n'est pas parvenu à le rehausser dans sa propre estime. Barthélémy l'aime bien pour ça. Il le comprend. À sa place, lui aussi serait mal à l'aise.

L'histoire de Jean et d'Elma a beaucoup fait parler au pays. Un jour, des chasseurs ont prévenu les gendarmes qu'une caravane stationnait dans les bois de Haute-Faye qui appartiennent à Elma. Un homme vivait seul dans cette caravane. Les gendarmes, conduits par les gardes de l'Office national des forêts, s'étaient rendus sur place. Un an plus tôt, Jean travaillait dans une imprimerie de la Région parisienne. Son divorce l'ayant ruiné, il avait dû vendre son appartement, avait été licencié et, n'ayant aucune famille, en quelques mois, il s'était retrouvé à la rue. Il avait alors décidé de fuir la Région parisienne dans une vieille caravane attelée à sa voiture sauvée de la traque des huissiers.

Comment s'était-il retrouvé là, dans les bois de Haute-Faye, incapable d'aller plus loin ? Personne ne l'avait vraiment su. Les naufragés ne choisissent pas les rivages sur lesquels ils échouent. Quand il avait été établi qu'il ne s'agissait pas d'un délinquant ou d'un planteur de chanvre retiré dans la discrétion des forêts, on l'avait laissé tranquille. Et puis, l'hiver avait fait sentir son étreinte. Alors, Elma l'avait recueilli. Barthélémy pense que la pitié peut ouvrir le cœur des femmes. Que souvent la compassion détient les clefs de leur attention et parfois de leur chambre. À d'autres moments, il en doute. Partager le même labeur a le pouvoir de rapprocher les hommes et les femmes. Peut-être n'aurait-il flotté entre eux qu'une amitié amoureuse si Elma n'avait pas pris l'initiative. Oui, ce doit être cela. La timidité de Jean avait conquis la jeune femme de trente ans. La rumeur veut même qu'il l'ait d'abord repoussée. Mais qui pourrait résister à Elma ? Malgré la différence d'âge, six mois plus tard ils se mariaient. Depuis, Jean prend part activement à l'exploitation. Il s'y est mis, comme on dit ici.

Barthélémy se demande si se retrouver à la tête d'une propriété de cent soixante hectares, d'un troupeau d'une centaine de limousines relève bien d'un rêve pour Jean. À quoi rêvent les imprimeurs ? Barthélémy serait incapable de répondre à cette question. Il sait simplement qu'il apprécie la modestie du mari d'Elma. Le fait que celui-ci ait été un vaincu, tout comme lui. Un vaincu de la ville, en somme.

Barthélémy suit le sentier qui mène aux bois des Bruges. Au moment de disparaître dans l'entaille d'un chemin creux, il aperçoit Elma. Barthélémy hésite. Mais la jeune femme vient droit sur lui.

— Bonjour, Barthélémy.

— Bonjour, Elma.

Elle est vêtue d'une parka kaki. Une paire de jeans plonge dans ses bottes, un cache-col, un bonnet sur ses cheveux noirs. Elma attend. Elle sait que sa pré-

sence est une blessure faite à la solitude de Barthélémy, que le vieux célibataire aurait préféré ne rencontrer personne. Aussi ne précipite-t-elle rien. Elle
regarde, comme lui, en direction de Blessac. En
arrière des bâtiments, sur une pente écrasée comme
par une absence de perspective qui rappelle les pein-
tures du Moyen Âge, le tracteur de Jean va et vient.
Labourant une terre noire comme du sang caillé.
Barthélémy sent la chaleur du corps d'Elma. Non
qu'ils soient proches. Elma s'est bien gardée de faire
un pas de plus. Mais Elma est un brasier dans cette
immensité glacée. Elle ressemble tant à sa mère. C'est
à n'y pas croire pour quiconque a connu Françoise,
une brune aux yeux bleus dont tous les garçons étaient
amoureux. Barthélémy n'avait pas échappé au sortilège. Françoise n'est plus, mais elle reste dans le souvenir du vieux célibataire, avec la netteté de l'enfance,
lorsque la grâce est donnée à certains, refusée à
d'autres. Et que les uns et les autres comprennent
qu'ils vont devoir s'accommoder de ce partage.

Leurs pensées flottent librement, se touchent,
rebondissent l'une contre l'autre, s'effleurent. Ils se
concentrent d'abord sur Jean, tout là-bas sur son tracteur. Leurs yeux dérivent vers les bâtiments de la
ferme. L'impression, vue d'ici, qu'il s'agit d'une
maquette. Ils remontent vers la gauche et détaillent
au loin un troupeau d'une trentaine de têtes. Peut-être
les comptent-ils, par habitude, regardant ce qu'eux
seuls peuvent voir. Brusquement le souvenir de Françoise passe de nouveau sur eux. Gêné, Barthélémy
rétracte sa pensée. Chacun songe de son côté. C'est
alors que Barthélémy voit les larmes couler sur les
joues de la jeune femme.

Surtout, ne pas montrer qu'il les a vues. Dissimuler. Elma regarde la campagne, campée sur ses jambes longues et musclées, les mains dans les poches de sa parka. Une mèche de cheveux retombe sur son front d'une pâleur que la marche n'a pas rehaussée. Ses yeux bleus sont deux taches posées sur la neige de son visage amaigri. Seules les lèvres ont conservé leur rose. Elma pleure en silence.

Le cœur de Barthélémy cogne. Il sait pourquoi Elma pleure. Et à la fois, il l'ignore. Il imagine sa douleur et en même temps une limite infranchissable lui interdit de pénétrer ce chagrin.

Soudain, le vieux célibataire lève le regard vers le ciel. Il scrute les nuages. Il ne voit rien mais il a entendu. Ce sont des cris venus d'un autre monde, du monde autre. Elma redresse la nuque. Elle a passé un bref revers de manche sur ses joues. De nouveau, leurs yeux clignent dans la même direction. Ils sont émus comme chaque fois qu'ils les entendent, car ils savent qu'il s'agit toujours d'un privilège. La magie qui les enserrait se brise. Une centaine de grues raient le ciel de leur flèche, lourdes, obstinées, venues de la nuit des temps, inconsolables d'infini. Porteuses des âmes mortes et des chagrins vivants.

*

Le travail, comme une dernière manière de tenir tête à la peine, une tentative d'oubli. Une drogue. Il est neuf heures. Jean referme derrière lui la porte d'entrée. Les lampes halogènes de la cour s'éteignent. En hiver, Blessac ressemble à une usine.

— C'est moi... Elma ?

Elma ne réagit pas. Devant elle, l'écran de l'ordinateur scintille dans la pénombre du petit bureau lambrissé, aménagé derrière la salle à manger. Des piles de déclarations, les services sanitaires, l'administration, l'abattoir, les comptes, les emprunts, les assurances s'empilent devant elle. Les paroles de son mari la touchent. Elle y voit une attention, une manière de lui permettre de se recomposer un visage, des attitudes. Jean ne veut pas la surprendre, la blesser davantage. La certitude qu'il s'agit d'un geste d'amour, d'autant plus beau qu'il est minuscule.

Depuis le drame, elle s'est éloignée de Jean comme d'elle-même. Ce n'est pas elle qui est devenue distante. C'en est une autre qui occupe son corps. Une chose s'est brisée en elle à laquelle son mari n'a plus accès. Son désarroi, elle ne peut pas même lui offrir de le partager. Ses promesses d'église, devant l'autel, ont volé en éclats. Rien ne résiste à ce qui l'emporte. Elle est morte et pourtant elle est toujours là. Elle ferme les yeux. Pourquoi donc Jean s'annonce-t-il ainsi ? Qui d'autre que lui pourrait désirer franchir le seuil de Blessac et retrouver le spectre qu'elle est devenue ?

Elle repousse les papiers qui encombrent la table. Jusqu'alors, elle tenait la comptabilité, avec soin, méticulosité et ténacité. Certes, elle n'aimait pas cet aspect de sa vie d'agricultrice, rendre sans cesse des comptes, mais elle faisait face. Elle n'est pas femme d'agriculteur, Elma. Elle est l'épouse de Jean. Par bien des aspects, c'est lui qui est mari d'agricultrice.

Elma sourit avec tristesse. Elle entend Jean qui cherche une casserole dans la cuisine. Il évite de faire du bruit, referme les placards doucement. Le temps de mettre l'eau à chauffer et de jeter une poignée de pâtes. Donner le change, faire croire dans cette maison que quelque chose mijote dans la cuisine, à neuf heures du soir, quand il rentre fourbu des étables. Prétendre, contre toute évidence, que les habitudes tiennent encore tête au malheur. Qu'on ne laisse rien filer.

Jean a allumé le gaz. Elle imagine la casserole posée de travers, le sel oublié. Toutes ces maladresses d'homme qui, avant, l'auraient exaspérée. Émue aussi. Ses mains sont posées à plat, de part et d'autre du clavier. Sur l'écran de veille de l'ordinateur ondulent des formes étranges. Elle les regarde fixement comme s'il s'agissait de messages sortis des nimbes.

Des doigts effleurent ses épaules, à la base de sa nuque. Une pression chaude. Elma incline la tête sur le côté, dans le berceau d'un coude.

— Je n'ai rien fait, murmure-t-elle.

— Ça n'a pas d'importance...

— Si.

Jean l'embrasse sur la tempe.

— Je ne peux rien faire.

Sa voix est hachée. Jean la devine au bord de la déchirure. Il contourne la chaise et s'agenouille à ses pieds. Il voudrait la prendre dans ses bras, consoler cette femme. Mais c'est lui qui pose le front sur ses genoux. Comme un enfant. Comme l'enfant mort que les infirmières lui ont laissé tenir à la clinique, il y a deux mois.

Une petite fille.

Combien de temps restent-ils ainsi ? Le bouillonnement de l'eau sur le gaz le fait se relever. Elma n'a pas bougé. Ce n'est qu'en l'entendant placer les assiettes sur la table de la cuisine qu'elle vient le retrouver. Elma regarde sa silhouette d'ancien ouvrier du livre, ses gestes précautionneux, cette manière bien à lui de ne pas écorcher l'espace. Son habileté aussi dans les touchers minuscules, que les durs travaux de la ferme n'ont pas encore érodée. Il s'applique, les verres, les couverts, le pain, le jambon blanc, les serviettes. Il sait qu'elle l'observe.

Ces deux êtres sont au-delà des paroles. Leur chagrin est si grand qu'au lieu de les réunir il les sépare. Elle voudrait qu'il lui dise nous recommencerons, nous n'avons pas entendu les messagers du malheur mais nous recommencerons. Nous réinventerons de nouveau la vie. Ce serait si simple. Elle serait prête à le croire. Ces mots, il les lui a déjà dits. Elle ne les a pas entendus. Elle n'entend plus.

Comment n'ont-ils pas perçu les chuchotements annonciateurs de désastre ? Elma revoit ces moments qu'elle juge à présent comme relevant d'une incroyable provocation faite au destin. Jean tapissant en rose la chambre au premier attenante à la leur. Jean juché sur une échelle, un rouleau à la main, heureux, souriant comme elle ne l'avait jamais vu. Le bonheur qui se transfuse de l'un à l'autre, librement. Ses cheveux bruns étoilés de peinture à plafond. Sa blouse de tapissier qui lui donnait l'air d'un professionnel. Ses yeux rayonnants, derrière les verres de ses lunettes. Le parfum d'essence de térébenthine attaché à ses doigts. Cet air si doux, si rassurant, qui comblait Elma, qui lui donnait l'incessant désir de se frotter à lui, de le provoquer de ses formes rondes, de jouer la Vénus callipyge. La joie qui sourdait de chacun de leurs gestes, leurs rires. Ces moments où ils s'interrompaient et se postaient à genoux devant la fenêtre en imaginant ce que leur enfant découvrirait d'abord du monde. Ils étaient sourds, ces deux-là. Aveugles aussi. La seule inquiétude qui les avait touchés, c'était l'éloignement de la maternité. Et la décision de s'y rendre bien avant les premiers signes. Se retrouver au centre de l'attention des médecins, des infirmières, avec en contrepoint la nostalgie de leur vie à Blessac. Lorsqu'à deux, ils étaient déjà trois. Le désir d'y retourner bien vite. L'accident lors de l'accouchement. Les choses qui basculent, l'affolement de la sage-femme, du médecin, perceptible dans la manière forcée de rassurer. Et l'idée que la mort gagne du terrain. Qu'il va falloir céder, pas à pas, souffle après souffle. Pour enfin renoncer.

Elma n'a pas remis les pieds dans la chambre préparée avec amour. Là-haut, au dessus de la cuisine, Blessac est à ciel ouvert. Arrachés la toiture, les planchers des immenses greniers, les solives et les poutres. Découpée, la calotte qui sertissait leurs rêves. Enfuies vers le ciel, les espérances d'un bonheur à trois, très doux. À la place, un trou noir. Un vide dans la maison de famille que rien ne pourra combler.

Elle sait que Jean, lorsqu'il croit qu'elle ne l'entend pas, pousse la porte de la chambre rose. Elle l'imagine, s'asseyant sur la petite chaise près du berceau froid. Elle pense qu'il pleure. Curieusement, cette idée ne la rapproche pas de son mari. Elle sombre, et celui auquel elle voudrait se raccrocher coule aussi.

Elma s'installe à la table où Jean sert un potage réchauffé. Elle est de guingois sur sa chaise, les jambes repliées, tournée vers le lave-vaisselle, le corps torturé, comme si elle n'avait pas l'intention de rester dîner.

Une adolescente boudeuse qui brûle de sortir. Elle est là, simplement pour témoigner. Accompagner dans son repas un mari épuisé par sa journée. Ses pensées sont tout entières occupées par le petit corps que Jean lui a remis alors qu'elle était encore dans la salle de travail. Un corps froid, qui à peine sorti d'elle venait d'accomplir une nouvelle métamorphose. Un corps insaisissable qu'elle ne serrerait pas dans ses bras pour le bain du soir ou le départ pour l'école. Le presser contre soi cependant, une fois, comme une mère penchée sur un visage plissé et gris. Plonger son regard sur cette vie minuscule qui se referme, qui ne cessera de mourir pour le restant des jours, mourir dans la chambre qu'elle n'occupera pas, dans les grandes pièces de Blessac vides de ses cris, mourir à l'école où elle n'ira pas, mourir pour les garçons qui n'auront pas la chance de la connaître, mourir à celui qui ne pourra la demander en mariage et dont la vie est fichue d'avance sans qu'il le sache. Mourir à l'avenir qu'elle n'aura pas ou si inconcevable à la pensée humaine qu'il ne peut s'agir d'avenir.

Jean attend que le potage refroidisse. Elma le regarde sans le voir. En cet instant, elle aimerait qu'il la bouscule, qu'il s'insurge, la gifle, la prenne dans ses bras, lui murmure une berceuse. La contraigne à dépasser son absence de désir de vivre. Qu'il se montre injuste, égoïste, blessant. Que sa colère la fasse hurler, puisque sa douceur n'est parvenue à rien et qu'au contraire elle s'y noie. Qu'il lui rappelle cruellement que pour vivre il faut avoir le sentiment d'avoir encore quelque chose à perdre.

Elle ne sait plus ce qu'elle voudrait, Elma. Elle se lève et va chercher un verre d'eau. Sous chacun de ses pas se creuse un vide. Seule la marche lui apporte

une forme de paix. Elle en use comme d'une thérapie.
Marcher, comme d'autres écrivent ou chantent. Marcher pour distancer son double empoisonné par la
peine. Espérer prendre le chagrin à contre-pied, se
forlonger.

— Je n'ai pas faim...

Jean veut dire quelque chose mais se tait.

Ils sont là, tous les deux. Jean redresse la tête et
commence :

— Les blés d'hiver s'annoncent bien. Si tu pouvais
voir. Toi, tu sais...

Elle le dévisage sans qu'il soit possible de lire sur
ses traits le moindre assentiment, la plus petite faille
par laquelle les paroles se seraient engouffrées dans sa
pensée.

— Il va falloir vacciner les veaux. J'aimerais commencer la semaine prochaine. Si tu es d'accord.

Pourquoi lui demander toujours son accord, Jean ?
Décide donc seul, quelquefois. Ne vois-tu pas qu'elle
le désire ? Elma détourne les yeux. Ses parents sont
morts, sa petite fille est morte. Elle est entre deux
vides, elle funambule entre les portes du jour et de la
nuit.

— J'ai téléphoné à la secrétaire de mairie, dit Jean.
Pour t'excuser. Ce soir, c'était conseil municipal.

Elle opine, indifférente. Se lève.

— Je vais dans la cour.

Jean est inquiet. Il craint l'irrémédiable.

— Je ne serai pas longue...

— Veux-tu que je t'accompagne ? Il fait froid.

Elma fait un signe de la tête. Il y a de la lassitude
dans son expression mais aussi cet air singulier qui

avait séduit Jean. Une manière d'être, très féminine, dans les moments les plus inattendus.

Dès que franchi le seuil de la porte, Elma s'apaise. La vue sur les prairies enténébrées qui convergent vers la ferme donne le sentiment d'être au centre d'un vaste mouvement de terres, au cœur d'une volute. Le froid presse son front, ses lèvres, lui fait ressentir l'enveloppe de sa chair. C'est la seule caresse qu'elle pourrait supporter que ce frôlement. Comme si son monde et celui où vit la petite à présent se rencontraient là, à ce contact.

Dans leur enclos, les chiens aboient avant de la reconnaître. Ils sautent sur place derrière le grillage. Elma passe, indifférente, et les deux bergers dépités retournent dans leurs niches. Une dizaine de mètres plus loin, un grand sycomore indique le cœur ancien de la ferme, comme en témoigne, tout près, une masure du XVIIe, vestige de la première implantation connue de Blessac. Elma s'approche de l'arbre, le contourne et s'adosse contre son tronc. Le bois lui apporte l'immobilité, une sensation étrange de paix comme si les ramures très hautes puisaient au ciel un babil venu des étoiles.

*

Depuis ce matin, Ben Forester travaille à Provenchère. Il a extrait de leurs emballages les œuvres dont il ne se sépare jamais. Il a longuement choisi leurs emplacements, respectant une logique susceptible de créer en lui une dynamique. Ben est un homme à ciel ouvert, en chantier. Son existence est un échafaudage. Aussi loin qu'il se souvienne, il est ainsi. Et pas seulement pour ce qui touche à l'art. Il a toujours peint ou sculpté comme si sa vie en dépendait. Il est là son secret, ce sentiment de n'être jamais achevé, d'être sans cesse contraint à concevoir. S'obliger à oublier pour réinventer. Il sait exactement dans quelles circonstances est né ce besoin de vivre en état d'urgence. Le secret de sa présence à Provenchère est à chercher là.

Toute sa vie, il s'est battu contre l'idée de l'enfermement de l'art dans les galeries, l'emprisonnement et la sacralisation des œuvres dans des lieux dédiés au marché. Et s'il a dû accepter qu'une part de sa production finisse sur les cimaises des marchands du monde entier, si cela lui vaut aujourd'hui la fortune, sa notoriété vient d'ailleurs. Ce qu'il abandonnera à la postérité est en dehors des musées. Sa fameuse spirale sur le fond d'un lac asséché, en plein désert du Nevada, œuvre prémonitoire datée de 1966, n'est-elle pas considérée par les spécialistes comme l'un des actes fondateurs du land art ?

Ses gestes sont larges, ses bras attrapent des objets qui semblent hors de portée, avec une illusion de perfection et de nonchalance. Autour de lui, le monde rétrécit. Sa silhouette vêtue de noir va et vient dans cet espace conquis en quelques heures. Ben est un stratège. La cuisine, le salon, les chambres, les greniers, il n'y vivra même pas. Il abandonne les marches de son royaume. Seul le premier étage l'intéresse, le cœur. Il y prend ses marques, trace des sentiers dans le dédale des habitudes à venir, entre les montagnes d'emballages et les empilements d'objets hétéroclites. En apparence il ne se passe rien. Pourtant, l'acoustique de la pièce est déjà bouleversée. La masse des caisses et des cartons y est peut-être pour quelque chose. La présence de Ben, plus certainement.

Lorsqu'il travaille, on le lui a déjà dit, il se crée autour de sa personne une atmosphère particulière. Les plus perspicaces perçoivent des rumeurs, on pense au frottement des pinceaux sur la toile, ou à d'autres bruits encore d'origine inexplicable. Certains de ses amis hésitent à entrer dans l'atelier lorsque, sur le seuil, ils ressentent cette grande absence.

Il s'obstine. Ranger, déplacer, mais sans chercher une quelconque perfection. Abandonner au hasard ce que le déménagement a brouillé d'un ordre que Ben se complaît à voir malmené. Il aime cette idée des cartes battues, des jeux redistribués, faire du neuf à partir des éléments vieillissants d'un univers usé. Il hait les routines. Le hasard joue un grand rôle dans son approche. Il a appris cela des chamanes, auprès des Indiens Chippewa, dans le Wisconsin, dans les années 1960.

Il s'en est toujours tiré, de ses innombrables déménagements, lorsque tout semblait égaré, enfui. Chaque fois, son inspiration a été forcée à s'envoler, à se renouveler, comme un être désorienté est capable d'inventer de nouveaux gestes pour recouvrer des repères. Cela est devenu chez lui une méthode. Partir dès qu'on se sent à l'aise. Le désordre comme ressource ultime lorsque tout paraît épuisé. Se mettre en danger pour créer.

Ben n'a pas son pareil pour renaître. Seul l'essentiel peut survivre à toutes les maltraitances qu'il s'inflige. Adolescent, il a été impressionné par la manière dont les grandes capitales européennes rasées par les bombardements se sont reconstruites. Il voit là une illustration de ses théories. Avec Ben, les neurones ne sont jamais assurés de leurs voisinages. La drogue, l'alcool, le sexe, le surmenage ont obligé son cerveau à réinventer continuellement de nouvelles procédures. Il ne croit pas au confort. Il est perpétuellement en reconstruction. Jusqu'où cela tiendra-t-il ?

Pourtant, Ben Forester sait ne rien avoir accompli d'important ces dernières années. Paradoxalement, il n'a jamais été autant encensé que depuis qu'il se répète. Comme si ses admirateurs se lassaient, à le suivre sur des voies déconcertantes. Comme s'ils voulaient ne contempler de lui que ce qu'ils avaient déjà vu. Ils vieillissent, eux aussi. En secret, Ben devine que l'usure du temps l'a frappé. À ce moment de sa vie, il lui faudrait des souvenirs neufs. Il est là pour ça.

Des coups de téléphone incessants. On le suit à la trace. Du monde entier. Les vieux amis et ceux dont on découvre la voix dans le combiné. Finalement, Ben a débranché tout ce qui pouvait sonner. Il a passé la matinée à regrouper les éléments d'une installation qui doit partir à New York à la fin du mois. Il s'agit d'une opération importante que son agent américain a soigneusement préparée. Ben se rendra là-bas, histoire de se montrer. Un tour de piste, quelques saluts, et retour du maître à l'atelier. Déjà, la perspective de devoir quitter Provenchère l'exaspère. Trop tôt. Il refusera si nécessaire. L'agent hurlera. Les commanditaires aussi. Il n'a pas fait tout ce chemin pour être importuné. Il doit se consacrer le plus vite possible à ce qui lui tient à cœur depuis plusieurs années. Ce pour quoi, en dépit de toute logique, il est là.

Il passe l'après-midi à sélectionner une série de toiles pour la visite prochaine du représentant de la banque Valtellinese qui finance une rétrospective de son œuvre à la galerie Nuovo Sagittario de Milan. Ben cherche les murs les mieux éclairés pour un accrochage provisoire. Il s'habitue peu à peu à la lumière de Provenchère. C'est un nouveau défi. Il en découvre la texture particulière, comme si le granit, les boiseries, les grès abandonnaient une part de leur patine aux éclairages. La minéralité du pays durcit les faux jours. Seules les mégalopoles ont le pouvoir de gommer les géologies sur lesquelles elles reposent. Ben aime ressentir les forces telluriques sous ses pas.

Une fois ce travail achevé, il sort sur la pelouse en façade. Muni d'une pince monseigneur et d'une hache trouvée dans une remise à bois, il éventre les caissons qui emprisonnent une demi-douzaine de sculptures. Ce sont des présents ou des acquisitions signés d'artistes de premier plan. Il met au jour une œuvre d'Albert Aebly qui, dix ans après qu'il l'a acquise, le fascine toujours. Après l'avoir dégagée de sa gangue de bois, il tourne autour, la caresse. Cherche ce que la pierre lui dit là qu'elle ne lui inspirait pas ailleurs. Il libère une pièce offerte par Martha Pan, une sphère tranchée, en acier inoxydable. Et une œuvre de Ian Hamilton Finlay, un bloc mystérieux taillé dans de l'ardoise noire, sorte d'incantation brute et minérale qui convient parfaitement à Provenchère et aux paysages d'ici.

En plein air, les gestes de Ben prennent encore plus d'ampleur. Une force juvénile irrigue ses membres. Il cueille des objets invisibles qui se matérialisent au bout de ses mains. Il danse autour de l'angle mort des choses.

Ben regroupe le bois sec des caissons et y met le feu. Les flammes montent dans l'air froid. Ses yeux se perdent dans la mouvance du bûcher. Le soir approche et les tourbières qui entourent le château se couvrent de brume. Une mélancolie primitive naît de cette vision. C'est un moment d'une douceur sauvage. Derrière le brasier, les sculptures s'animent, ondulent, recouvrant une part de la légèreté rêvée par leurs créateurs. La lourde façade de Provenchère miroite en arrière-plan, tel un décor de toile.

Malgré l'intensité du brasier, Ben ne recule pas. La bouteille qu'il tenait depuis l'aube est vide. Ses lèvres psalmodient une litanie muette. Son visage lisse, pâle, imberbe, évoque celui d'un homme venu de steppes lointaines. Ben peut ainsi changer selon l'heure, ses dispositions d'esprit, la personnalité de ses interlocuteurs. Plusieurs photographes lui en ont fait la remarque. Bien des femmes aussi.

*

Lorsqu'il s'installe au volant de la Chevrolet, il fait nuit. Les fenêtres du château découpent des rectangles de lumière crue derrière leurs croisées de pierre. Les murs se sont fondus au crépuscule. Provenchère est illuminé de l'intérieur, fastueusement. Provenchère est en fête, ses portes grandes ouvertes.

La voiture s'engage sur la route qui mène au pont de pierre. Au croisement, Ben reconnaît le chemin qui monte à la ferme-d'en-haut. Bientôt ses pas le conduiront par là.

Il poursuit en direction du bourg.

Quelques centaines de mètres plus loin, il rattrape une voiture minuscule qui roule à trente kilomètres-heure. Cette apparition le tire de ses pensées. Ne pouvant effectuer de dépassement, il décide d'attendre sur le bas-côté, le temps d'allumer un cigare. Longtemps après que le véhicule tressautant a disparu, Ben repart. Très vite, il arrive aux premières maisons du village.

D'anciennes fermes apparaissent, dont il cherche, en vain, à se rappeler le nom des propriétaires. En contrebas, la scierie semble encore en activité. Des lampes éclairent d'immenses tas de sciure en forme de cônes parfaits. Ben a connu l'exploitant. Le père ou le grand-père de celui qui doit diriger à présent la petite entreprise, car il n'imagine pas autre chose qu'une histoire de famille. Une odeur de sapin parvient par la vitre abaissée de la Chevrolet. Autrefois, c'était du tanin.

Les lampes municipales éclairent les façades de granit autour de la place. Tout a changé et rien n'a changé. Au fond, l'allée de tilleuls orientée vers l'église à l'architecture de montagne. Entre les troncs, les barres métalliques où étaient attachées les bêtes, les jours de foire. Le clocher marque le centre de cet univers. Mais pour Ben, le cœur du village est ailleurs. Qu'importe. Il repousse le moment de revenir à ce point sur ses pas. Se retrouver là est déjà si fort, si violent.

Il gare la Chevrolet devant Chez Thérèse. Derrière un rideau écru, des silhouettes sont assises. Ben pousse la porte. Les conversations cessent aussitôt.

La grande pièce est tapissée en jaune. Un vieux baby-foot est relégué près du poêle à mazout, dans un angle lambrissé. Des calendriers de marques de tronçonneuses aux murs, près de la porte d'entrée un présentoir à journaux. Quelques tables. Une arrière-salle où l'on sert des repas ouvriers à midi. Au plafond, l'ocre des néons évoque l'éclairage des *Rôdeurs de la nuit*, de Hopper. Quatre types sont installés à une table en Formica vert, devant des ballons de blanc. Une femme d'une soixantaine d'années traverse un rideau de lanières multicolores qui sépare la salle d'une cuisine attenante et se glisse derrière le comptoir.

Un des hommes tire le voilage cuit par la lumière et regarde la Chevrolet. Il lance un regard aux autres. Ceux-ci se penchent, se taisent. Ils sont ici chez eux. C'est à l'étranger de prononcer les premières paroles.

— Bonsoir. Je désirerais manger quelque chose.

La femme dévisage Ben, son air extravagant. La calotte de laine sur son crâne.

— Je ne fais à manger qu'à midi. Le soir, je sers seulement à boire.

Ben opine. Sa voix est très douce.

— Une omelette. Rien qu'une omelette et un peu de fromage.

Elle secoue la tête. Elle cherche à percer cet étranger au léger accent.

— Je viens de Provenchère...

Le silence dans le dos de Ben se fait plus profond.

— Le château ?

Ben acquiesce.

— Ils n'ont pas pu vous faire à manger, là-bas, les Anglais ?

Ben regarde les types qui écoutent religieusement. L'un d'eux, de son âge, détourne les yeux et, pour se donner une contenance, porte son verre à ses lèvres.

— Partis, les Anglais.

Il se retourne vers la femme. Ce sera donnant-donnant. Une omelette contre une menue monnaie d'informations sans intérêt.

— Partis ? Où ça ?

Ben s'approche du comptoir. Il fixe la patronne dans les yeux.

— On ne sait pas...

Ben lit sur le visage de son interlocutrice l'avancée d'une curiosité, d'un doute.

— Mon omelette ? C'est d'accord, n'est-ce pas ?

Pour ne pas perdre la face devant les autres, elle tente :

— Si vous prenez la départementale, à quinze kilomètres vous trouverez une bonne table.

— C'est de votre omelette que j'ai envie.

Ben sourit. Elle entrevoit ses dents blanches, ce regard si dérangeant. Et puis, elle hoche la tête.

— Parfait ! Je peux m'installer là ?

Ben montre une table proche du poêle.

— Je n'ai pas trouvé comment allumer le chauffage à Provenchère, lâche-t-il dans le vide.

— C'est qu'il doit y en avoir, des radiateurs, là-bas, remarque un des types.

— Pour tout dire, je ne les ai pas comptés.

La patronne a disparu derrière son rideau de plastique. Des bruits de casseroles, une pile d'ustensiles qu'on dérange. Le cul d'un saladier qui heurte le dessus d'une table. Ben se lève.

Il passe derrière le comptoir, pénètre dans la cuisine.

— Ne vous dérangez pas. C'est parfait... Vos œufs ont l'air si frais. Vous les achetez sur place ?

La femme est prête à le mettre dehors. Mais elle se tait. La curiosité est plus forte.

Ils restent là, tous les deux, à observer l'omelette qui grésille.

— Vous l'aimez comment ?

Thérèse a abandonné toute froideur. Un habitué lui a demandé un extra et elle a accepté. C'est aussi simple que ça. Dans le café, la conversation a repris.

— Vous avez du monde à midi ?

— Ça dépend des chantiers. Une douzaine de couverts en moyenne.

— Je prends une assiette... Là.

Elle se retourne. Ben fouille dans un placard. Il pose un verre sur l'assiette. Choisit une fourchette et un couteau trouvés dans un tiroir du buffet. Il est ici depuis dix minutes et il se sert lui-même. Et l'idée que cela puisse relever d'une quelconque arrogance, d'un sans-gêne, est la dernière des pensées de Thérèse.

L'omelette est excellente. Thérèse a ajouté quelques cèpes. Du pain, du fromage. Ben a demandé de l'eau. Elle lui a apporté une carafe. Il voit le regard ironique des autres.

La salle n'a guère changé. Tout se passe comme si les regards de l'enfance ne captaient pas exactement la réalité mais ce qui allait en advenir. Tout gosse, Ben était déjà sensible au jaune du plafond avec ses écailles et des chiures de mouches autour des lampes. Il a toujours en tête le léger écho qui touche ici chaque éclat de voix et qui l'intriguait quand il se faufilait entre les tables. Le vieux comptoir est toujours le même. En s'agenouillant, Ben trouverait sûrement dans son bois sombre les traces noirâtres auxquelles, du haut de ses dix ans, il prêtait un sens.

La salle à manger a été gagnée sur l'épicerie jadis attenante. Ben se souvient de cet incroyable bric-à-brac où il était impossible de ne pas dénicher précisément ce qu'on désirait. Tout a disparu aujourd'hui de la boutique ancienne. C'est à présent une grande pièce aux murs clairs et nus, encombrée de deux rangées de tables, avec au sol un carrelage jaunâtre. Le vide a remplacé le plein. Malgré cet effacement, Ben, qui est installé en face du passage reliant le café à la salle, voit l'immense bazar de son enfance, les couteaux de Thiers sur leur présentoir, les articles de pêche, les alignements de boîtes de conserve, les casseroles, les écheveaux de laine, les bocaux remplis de bonbons, la cloche à fromages, le jambon, les paniers, les balais, les bottes Le Chameau... Et les tabliers, ainsi que tous les sous-vêtements féminins discrètement rangés au fond dans des casiers, et pour lesquels Ben avait aussitôt ressenti une attirance jamais démentie.

Ben n'a pas quitté son manteau, ni son bonnet. Comme il repose ses couverts dans l'assiette, l'hôtesse se glisse derrière le comptoir. Sur la table près de la vitre, les verres sont vides. Les quatre hommes parlent à peine. Ben perçoit le mouvement des idées qui les font s'interroger sur sa présence. Le luxe de cette voiture inqualifiable, sauf à recourir au déterminant d'*américaine* qui repousse tout objet dans les sphères de l'anormalement grand, du dispendieux et de la surpuissance. Et même sa phrase sur les anciens propriétaires de Provenchère, cette simple phrase, tourne dans leurs têtes, pleine de sous-entendus qu'ils ne parviennent pas à expliciter mais dont ils pressentent les doubles sens.

Ben étend les jambes. Il allume un cigare et regarde la salle à manger comme s'il suivait un manège d'ombres. Thérèse sort de son comptoir et va éteindre la salle de restaurant. Peut-être une manière à elle de dire que c'en est assez, qu'il suffit pour ce soir, que le théâtre attaché à cet étranger doit démonter ses planches et replier ses tréteaux. Qu'ici, c'est de mystères dans ce genre dont on a le moins besoin. À moins que cette façon de couper brusquement l'éclairage de la pièce bleue ne soit, tout au contraire, une manipulation pour resserrer le faisceau sur l'estrade du vieux plancher noir de crasse du café perdu au fond du monde. Là où il n'y a depuis longtemps plus d'espérance, si ce n'est celle de durer encore un peu.

Et comme si ce simple geste avait le pouvoir, non pas de prévenir de l'achèvement de la soirée, mais tout au contraire de donner le signal de son début, les hommes et Thérèse qui s'est approchée d'eux, et qui parlent à voix basse, entendent soudain :

— Puis-je vous offrir à boire, messieurs ? Et à vous aussi madame, naturellement.

— Je ne bois jamais, dit Thérèse, sans se retourner, avec une rapidité qui trahit à quel point elle est sur la défensive.

Ben s'est levé. Son mètre quatre-vingt-cinq occupe l'espace, et les autres le regardent d'un air soupçonneux. Réjouis, cependant, à l'idée qu'ils vont en savoir un peu plus. Mais aussi à la perspective de tester la résistance à l'alcool de ce Parisien. C'est ainsi qu'ils ont l'habitude de nommer ici tout étranger qui parle leur langue.

Ben s'installe. Avec une désinvolture qui suggère qu'il était impossible de refuser cet homme à sa table.

Et d'un seul coup, par sa manière d'être si présente, si dense, pense Barthélémy sans trouver le mot qui convient, ils ont tous le sentiment de se trouver face à un adversaire de taille. Car il s'agit là, sous des formes de convivialité prudente entre hommes qui savent se tenir, d'une sorte d'affrontement entre celui qui sait d'où il vient, ce qu'il vient faire ici, et ceux qui désirent lui construire son histoire afin de le tenir à distance le temps de l'apprivoiser et de s'en assurer.

— Whisky ? suggère Ben en tendant un étui à cigares.

Il regarde ses compagnons, de ses yeux gris si clairs qui mettent mal à l'aise, peut-être à cause du sentiment d'être séduit, qu'on soit homme, femme, animal ou même chose. Les autres acquiescent. Ils auraient préféré quelque alcool anisé, voire une prune dont Thérèse dispose secrètement pour des circonstances exceptionnelles.

Alain, un bûcheron presque aussi haut que l'étranger, un colosse, répond :

— D'accord.

Il a dit ça avec simplicité, n'ayant pas le choix des armes. Mais il songe déjà, et les autres aussi, que ce type qui roule en Chevrolet est bien présomptueux pour un buveur d'eau. Alors, rassurés, ils lèvent les yeux vers lui et soutiennent son regard, confiants dans la suite de cet engagement si calme dans ses apparences. Et ils découvrent un homme qui se fait modeste, plus petit qu'il ne leur était apparu debout, plus simple au fond, presque hésitant. Ben, à présent, se laisse observer, le visage à nu, paraissant s'intéresser à quelque chose qui est dehors et que les lampadaires municipaux ne parviennent pas à dérober à la nuit.

Quelque chose qui ne peut posséder d'importance qu'à ses yeux.

— Vous avez une école, ici ? demande-t-il alors.

Comme on demanderait l'heure.

Thérèse s'approche. Elle pose les verres et commence à verser avec retenue. Il se produit alors une chose qu'elle n'envisageait pas et qui la saisit, confirmant son intuition que rien de ce que fait cet homme en noir n'est prévisible. Une chose qui n'est ni désagréable ni violente, mais intimement dérangeante. Des doigts se posent sur sa main et prennent le contrôle de la bouteille, qui lui échappe alors qu'elle croyait la tenir serrée. Et le goulot se met à danser au-dessus des verres de Barthélémy, d'Alain, de Roger, son frère, forestier lui aussi. Et de Louis, vieux paysan retraité, le seul veuf du village. Sans oublier celui de l'étranger, versant généreusement le précieux liquide doré.

— Nous gardons la bouteille, murmure Ben comme à lui-même.

Avant d'ajouter :

— À nous, messieurs...

Et tous de saisir leur verre, comme si une injonction militaire leur avait intimé l'ordre d'exécuter un geste précis et mille fois répété. Mais alors que les hommes d'ici, conformément à un rituel pointilleux, ne font que tremper les lèvres, Ben avale l'alcool comme on boit un verre d'eau au cœur d'une journée écrasée de soleil.

S'il y avait, avant l'arrivée de cet homme, une forme d'ennui au fond des silences, le temps Chez Thérèse va désormais furieusement. Ni précipité, ni lent. Mais tordu, avec des à-coups et de longs moments qui ressemblent au néant de la mort. Et d'autres encore, pleins de joie. Ce n'est pourtant pas qu'ils parlent beaucoup, tous les cinq. Thérèse, derrière son comptoir, les observe sans perdre une miette, sans égarer une expression. Sans pouvoir pour autant avancer dans la connaissance de cet homme qui n'hésite pas à répondre aux questions insidieuses des autres. À se dévoiler. Mais dont chacune des phrases est si simple qu'elle en paraît vite embrouillée, pleine de chicanes et de trappes, avec une manière de dire des choses que l'on comprend sur le coup mais qui, dès qu'on y repense quelques instants plus tard, s'obscurcit. Et paraît même signifier le contraire de ce que l'on avait tout d'abord entendu. À tel point que le souvenir de ses fausses confidences disparaît aussi vite que l'eau s'évapore au soleil. Tandis que l'homme remplit régulièrement les verres à un niveau déraisonnable.

Alors Thérèse comprend, peu à peu, que les quatre autres, ceux du pays, ses champions, dont elle connaît chaque pouce de l'histoire, cèdent pas à pas, baissent le front. Qu'ils portent les verres à leurs lèvres avec ce petit air bravache qui en dit long sur le tangage du monde dans leurs pauvres cervelles. Qu'ils se regardent parfois avec des airs égarés, ne se reconnaissant pas eux-mêmes, persuadés soudain d'être en face du diable qui approche sa bouche du feu de l'alcool aussi simplement que l'on baise le jet d'une fontaine. Avec cette même offrande de la gorge qui, non seulement ne lutte pas contre la brûlure, mais tout au contraire en recherche la caresse.

Une deuxième bouteille a remplacé la première. Elle est presque vide. L'homme dit des mots qui s'envolent aussitôt et ne se reposent sur un aucun perchoir. Des mots impossibles à ranger dans un ordre du monde déjà connu. Roger, le frère d'Alain, cède le premier. Son air sauvage d'homme du bois, ses mâchoires carrées, l'odeur de sciure aigre qu'il porte sur lui nuit et jour, ses mains abîmées par les échardes, tout s'est adouci. Et Thérèse retrouve par instants les traits de l'adolescent fugueur et dissipé qu'il fut, du temps de sa jeunesse. Et même cette beauté de garçon qui n'avait pas froid aux yeux lorsqu'il était revenu, vingt-cinq ans plus tôt, de son service militaire dans les commandos de marine.

Mais Roger se tait. Ses mains enserrent son verre plein qu'il ne peut assécher. De temps en temps, Alain jette sur lui le regard inquiet d'un frère. Mais l'autre ne le voit pas. Il ne voit plus personne. Il est confronté à des visions qui lui donnent un air perplexe. Il est ailleurs.

Un peu avant onze heures, le vieux Louis se lève brusquement en déclarant que sa femme l'attend, et part en titubant. Seule Thérèse se souvient encore, à cet instant, que Paulette est morte il y a cinq ans. À la manière dont Louis fait vibrer la vitre en claquant la porte, personne ne songe à s'en inquiéter. Les choses dérivent. On glisse au fond d'un abîme. Barthélémy s'est tassé sur sa chaise chromée, et sa silhouette déjà fluette se réduit comme si tenter de suivre le train imposé par le Crâne, puisqu'il s'agit bien du diable entrevu cette nuit, faisait fondre son enveloppe charnelle.

Alain, qui n'a jamais plié devant personne, comprend qu'il doit prendre l'initiative. Il retire son verre au moment où l'étranger s'apprête à le remplir avec toujours la même douceur terrifiante, la même sûreté de poignet. Et il proclame qu'il doit reconduire son frère chez sa belle-sœur. Qu'il est déjà tard. Que

l'épouse de Roger est peu aimable et n'hésiterait pas
à le laisser dehors par cette nuit qui s'annonce froide.
Il a déjà trop tardé. Il remercie, proclame qu'on se
reverra. Alors, il se lève, ramasse Roger sous son bras
comme on soulève un pantin. Et tous deux sortent du
café aussi dignement qu'il est possible lorsqu'on a
trouvé son maître à un jeu auquel on se croyait imbat-
table.

*

Ben s'est levé et regarde par la vitrine embuée la
nuit qui ensevelit la place du village. Il est silencieux.
Un peu inquiète, Thérèse reste derrière son comptoir
comme si les quelques planches moulurées pouvaient
la protéger. Barthélémy est assis sur sa chaise. Il s'enfonce dans le col de sa vareuse, disparaît à l'intérieur
du vêtement désormais trop grand pour lui, le menton
sur la poitrine, comme happé par la gravitation et
quelques forces obscures le tirant par le siège. Seuls
ses ronflements indiquent qu'il est encore en vie.

— Vous ne m'avez pas répondu, Thérèse.

Thérèse sursaute.

— Répondu ? À quelle question, je ne vous ai pas
répondu ?

Ben se retourne. Et Thérèse se sent observée
comme jamais elle ne l'a été. Le regard n'essaie pas
de fouiller ses blessures, ses vieilleries, ses artifices face
au ravinement des chairs. C'est inutile, car devant cet
homme elle est nue. L'impression que les yeux de Ben
cherchent en elle une image. Une image plus belle
qu'elle n'est aujourd'hui, plus séduisante. Plus jeune.
Du coup, elle n'a pas peur, Thérèse. Au contraire,

elle renaît sous la fermeté de cette attention masculine. Elle s'offre. Elle pince la bouche, comme au temps où, avant de se laisser aborder par un garçon, elle couvrait ses lèvres d'un voile humide. Elle redevient la jeune fille qu'elle fut. Provinciale, un air déluré sur une infinie prudence. Il est si loin, ce temps.

— L'école...

Elle se force à sourire. Après ce qui vient de se passer ici, demander s'il existe toujours une école au village ne lui paraît même plus étrange.

— L'école est toujours là.

Ben acquiesce. Et soudain, l'impression qu'il est venu uniquement pour cela. Qu'il s'est arrêté dans son café, en prétextant vouloir dîner, seulement pour cette histoire d'école. Mais cette intuition, Thérèse l'oubliera. Elle ne retiendra, le lendemain, que le départ lamentable d'Alain, de Roger, de Louis et de Barthélémy. Les bouteilles vides, l'omelette...

— Avec des enfants, deux maîtres ?

Elle opine. Comme on le ferait devant un gamin qui pose des questions de son âge.

— Une classe. Unique.

Ben est sur le point de partir quand il s'avise de payer. Thérèse le voit sortir de la poche de son manteau un rouleau de billets. Il en prend un et le tend. Elle va protester mais il l'interrompt.

— J'ai besoin d'une personne pour me faire la cuisine à Provenchère. Un peu de ménage, le moins possible. Vous pourriez me trouver quelqu'un ?

Thérèse fait semblant de chercher. Elle a déjà un nom en tête mais il n'est pas question de brader le service.

— Je vais y réfléchir. Ce n'est pas facile aujourd'hui. Il y aurait bien Denise. Elle cherche du travail. En attendant...

— Très bien.

Thérèse a l'air soudain embarrassé.

— Elle est un peu...

— Un peu ?

— Un peu... innocente.

— Parfait.

*

L'air glacé frappe Ben au visage. Les épaules arrondies, il allume un cigare et se redresse en tirant une longue bouffée. L'horloge du clocher marque minuit. Cette place de village est un caveau aux parois de granit. Le ciel est étoilé. Orion, Cassiopée, Vénus... Il n'a pas sommeil.

Il avance au milieu de la route. À sa droite, la Chevrolet est échouée sous un lampadaire, comme placée là par erreur dans le décor d'une fiction. À quelques mètres, la voiture sans permis de Barthélémy suggère une compression de César. Plus loin, dans l'ombre d'un atelier désaffecté aux verrières brisées, Ben remarque un *travail*. Les poutres qui en soutenaient la toiture, les sangles destinées à être passées sous le ventre des vaches, tout est ruiné. Des souvenirs reviennent par flux, qu'il croyait perdus. Des gosses, après l'école, se pressant autour du maréchal-ferrant qui frappe à grands coups de marteau sur les sabots des bêtes. Ben cligne des yeux. Parmi les gamins en sarrau, il en reconnaît un. Déjà différent, sans le savoir, en lisière des choses, qui ne perd pas un détail du spectacle. Et qui se tait.

Dans son dos, la vitrine du café s'éteint. Le bruit d'une porte qui se referme. Les fenêtres de l'appartement au-dessus jettent aux pieds de Ben quelques haillons de lumière. Le grincement des volets. Puis plus rien.

La route contourne l'église et s'immisce entre les maisons. Depuis qu'il est arrivé, Ben sait qu'il prendra ce chemin. Le moment est venu, il n'est plus temps de reculer. À hauteur de l'ancienne cure, il s'arrête. Est-il possible qu'un prêtre ait vécu dans cette masure à présent abandonnée ? Et qui paraissait si imposante, si solennelle, lorsque, enfant, il en franchissait le seuil. Un parfum de terre mouillée coupe la route. Ben se remémore l'ancien lavoir tout proche, attenant à une fontaine, les écrevisses dans le bassin, le trop-plein qui détrempait le sol. Là encore des images qu'il ignorait avoir portées au long de sa vie d'errance ressurgissent, prêtes à le ramener vers l'enfance comme une proie ferrée par la fuite du temps.

Un virage, un mur de grosses pierres qui fait l'angle, un puits mitoyen. Plus loin, un jardinet. Quelques maisons alignées aux façades basses, restaurées avec une méticulosité qui donne à cette partie du hameau un air plus urbain. Et brusquement, la masse grise de l'école. Ben avait oublié le pouvoir grandiloquent de la symétrie de l'édifice, une classe de part et d'autre d'un vaste couloir où, pour l'avoir escaladé et dévalé si souvent, il sait qu'un escalier droit dessert le premier. Sur le palier, la porte du secrétariat de mairie et, de chaque côté, les logements de fonction des instituteurs.

Il approche. Son ombre se coule dans la nuit, s'y dissout. Ben est un homme qui peut passer inaperçu, s'absenter de son corps au point qu'il est possible de le frôler sans percevoir sa présence. Il possède depuis toujours ce pouvoir. Enfant déjà, il passait des heures à l'affût. Mais c'est en partageant la vie des Chippewa qu'il a vraiment entrevu l'art de disparaître. Ben sait également se placer à la convergence des regards et attirer sur lui l'attention. Selon les circonstances. Toute son existence d'artiste traduit ce balancement entre disparition et désir de se placer dans la lumière. Anéantissement et réincarnation.

En cet instant, seule la braise de son cigare le trahit. Il est rencogné contre un mur, les yeux rivés sur cette école de campagne, cherchant quelque chose de lui seul connu. Un chien aboie. Se tait. Le silence est soudain infini. La rue est vide. Une voiture immatriculée en Gironde est stationnée dans la cour de récréation.

Le cigare est depuis longtemps éteint. Ben est toujours là. Son esprit explore les salles de classe. Il ouvre les placards où sont enfermés les cartes de géographie Vidal-Labache et les tableaux d'images Rossignol. Il renifle l'odeur de l'encre violette à même la gueule de porcelaine blanche des encriers encastrés dans le bois ciré des pupitres. Il inspecte les alignements d'affiches couvrant les murs au gré des saisons pédagogiques qui ignorent le rythme des planètes. Il s'approche, le cœur battant, du tableau noir auquel il répugnait tant à être envoyé devant les autres. Il renoue avec le bonheur de saisir une craie et de dessiner, à grands déliés de l'épaule impliquant le corps tout entier. L'une des premières émotions de sa longue histoire de dessinateur.

Il retrouve le goût de ces fins du jour, lorsque le temps se distend au point que les proportions de la classe se modifient sous la lumière du soir pénétrant par les fenêtres hautes. Lorsque chacun baisse la voix, s'apaise, le maître comme les élèves, avec le sentiment partagé d'avoir accompli un devoir. La certitude aussi que ce devoir, personne n'est vraiment là pour en témoigner.

À cinq heures, au lieu de filer par le portail, un enfant grimpe au premier par l'escalier ciré. Il habite ici, ce gamin. À l'école. Son père et sa mère sont les instituteurs du village. Lui, il est leur fils unique. Il est, du coup, dépositaire d'un écrasant statut qui oscille entre l'enfance et la dignité contrainte, la respectabilité et le déraisonnable nécessairement attaché à son âge. Que d'efforts n'a-t-il pas déployés plus tard pour transgresser, choquer, persuadé comme tant d'autres que toute œuvre est hérétique. N'est-elle pas là, la raison pour laquelle il a longtemps choisi le parti de l'excès, de la démesure, de l'affrontement ? Avant de faire de la légèreté un art personnel.

Son esprit est libre et concentré. Se retrouver devant la maison où il est né, où il a grandi, le trouble infiniment. Mais une école est-elle une maison ? Sa mère était-elle chez elle, là-haut, lorsqu'elle a accouché dans la pièce dont il voit la fenêtre sombre, à l'aplomb de la classe où elle enseignait ? Naître là, n'était-ce pas être condamné au voyage ?

Ici, gît la dépouille de l'enfant qu'il fut, son fantôme passé qui préfigure tous ceux qu'il disposera à sa traîne, après sa mort. Ben ressent sa présence dans le sommeil des murs. Et malgré lui, il éprouve de la compassion pour ce gamin qui, l'ignorait-il encore ou en possédait-il l'intuition ? allait devoir affronter une vie aussi terrible que la sienne.

Dans la cour, à l'opposé du vieux préau, la masse des tilleuls qui en juin embaumaient la récréation. Les savoir toujours là lui fait plaisir. Que de rondes sous leurs feuillages sucrés qui disaient à la fois le temps qui passe et l'éternité. Que de confidences murmurées, à l'abri des regards, derrière leurs troncs.

Au-delà, tout contre le mur du jardin des instituteurs, sur les flancs noyés d'ombre d'une colline, la forêt paraît toujours devoir engloutir l'école en lisière du village. Non pas au centre comme l'église, mais aux avant-postes, face à la sauvagerie. C'était son océan, ces arbres qu'il observait de la fenêtre de sa chambre en faisant ses devoirs. La houle de leurs cimes.

Il était amoureux de l'un d'entre eux, un châtaignier, qu'il dessinait et peignait inlassablement. Sa palette est née de l'observation de ses feuillages qui variaient au fil des saisons. Du blanc des ramures couvertes de givre, jusqu'au noir de certaines de ses ombres. Lorsqu'il avait appris, bien plus tard, que Soulages, enfant, avait eu la même fascination pour une tache de goudron sur un mur clair et que cette forme portait en elle, d'une certaine manière, une part de son univers chromatique, Ben avait eu le sentiment d'une expérience partagée. Il avait éprouvé cet élan enfantin, dont personne sur le moment ne peut dire s'il est naïf ou profond, mais dont la trace dans l'œuvre accomplie indique l'importance.

Ce n'est que bien plus tard que Ben avait commencé à travailler sur la limite qui sépare la nature de ce qui relève de l'art. En 1974, cette imperceptible transgression de l'ordre naturel devait s'illustrer magnifiquement par la photographie d'une feuille de châtaignier couverte de pétales de campanules et dérivant à la surface d'un lac. Toutes ces années lui avaient été nécessaires pour renouer avec sa fascination première pour la forêt et son amour pour un arbre.

Soudain, une lumière éclaire l'une des fenêtres du premier étage. Ben a conservé le souvenir précis du petit appartement, quatre pièces, une cuisine, une salle à manger, deux chambres, sans aucun couloir. La fenêtre attenante, qui doit correspondre à la chambre de ses parents, si rien n'a été modifié, s'illumine à son tour. Sous les yeux de Ben, le passé reprend vie. Il est le gamin inquiet s'en revenant d'une escapade trop longue dans les chemins creux. Et qui attend au pied de l'école que le courage le gagne d'affronter ses parents. L'idée le traverse qu'il a été aperçu et qu'une ombre va descendre par l'escalier, ouvrir la porte du couloir, se diriger vers lui et le sortir de son néant. Ce spectre va lui dire reviens mon enfant, ta place est là-haut, tu vas prendre froid à rester ainsi, debout dans la nuit. N'aie pas peur, rentre chez toi. Tu pourras reprendre des forces et tout recommencer, tout oublier, poursuivre l'invention de ta vie dont tu es le seul à savoir qu'elle n'est qu'un champ de ruines alors que les autres n'y voient que gloire et richesse. Ben met un visage sur la silhouette qu'il aperçoit là-haut. Celui d'une femme. Anne. De la bouche de cette femme, Ben a goûté les baisers, des mots d'amour et recueilli la connaissance. Tout mêlé. Indissociable, inextricable. L'abécédaire et les consolations, les comptines et le câlin pour s'endormir le soir, les lèvres sur le front enfiévré et la règle de l'accord du participe passé. Cette ombre porte un corsage, d'un blanc impeccable avec des pinces qui soulignent la poitrine, pris dans une jupe sombre avec une ceinture qui encercle sa taille souple. C'est une ombre aux chaussures à talons plats, les cheveux relevés sur la nuque. Ben partage seul avec son père le privilège de les avoir vu dénoués. Tous les garçons de l'école sont amoureux d'elle et les filles espèrent l'imiter plus tard lorsqu'elles seront grandes.

L'enfant croit encore, pour quelque temps, que cette créature lui appartient. Elle porte sur son visage un air doux et pugnace aussi. Bien des années après, Ben a tenté inlassablement de la peindre sans jamais y parvenir, quelle que fût la grâce de ses modèles. Sans jamais réussir à donner à voir le mystère du sourire bienveillant et troublé d'Anne Laforêt, institutrice, épouse de Pierre Laforêt, directeur de cette dérisoire école de campagne.

Ben reprend la rue qui mène à la place. Très vite, il est à l'église. À une vingtaine de mètres au milieu de la route, il aperçoit une forme sur le sol et qu'il prend tout d'abord pour un chien. En approchant, il découvre Barthélémy. Celui-ci parvient à se redresser, dérive dans une position oblique et s'affale dans l'herbe devant le capot de sa voiture sans permis. Sans un regard pour le vieux célibataire, Ben s'installe au volant de la Chevrolet et démarre. La voiture roule jusqu'à l'église avant d'effectuer un demi-tour. Alors qu'il repasse à faible allure à hauteur du café, Ben ralentit à hauteur de Barthélémy qui tente d'ouvrir la portière de son véhicule.

Finalement, il s'arrête, prend le temps d'allumer un cigare et, bien calé dans son siège, il observe. Comment as-tu pu changer à ce point, Ben, pour que ton vieux copain Barthélémy ne te reconnaisse pas ? Barthélémy qui est allé à l'école sur les mêmes bancs que toi. Barthélémy qui a appris à lire, à écrire et à compter sous le regard de ta mère. Barthélémy qui, en échange, t'a tout enseigné de la cueillette des champignons, du dénichage des oiseaux et du choix des fourches à lance-pierres. Barthélémy toujours si patient avec toi qui le surclassais. Sans jamais marquer la moindre jalousie. Lequel des deux est le plus transfiguré, Ben ? Le plus défiguré ? Le plus accidenté ? Lequel ? Toi aussi, Ben, tu es un grand brûlé. Tu fais une sacrée gueule cassée, dorée sur tranche, mais pas belle à voir pour qui sait regarder. Au nom de quoi pourrais-tu juger que ta vie est plus remplie que la sienne ? Et le plus humain des deux, quel est-il, Ben ? Toi, l'artiste si insensible que même l'alcool ne te procure plus l'ivresse ? Ou bien lui qui s'accroche à sa voiture minuscule qui ne ressemble à rien ?

Ben s'approche de Barthélémy, le prend par les épaules et le pousse sans ménagement dans la Chevrolet, sur la banquette arrière. Barthélémy s'effondre sur les sièges, murmure des mots incohérents.

La ferme-d'en-haut n'a guère changé. La voiture s'immobilise dans la cour boueuse. Pas de construction nouvelle, pas de tracteur ou de machine agricole moderne. Un air d'abandon. À l'arrière, Barthélémy a repris connaissance. Ben l'attrape, le remet sur pied et le guide jusqu'à la porte d'entrée qui n'est pas fermée à clef. La pièce commune est toujours aussi sombre, avec son dallage de granit, dans ce désordre

absolu qui trahit l'absence de femme. Dans la cheminée, quelques braises rougeoient dans le gris des
cendres. Ben connaît la maison. Il sait que derrière le
cantou une pièce sert de débarras et dispose d'un vieux
lit à rouleaux. Il y pousse Barthélémy, le fait pivoter
sur le sommier, hisse ses jambes lestées de grosses
bottes en caoutchouc.

Il se penche sur lui, observe son petit visage étriqué
que l'absence de dents cave comme le masque d'un
mort, son long nez droit à l'arête osseuse, le front qui
porte la marque blanchâtre laissée par sa casquette.
Il a été un enfant, jadis, songe Ben. Comme moi.
Qu'avons-nous fait de tout ce temps ? Mais déjà Barthélémy se tourne contre le mur, les bras pelotonnés
et les genoux pliés. Ronfle. Ben avise une pile de sacs
de pommes de terre vides. Il en saisit deux et en
recouvre les épaules et le corps de l'un de ses doubles,
abandonné là sans état d'âme, sans que jamais en cinquante années il ait eu une pensée pour lui. Revient
alors à l'esprit cette phrase de Mallarmé qui l'a si
longtemps accompagné, si juste pour ce qui touche à
l'art : « Qui l'accomplit intégralement se retranche. »

En traversant la salle commune, Ben s'approche de
la cheminée, s'agenouille. Quelques bûches sont placées à la verticale, à côté du foyer. Il s'en saisit et les
dispose sur les braises. Et souffle, lentement, profondément, jusqu'à faire renaître un feu dans la cendre
de son visage.

2.

Cette nuit, Elma n'est pas montée rejoindre Jean. Depuis son retour de la clinique, elle dort au rez-de-chaussée, dans la grande chambre qu'occupaient ses parents. Au début, Jean l'a suppliée de le retrouver à l'étage. Elle a résisté. Elle n'est pas prête, Elma. Elle lui demande d'admettre sa décision, de laisser le temps agir. D'ailleurs, quand bien même accepterait-elle de le rejoindre, elle serait incapable de dormir près de la chambre rose.

Jean aime Elma. D'un amour doux, sans véhémence, affermi par la conscience de bénéficier grâce à elle d'un automne radieux. Elma n'est pas jalouse de la vie passée de Jean. Tout au contraire, l'expérience de son mari la rassure. Elle se dit qu'elle est la dernière. L'élue. La certitude aussi qu'il est capable de l'accompagner, sans se faire oppressant ni intimidant. Elle y voit la preuve qu'ils vieilliront ensemble, que le temps ne leur est pas compté.

Elma fait sa toilette. Là-haut, Jean est éveillé. Il a espéré, en l'entendant, qu'elle vienne. Elle n'a pas pu lui faire cette offrande. Elle est trop pauvre pour cela.

Cette situation avive chez Jean l'inquiétude de celui qui, une fois déjà, a tout perdu. Non qu'il craigne qu'un jour Blessac à son tour ne s'effondre. Elma lui a fait comprendre la différence entre la condition de propriétaire et celle d'ouvrier. Il a entrevu l'assurance que donne le pouvoir de dire ceci est à moi, nul autre que moi n'a de droit sur ce bien. Mais il n'oublie pas dans quel état il était avant qu'Elma ne le recueille.

Elma est une femme merveilleuse, c'est le mot qu'il emploie lorsqu'il pense à elle, sans être capable d'en trouver d'autre. Il a cherché, mais c'est toujours « merveilleux » qui revient.

Elma prépare le petit déjeuner. Elle est pressée comme si une journée de travail l'attendait. Qu'est-ce qui remplit tes journées, Elma ? Ses mains vont vite, comme avant. Précises. Son habileté l'enchante. Elle se regarde faire. Elle ne reconnaît pas la femme insomniaque qui toute la nuit a ressassé les mêmes chagrins. Les deux bols sur la table, le café fumant à côté. Le pain, sorti du congélateur et passé au gril. La confiture ! Elle oubliait la confiture de coings, celle que préfère Jean. C'est elle qui l'a faite, une recette de sa mère, venue de sa grand-mère, qui la tenait de sa... Et soudain les souvenirs attachés à ces après-midi de fin d'été. Son gros ventre qui la repoussait loin de la table et la contraignait à réinventer ses gestes. Le plaisir à imaginer que l'univers tout de sucre qu'elle remuait du bout de sa cuiller en bois dans la bassine en cuivre faisait écho au plasma de la vie qui était en elle. Le projet de transmettre à sa fille une recette venue de la nuit des temps heureux, par les femmes, comme une consolation, une manière de proclamer une forme de bonheur tout à la fois domestique, modeste et universelle.

Elma repose le pot sur la table. Ses doigts poissent. L'odeur du café l'écœure, la vue du beurre lui noue l'estomac. Elle est là, titubante, sans savoir ce qu'elle fait, pour qui. Pour quoi. Dans l'escalier, elle entend le pas de Jean, sent le parfum de son après-rasage. Elle est de dos, sa main bâillonne ses lèvres pincées. Rien ne sort de sa bouche.

— Tu as bien dormi ? dit-elle enfin d'une voix déchirée en se tournant brusquement vers son mari.

Ils ont déjeuné ensemble, précautionneux, gênés de leur propre souffrance. Jean a bu son café debout, près de la fenêtre. Elma aime le voir ainsi surveillant le déval des prairies, tel un propriétaire. Sans le savoir, Jean adopte certaines attitudes de son beau-père. C'est là, entre le confiturier et la porte, qu'il buvait son café, chaque matin, à petites gorgées, observant en silence par la fenêtre des signes invisibles aux autres. Elma le regardait de dos, ce père immobile et scrutateur. Cela la rassurait, l'idée qu'il jauge la nature avant d'entreprendre. Sa mère aussi, elle le sentait, qui chantonnait dès le lever. Elle était si gaie, Françoise.

Mais à quoi peut-il penser, lui, Jean, le Parisien, face au spectacle des prés qui s'égouttent et des châtaigneraies ruisselantes de nuit ? Elma ne sait pas. Peut-être à ses presses, à l'odeur de l'encre, à celle du papier. À la fraternité au pied des rotatives. Au sentiment perdu d'appartenir à une caste ouvrière, une aristocratie. Il n'en parle jamais. Il serait inconcevable qu'il puisse lui dissimuler quoi que ce soit de sa vie d'aujourd'hui. Pourtant, elle ne sait presque rien de lui. Sa dérive, par exemple, avec sa vieille voiture et cette caravane achetée pour partir en vacances. Elle sait qu'il a vécu un temps dans un campement de

Gitans, sur un terrain vague près de Châteauroux. Il en garde le souvenir d'une descente sociale et d'une grande fraternité. Les deux, mêlées. L'impression d'être définitivement marqué. Plus accompli, au fond. Mais défait.

Jean avale une gorgée de café et dit quelque chose à propos des bêtes qu'il va falloir changer de pâturage. Et aussi des clôtures à refaire. Elma a compris. C'était donc aux clôtures qu'il songeait. En d'autres temps, elle se serait approchée, se serait plaquée contre ses épaules, aurait écrasé contre lui ses seins qu'il aime tant et aurait enfoui son visage dans le faible de sa nuque. En d'autres temps.

Elle reste assise. Esquisser les gestes qu'il attend est au-dessus de ses forces. Elle prononce alors quelques mots comme on fait tinter de la monnaie au fond de sa poche, pour montrer qu'on n'est pas totalement démuni.

— Je vais aller à la mairie. J'ai des papiers à signer.

Elle dit n'importe quoi. Ce dont elle est sûre, c'est qu'elle ne veut pas rester, ce matin, à tourner seule dans la maison. En lui interdisant pour un temps tout travail de force, le médecin l'a privée d'un moyen d'échapper à ses idées noires. Jean a de la chance. Lui, il peut s'exténuer.

Jean la regarde d'un air si doux qu'Elma s'en veut de ne pas pouvoir franchir le vide qui les sépare.

— Veux-tu que je te conduise ?

Elle secoue la tête. Elle désire être seule, monter dans sa 2 CV rouge que tout le monde connaît dans le canton, montrer à tous qu'elle existe. Conduire, se conduire, ici c'est pareil. Et soudain la certitude que si sa mère était encore en vie tout serait moins dur.

Un rapide baiser, leurs mains qui se saisissent d'une

manière un peu convulsive comme on serre des doigts sur le quai d'une gare au moment où le train démarre. Avec l'intention, dans ce serrement, de dire ce que ni les mots, ni les yeux, ni le visage, ne peuvent plus signifier.

Il a gelé cette nuit. Elma est enveloppée dans sa parka, un bonnet de laine écrue sur ses cheveux noirs. Son visage rosit sous le froid. La voiture est dans un hangar. Le capot et le pare-brise sont couverts d'empreintes de chats qui vont dormir sur sa capote. Il y a quelque temps, Elma aurait maugréé contre ces bêtes qu'elle aime pourtant et qui laissent au matin l'enfoncement de leur corps sur la toile. Cela fait longtemps que ces contrariétés sont reléguées très loin. Elle ne les voit plus.

Au bout du chemin privé qui conduit à Blessac et qui débouche sur la départementale menant au bourg, Elma marque un arrêt. Elle va redémarrer lorsque le car de ramassage apparaît au sortir du virage. Neuf heures moins le quart. Des visages de gamins derrière les vitres embuées se tournent et la regardent. Elle reconnaît quelques frimousses. Et soudain Elma est incapable de passer la première. Elle est anéantie, au point mort. Elle qui se voyait accompagner une petite fille au bord de la route pour y attendre le bus. Revenir le soir à cinq heures et l'attendre de nouveau. C'est cette attente qui lui manque, pour toujours. Ce temps perdu qu'elle vient justement de perdre.

D'un geste vif, elle coupe le contact, tire le frein à main et descend. Là-bas, elle sait que Jean l'observe depuis les étables. Elle sent son regard posé sur elle. Tant pis. Elle aimerait le rassurer, agir normalement. C'est impossible.

Elle traverse le chemin. De l'eau sourd dans les talus, venue des forêts des Bruges. Jean a raison, il faudra suivre les clôtures. Une quinzaine de limousines se tournent vers Elma qui se glisse sous le fil de fer et va à leur rencontre.

Elma aime les vaches. Cet aveu, elle le fait rarement et seulement à des proches. Même à Jean, elle a tardé à le confier. La crainte d'être incomprise, davantage que la peur du ridicule. Elle les aime vraiment. Ces grands corps dociles, patients, qui supportent depuis la nuit des temps la brutalité des hommes et la part d'un labeur qui ne leur revient pas.

Dans son bureau, elle a une photographie en noir et blanc. Le dernier attelage de Blessac, Blanchette et Rouge. Son père pose devant, l'*aiguillade* à l'épaule, un air de jeunesse et de fierté qui, avec le recul, met tout autant mal à l'aise qu'il est beau à voir. Lorsque son regard tombe sur cette photographie, Elma s'assure d'abord de la silhouette paternelle. Elle passe dessus, très vite, un peu gênée elle ne sait pas par quoi, peut-être la crainte de se retrouver dans les traits de son visage. Pourtant, on lui a toujours dit qu'elle était le portrait de sa mère. Les photographies en témoignent. Françoise, Elma, la beauté passée de l'une à l'autre sans être troublée par cette expression d'âpreté qui assombrissait le visage du père.

Aussitôt, ses yeux glissent vers les deux vaches qui plient la nuque sous le joug. Et chaque fois Elma sent son cœur battre plus vite. Elle est prise d'une immense tendresse, pleine de compassion pour les deux bêtes. Elle sait la dureté de leur vie, leur fin aussi. Le don de leur force, de leur être. Elma est de ces agricultrices qui détestent l'idée de donner la mort aux animaux. Il n'y a pas de basse-cour à Blessac.

Elma avance vers le troupeau. Si Jean était là, il lui demanderait de faire attention. Jean est un homme de la ville. Il en a hérité les préventions. Pour être juste, Elma doit admettre que son père lui a enseigné de toujours se munir d'un bâton. Les bêtes, d'abord inquiètes, l'ont reconnue. Elles inclinent leurs têtes, remuent leurs belles oreilles. De la buée monte de leurs échines. Elma babille. Des mots pour les vaches, très doux, et ses mains qui se lèvent avec lenteur comme on s'approche de quelque chose de merveilleux pour le toucher avec la crainte qu'il ne se retire brusquement et ne nous échappe. Le roux des limousines est la couleur préférée d'Elma.

Si Elma était née dans une terre propice à l'élevage des moutons, elle ne sait pas si elle se serait entêtée à être agricultrice. Elle en doute. Fort heureusement, ici les fonctionnaires européens ont décrété les pâturages favorables à l'élevage bovin. Tant mieux. Les céréaliers, aux contraintes de travail tellement plus souples, ne savent pas ce qu'ils perdent.

Maintenant les vaches ne portent plus de noms. Mais des numéros. Elma reconnaît sa préférée, la 812 A. L'animal vient à sa rencontre. Depuis un vêlage difficile, la bête lui est reconnaissante. Ses mouvements sont lents, elle prend garde de ne pas bousculer Elma. La jeune femme passe sa main dégantée sur le museau. Caresse entre les deux yeux, là où c'est dur et doux.

C'est la première caresse qu'elle prodigue, Elma, depuis le drame. Il s'agit d'une vache, qu'importe. Elle perçoit la joie simple de l'animal qui roule ses gros yeux marron. Elma gratte entre les cornes, flatte la nuque, entoure le cou. Non, elle ne flatte pas. Elle met tout ce qui reste en elle de vibrant dans ce contact chaud. Elle s'approche et s'appuie contre l'immense corps. La chaleur traverse sa parka, atteint sa peau. Des bruits parviennent de l'intérieur. Des bruits de vie. Elma repose son visage contre le poil odorant. Elle ferme les yeux. Un instant, elle n'a plus peur. Un frisson parcourt l'échine de 812 A. Le charme est rompu et la limousine va rejoindre le troupeau.

Lorsque sa 2 CV débouche sur la place, la première chose qu'elle aperçoit, c'est la voiture sans permis de Barthélémy. Ici, Elma voit tout. Sans regarder. Elle n'a aucun mérite, elle est chez elle. Rien ne lui échappe et pourtant l'essentiel, elle en est persuadée, lui est invisible. Elle cherche des explications, Barthélémy venu très tôt se réchauffer au café, Chez Thérèse. Barthélémy qui s'est fâché avec son père. Barthélémy... La voiture est couverte du givre de la nuit. Elma n'aime pas ça. Sous la carapace de son chagrin, le souci des autres est toujours présent. Elle passe devant Chez Thérèse. Jette un coup d'œil à l'intérieur sans trop quitter la route des yeux. Le village est désert. Le seul point d'animation est l'école. Mais à cette heure les parents ont déjà accompagné les enfants. De l'autre côté de la place, Elma aperçoit la camionnette du dépôt de pain-épicerie-presse qui vient de s'installer, subventionné par la commune sur des fonds en partie européens. Le magasin est tenu par un couple de chômeurs venus du Nord. C'est Elma qui a monté leur dossier après un entretien. Les quatre enfants ont redonné vie à l'école. Peut-être l'histoire de Jean a-t-elle compté dans cette démarche.

Il y a quelques mois, elle aurait donné deux brefs coups de klaxon, histoire de dire je vous ai vus, je suis contente de vous savoir là, et avec moi tous les gens à qui vous apportez dans les villages alentour des courses qu'ils n'auront pas à faire en voiture, des nouvelles aussi et de l'attention. Mais le cœur n'y est pas. Elle continue. Tout ce qui faisait ce radeau d'humanité auquel elle était accrochée dérive. Elle est tombée à la mer et elle voit les autres s'éloigner. Elle a perdu le désir de nager dans leur sillage pour s'y cramponner de nouveau. Tout file de ce qu'elle croyait aimer. Le plus effrayant est qu'elle trouve à cet éloignement une saveur qu'elle n'imaginait pas. Comme si l'idée d'être seule, absolument seule face à quelque chose qui la dépasse et qui l'engloutit, était une idée depuis toujours familière. Un exil attendu.

Elle passe devant l'ancien presbytère, prend le virage du vieux puits à la manière des 2 CV, tout en élasticité. La voiture de l'ATSEM qui s'occupe des maternels est stationnée à côté de celle de la cantinière. Sur le côté, dans la cour de récréation, le véhicule de la professeur des écoles. C'est vrai, Elma, le monde va sans toi. Avec ses habitudes de monde très vieux qui ne s'arrête pas pour si peu, lorsqu'une de ses créatures flanche et lâche prise. Qui continue vaille que vaille. Et sa manière d'aller est une façon de dire, relève-toi, rattrape le cours des choses. Allez !

Elma le comprend sans pouvoir réagir.

Elle pousse la porte du couloir. Et tout de suite cette odeur d'école qui lui arrive et la bouleverse. Elle avait tant imaginé franchir un jour ce seuil en tenant une petite main. Cela aurait été une manière de remonter les années, du temps où Françoise la conduisait là.

L'hiver, retirer des cagoules et des cache-nez, s'agenouiller et relacer des bottines, refermer les boutonnières, moucher un petit nez rougi. Une vingtaine de manteaux sont accrochés à des patères placées bas. C'est la maison de Blanche-Neige que cette maison-là. Dans la classe, Elma entend la voix d'Estelle. Une jolie voix avec un accent aquitain. Estelle est née à Bordeaux, où elle a fait ses études. Une maîtrise de droit. L'école de la magistrature en vue, au moins l'école notariale. Avocate, peut-être. Avant de prendre conscience que c'était maîtresse d'école qu'elle voulait devenir. Les mises en garde de sa famille, la déception puis finalement l'acceptation des siens, au rabais, tu pourras t'occuper de tes enfants, tu auras les mêmes vacances qu'eux... L'obligation de quitter la région bordelaise pour ce département improbable à la réputation de froidure, où Estelle avait eu l'idée saugrenue d'être reçue au concours.

Elle a triomphé de tout, Estelle. Elma l'apprécie pour cela. Pour sa franchise, son courage, sa manière d'être dans ce village où elle ne connaît personne. Où personne ne l'invite car une célibataire aussi jolie, c'est le loup dans la bergerie pense-t-on, là comme ailleurs. Elle a vingt-cinq ans. Certaines fins de semaine, un jeune homme vient la retrouver. Parfois, Elma pense qu'elle aimerait être cette jeune femme aux yeux d'aigue, si douce, si calme. Toujours bien vêtue, avec ce calme né des pays où la vie est moins dure, où les femmes sont plus rieuses, où la proximité de l'océan est une brèche faite au ciel. Du moins est-ce ce qu'elle imagine.

Elma tourne la clef dans la serrure de la porte de la mairie. Sur le bureau, la secrétaire a posé en évidence les dossiers qu'Elma doit relire. Dans la pièce attenante, prise sur le second logement de fonction d'instituteurs, la salle de réunion du conseil municipal. Une grande table et des chaises paillées. Le portrait du président sur le mur du fond. Un air un peu solennel, propre, sérieux et modeste. Une belle simplicité républicaine dans un pays où on ne plaisante pas avec la laïcité. À côté, dans l'ancienne chambre, le bureau du maire. Elma aurait pu être maire. Tous ceux de sa liste apolitique le désiraient, et même les vieux qui ne croient pas que la chose publique soit une affaire de femme. Même ceux-là auraient aimé qu'Elma conduise les cérémonies du 11 novembre ou bien les représente à la préfecture. Ils pressentent qu'une femme, jeune et jolie, c'est mieux pour la commune. Une agricultrice, qui plus est. Un pied dans le monde d'aujourd'hui. Un autre dans celui de toujours. Une fille, comme ils disent par tendresse, qui est d'ici, mais qui comprend Internet et parle anglais. Elle a un BTS, Elma, deux années après le bac. Elle a choisi pourtant de vivre à Blessac. Et ça, personne ne conteste que c'est beau.

Mais elle a refusé. Elle savait qu'un enfant allait naître, qui l'occuperait tout entière. Elle avait peur de ne pouvoir se consacrer totalement à ses fonctions. Je n'aurai pas le temps, répondait-elle. Elle en dispose, à présent, de ce temps immense qui n'en finit pas, qu'elle ne sait comment saisir et devant lequel elle est aussi désemparée qu'un voyageur qui entrevoit le désert. Le maire sortant a accepté de recommencer une dernière fois. Un retraité qui fait ce qu'il peut. Mais à soixante-quinze ans, l'énergie manque et les idées aussi. Il faut se préparer à d'autres échéances qui n'ont rien d'électoral.

Elma s'assoit à la place de la secrétaire. Machinalement, elle allume l'ordinateur, se connecte, va sur le site officiel des mairies de France, consulte un ou deux BO. Ce temps, loin de chez elle, l'absorbe. Elle s'oublie. Les cris des enfants, à onze heures, sortant en récréation, la ramènent à elle-même. Elle lève les yeux sur la forêt qui prolonge le terrain de jeu avec une cage à écureuil, un tape-cul et des panneaux de basket. Son regard dérive sur les cimes des arbres, court sur la crête de la colline, descend vers ce vieux châtaignier qu'elle a toujours connu, aux formes intrigantes.

L'ordinateur est éteint. Les dossiers rangés, avec quelques Post-it çà et là. Elma referme la porte du secrétariat. En bas, les enfants jouent sous les tilleuls. Elle entend le rire d'Estelle, dans la cour, du côté du soleil. Elle aurait tant aimé que ce soit elle qui apprenne à lire à la petite. Elma se glisse distraitement dehors et remonte dans sa 2 CV. Elle sait qu'on l'a vue. Cela l'indiffère.

Quelques minutes plus tard, elle arrive au croisement de la départementale et de la route qui grimpe à la ferme-d'en-haut. Elle a la tentation de monter prendre des nouvelles de Barthélémy. Demander s'il a besoin d'être conduit au bourg pour récupérer sa voiture, s'il ne s'est rien passé de grave, si son père n'est pas souffrant. Elle l'aime bien, Barthélémy. Il est de la génération de sa mère. Jean a confié à Elma que lorsqu'il vivait dans la forêt Barthélémy lui rendait visite dans sa caravane, lui tenait compagnie. Cela l'avait touchée, Elma. Lorsque Jean a commencé à travailler à la ferme, là encore Barthélémy était intervenu pour donner des conseils. Discrètement. En agriculteur d'un autre temps, savant et ignorant tout à la fois.

Elma hésite. Elle sait comme le vieux célibataire est indépendant. Elle est en pleine indécision lorsqu'une énorme voiture débouche de la droite par le petit pont de pierre, coupe tranquillement la route et prend la direction de Blessac. Elma a crié en pilant. La 2 CV a calé. Elma a juste eu le temps d'apercevoir une silhouette noire, un visage glabre surmonté d'un bonnet. Des lunettes noires. Elle enrage. Il n'avait pas la priorité, un panneau en témoigne. Elle doit se calmer. C'est sa première colère depuis le drame. Non pas cette grande colère qui est en elle pour longtemps et que personne ne voit, la confondant avec de la peine. Mais une colère de tous les jours, une colère ordinaire. Vivante.

Elle redémarre, parcourt les quelques centaines de mètres qui la séparent du croisement où débouche le chemin de Blessac. La perspective de revoir les grands bâtiments au fond du déval de prairies la rassure. Elle racontera à Jean ce qui s'est passé, ce presque accident, histoire de croire qu'elle est presque en vie. Peut-être se taira-t-elle, finalement.

Elle a déjà mis son clignotant lorsqu'elle découvre la voiture américaine stationnée sur le bas-côté. Immatriculée à Paris. L'homme en est descendu. Il est plus grand qu'elle ne l'avait imaginé, dans son manteau noir. Assis sur le capot de son vaisseau, il observe la ferme. Elma passe, s'engage dans le chemin de terre pour montrer qu'elle est chez elle, tire son frein à main, descend et marche à grands pas vers le type qui n'a pas seulement tourné la tête vers elle.

— Mais vous êtes malade !

Il ne bronche pas.

— Vous avez failli me tuer ! Vous êtes un danger public ! On ne devrait pas vous laisser en liberté.

Elma hurle. Elle en a après cet homme extravagant, mais aussi contre le ciel, contre ce qu'elle est devenue, contre sa flétrissure, contre l'absence. Elle s'approche. Elma est courageuse. Pas question de reculer devant un individu qui, d'ailleurs, ne la regarde pas. Qui n'est menaçant que dans la représentation qu'elle se fait des gens dangereux. Intrigant serait plus approprié.

— Qu'est-ce que vous avez à surveiller chez moi ?

Il y a une vraie curiosité dans sa question. Ben pivote vers elle. Il semble alors la découvrir, ôte ses lunettes pour la détailler avec attention.

— Vous habitez là ?

Elle aimerait dire qu'elle lui interdit de la questionner. Qu'ils ne se connaissent pas. Qu'elle va prévenir son mari, la gendarmerie. Elle a relevé son numéro d'immatriculation. Une voiture volée, une voiture de voleur. Toutes ces mesquineries qui l'entraînent loin d'elle et de son chagrin. La font dégringoler sur terre, au bas de son piédestal de femme souffrante. La réincarnent. Soudain elle s'entend dire :

— Pourquoi vous me demandez ça ?

C'en est trop. Elle tourne les talons et remonte dans la 2 CV.

*

Ben reprend le chemin de Provenchère. La rencontre avec Elma, sa ressemblance avec sa mère l'ont projeté cinquante années en arrière. Le sentiment d'être happé par le temps passé, cette perte irréparable, avive son inquiétude d'être en panne d'inspiration. Les marchands l'adulent et pourtant Ben Forester se sait sur la fin. Ses admirateurs les plus lucides en ont peut-être l'intuition, ils se taisent. Ben est un artiste à l'échouage qui n'a rien inventé depuis son retour en France. Ses installations récentes à Stonypath, en Écosse, la série de levées de terre engazonnées au Rijksmuseum Kröller-Müller, à Otterlo, son travail l'an passé pour la prestigieuse galerie Salvatore Ala de New York ne sont que des reprises de pistes qu'il arpentait déjà voilà trente ans. Avec combien plus de véhémence, d'acuité. De justesse et d'invention.

Ben est arrivé au bout de cette route qu'il suivait obstinément, au tracé crépusculaire inventé par Kerouac. Depuis quelque temps, la vie n'a plus le même goût. Si seulement Sarah était encore vivante. Mais le sida a fauché largement dans les rangs des héroïnomanes new-yorkais dans les années 1990. Généreuse, la Mort, pas regardante. Et Sarah s'est éteinte il y a douze ans au Roosevelt Hospital. Elle ne pesait plus que trente-cinq kilos. Sarah, la seule, l'unique. Celle par qui les plus grandes grâces ont touché Ben. L'être intercesseur. Sarah, dont la seule présence attirait sur lui l'attention des anges.

Ben gare la voiture sur la pelouse. La vue de la statue d'Albert Aebly le réconforte. Il s'approche, enlace les formes glacées, pose son visage contre la pierre. Il espère que le contact avec l'œuvre va lui redonner le souffle égaré, le remettre en relation avec lui-même. Il espère que Provenchère, machine minérale semblable à Stonehenge ou à Carnac, va lui insuffler l'énergie de ses pierres. À soixante-quatre ans, Ben a la conviction que l'essentiel lui a échappé. Il est désespéré. Atteindre l'horizon ne l'a jamais contenté. Vivre ne lui a jamais suffi. Il manque d'oxygène. Il est un homme revenu au pays de son enfance contempler ses propre ruines. Voir si quelque chose fume encore sur ses décombres, qui pourrait le mener plus loin. Il ne voudrait pas à son âge rester en rade, verser dans l'icône. Il demande un supplément, une rallonge. Juste le temps de s'épuiser totalement.

Il est un nuage immobilisé dans le ciel.

Au fond, secrètement, il sait bien ce qu'il est venu chercher ici. Ce matin déjà, après avoir ramené Barthélémy, il a commencé sa quête. En refermant la porte de la ferme-d'en-haut, il est remonté dans la Chevrolet, a mis le chauffage et a attendu en fumant un joint oublié dans la boîte à gants. Bien vite, l'impression d'être dans un bathyscaphe en plongée. Devant ses yeux, la cour encombrée de déchets, d'épaves, signes de la fin d'un monde, de son abandon, d'un ténébreux renoncement.

Dans le prolongement du capot, près des anciennes étables, un four et une porcherie à la toiture depuis longtemps crevée. Des poutres noires sortent des tuiles brisées que Barthélémy a remplacées par des tôles rouillées. Ben aime cette laideur qui renvoie à celles qui le hantent. Il apprécie cette liberté des choses qui ne se donnent pas à voir avec complaisance. Dans le *couderc*, l'épave d'une 4 CV. Les mauvaises herbes et les orties jaillissent des portières, créant un nouvel objet, entre mouvement et fixité, métal et végétal, et qui n'a pas encore choisi son camp. À côté, une 4 L a peu de chances, privée de roues et de moteur, de jamais reprendre la route. Une faneuse, non loin, s'enfonce dans la terre et s'y engloutit.

Ben observe cette débâcle. L'indifférence à l'esthétique convenue lui apparaît comme une régénérescence du rapport aux formes. Ce spectacle désolant avive son regard. Les campagnes ont aussi leurs banlieues chaotiques et fécondes. Ben apprécie ces zones qu'on ne visite pas, qui ne relèvent d'aucun patrimoine célébré, sur le bord de la trappe du temps et de la marginalité. Dont jamais aucune géographie ne rend compte parce que leur seule existence est blasphématoire à l'esthétique établie, c'est à dire à l'ordre. Là où renaissent les vieux mondes usés, où ils se réinventent.

Il attend. Dans sa Chevrolet aux sièges en cuir qui craquent dès qu'il tend la main vers le cendrier, il guette le point du jour. Il est revenu pour cela. Pour l'aube en ce pays. Dans l'espoir qu'une seconde chance lui soit accordée.

Ben se souvient. C'est arrivé il y a cinquante-cinq ans, non loin d'ici. Il avait dix ans environ. Il était un enfant solitaire et réservé. S'efforçant d'être semblable aux autres et n'en apparaissant que plus différent. Non pas supérieur mais ailleurs. Avec le sentiment, qui ne l'a jamais quitté, d'être étranger parmi les siens.

Sa mère eut, certainement la première, l'intuition que Benjamin ne serait pas ce qu'elle espérait, un médecin, un avocat, un grand professeur. L'acharnement de son fils à dessiner, à peindre, à modeler, possédait déjà quelque chose d'excessif qui inquiétait. Longtemps avant de savoir lire, Ben restait des heures à pétrir de la terre glaise. Depuis qu'il a revu l'école, il s'est remémoré les jeudis après-midi où on l'installait par terre dans la classe vide, sur une toile cirée devant une bassine d'argile. Tandis qu'Anne Laforêt corrigeait ses cahiers à son bureau.

Dès qu'il avait été en âge d'échapper à la vigilance de ses parents, Ben avait recherché dans la marche un moyen d'épuiser les émotions qui l'oppressaient. Les jours de vacances, il filait par les chemins creux, déambulant dans les forêts et les champs, longeant les labours. Benjamin Laforêt avait une manière bien personnelle d'aller : tout en battant la campagne, il déclamait. Parfois des poèmes appris par cœur pour la composition de récitation, Maurice Carême, Hugo, Lamartine car tels étaient les programmes et les goûts de ses parents. Ou bien des passages de romans, *Le Grand Meaulnes*, naturellement, *L'Île au trésor*... Mais le plus souvent, il psalmodiait des improvisations dans lesquelles il jetait toutes ses forces, sa fièvre. Il allait d'un pas rapide, comme déjà condamné à poursuivre quelque chose de fuyant et d'inaccessible. Accompagnant ses enjambées solitaires de grands moulinets des bras, dessinant dans le vide les images qui lui apparaissaient, crayonnant des arabesques invisibles. Parfois, il enlaçait un arbre, y plaquait sa joue, son corps. Il sentait passer en lui une force qu'il accumulait en perspective des grands voyages qu'il s'apprêtait à accomplir. Alors seulement, l'angoisse desserrait son étreinte.

Un matin, tandis qu'il était parti pêcher, il vit le jour se lever. L'aube dont il fut témoin était probablement semblable à ce qu'il est possible d'observer pour peu de se lever assez tôt. Ce jour-là, Benjamin s'arrête. Sa canne à pêche à la main, sa bigne d'osier dans les reins, campé dans des bottes qui battent ses mollets nus, il regarde une lumière comme il n'en a

jamais vue. Une émotion le submerge. Des larmes lui
montent aux yeux. Il sent une force l'envahir, une
énergie dont il peut affirmer à ce jour qu'elle ne l'a
jamais quitté, où qu'il aille, quoi qu'il entreprenne.
Cette exaltation intime, cette puissance, il les retrouvera chaque fois qu'il sera sur le point d'entreprendre
une œuvre. Jamais elles ne lui feront défaut dans les
moments terribles, face à des difficultés insurmonta-
bles. Ce matin-là, Ben Forester était né. Benjamin
Laforêt l'ignorait.

C'est ce lever de soleil que Ben est revenu chercher.

*

Le temps passe sur Provenchère. Combien de
temps ? La Chevrolet est un objet inerte sur l'herbe.
Ben reste cloîtré dans son atelier au premier. Ne descend à la cuisine que pour y cuire des pâtes abandonnées au fond d'un placard par les Anglais. Remonte
avec une nouvelle bouteille d'alcool. L'après-midi, il
sort et fait les cent pas entre les statues. Il n'a rien
produit depuis son arrivée. Toutes ses tentatives avor-
tent. Parfois, il s'arrête, écoute, dans l'attente d'un
signe. Tout est signe, l'essentiel est si discret. Mais il
est toujours un homme vide. Ses désirs se dérobent.
Il croit qu'il n'y a plus de force en lui à disperser, plus
de semence à jeter en conjuration à la face du monde.
L'idée de la stérilité rôde.

La patience est une force. Ben a appris à dompter
cette énergie dormante. Il a commencé il y a très longtemps, dès sa première rentrée de septembre en
sixième dans le lycée de garçons de la préfecture.
Voilà cinquante-quatre ans. L'horrible enfermement
qui lui a fait définitivement détester les barreaux, les

concierges, les sonneries, les dortoirs et les hommes
en rang. Ben fait le gros dos.

Chaque matin, il guette l'aube, à l'extrémité de la
plate-forme herbeuse en forme de proue. Dans son
manteau noir, debout, il attend le lever de soleil de
ses dix ans. Immobile, il est alors le gamin qu'il fut. Il
pressent que de ce pays en attente de l'hiver peut
naître quelque chose. Il ne saurait dire quoi. Il est
patient. En vain. Les aubes depuis qu'il est là sont
grises. Le jour succède à la nuit sans césure. Le jour
s'écoule de la nuit.

Ce matin il a neigé. Une fine couche métamorphose le château et les bois alentour. Ben va au-devant
de cette gelure. Il y voit un avertissement. Des cimes
s'envolent des corbeaux. Depuis sa rencontre avec la
fille de Françoise, Ben n'a vu personne. Son téléphone
est débranché. Il n'a pas allumé ses ordinateurs. Il
perçoit la curiosité discrète dont il est l'objet et qui se
met en place autour de lui. Un soir, alors qu'il guettait
à une fenêtre, il a aperçu une silhouette du côté de
Blessac. C'est elle, songe-t-il. Il ne sait plus s'il pense
à Françoise ou à sa fille. Elles sont confondues.

Elle est arrivée un matin. Ben observait à la fenêtre
des chevreuils qui traversaient la tourbière. Il l'a
entendue venir de loin. Le gel qui persiste accentue
les échos. Le ronflement du petit moteur l'a distrait.
Il fut un temps où il l'aurait exaspéré. Mais là, c'est
le contraire. Dans ce néant, la pétarade provoque sa
curiosité, l'extrait de la fosse où il tourne en rond.

Une Mobylette apparaît dans le chemin qui mène
à Provenchère. Un petit engin crépitant et dérisoire
qui zigzague pour éviter les nids-de-poule. Son
conducteur écarte les jambes du cadre pour ne pas

perdre l'équilibre, franchit le portail sans hésiter, évite
la Chevrolet, passe entre les statues et se gare près de
la porte d'entrée. Ben reste derrière les vitres. Le visiteur descend, s'arc-boute pour hisser la Mobylette sur
sa béquille, y parvient après deux tentatives. Ôte son
casque. Une grosse tête. Des cheveux châtains, des
lunettes à verres épais qui dérobent le visage. Un air
rond et volontaire. Une manière de porter sa disgrâce
avec pugnacité.

Ben attend que la fille frappe à la porte restée
ouverte. Il se demande quel son provoque une pha-
lange qui heurte le vieux bois de Provenchère. Si seulement ce geste possède un sens, ici.

Rien. Après plusieurs minutes, des bruits dans la
cuisine. Des casseroles qu'on range, l'eau qui coule
dans les tuyauteries. Ben est amusé. Voilà donc le premier messager que lui adresse le village, l'envoyée de
Thérèse. Denise. Elle est un peu simple a dit sa tante.
Ben est d'accord. Il faut s'être dépouillée de beaucoup
de préventions pour arriver ainsi à Provenchère et
commencer à ranger la cuisine sans même avoir rencontré le maître des lieux.

Elle ne l'a pas vu. Ben est dans l'encadrement de
la porte. Il observe son dos pris dans un pull à rayures
qui élargit sa silhouette. Quel âge ? Difficile à dire.
Elle est devant l'évier et récure la poêle dont Ben s'est
servi la veille pour cuire des champignons. Des ama-
nites tue-mouche, rouges à pois blancs, trouvées dans
le pré derrière le château. Ici, personne ne les mange,
naturellement. Mais Ben sait les préparer. Les Chippewa lui en ont enseigné les vertus hallucinogènes. La
fille contemple les déchets, les jette dans un grand sac
poubelle. Il n'y a aucune complication dans ses gestes.

Elle agit vigoureusement, plie les objets à sa volonté. Elle allume le gaz pour faire chauffer de l'eau. Ben voit une flamme jaillir au bout de ses doigts. Elle souffle sur l'allumette, la lance dans le sac poubelle. C'est rapide, direct. Des gestes sans ombre. C'est cela qui frappe Ben. Cette manière d'aller directement aux choses, sans chercher à se les concilier.

Quand elle l'aperçoit, elle ne marque aucune surprise.

— Thérèse m'a dit...

— Elle a bien fait. Je vous attendais.

Denise le regarde. Elle est petite et boulotte, le visage terne, des cernes sous les yeux. Dix-huit ans peut-être, mais elle en paraît plus. Des pantalons taillés dans une méchante toile, des bottines usées.

Ben veut se montrer agréable. Il n'a aucun désir de la mettre mal à l'aise. Il le pourrait car il sait être effroyablement odieux en société. Certains de ses éclats sont restés dans les mémoires. Là, il souhaite au contraire que Denise comprenne qu'elle a bien fait, comme sa présence ne lui pèse pas. Elle pourra rester dans Provenchère sans que ses allées et venues altèrent son propre silence. Elle provoquera tout au plus un bruissement. Sans autre intention que d'agir. C'est cela qui séduit Ben.

— Il faudrait me faire un peu à manger. Le soir, seulement.

Elle acquiesce sans étonnement. Il n'y a aucun jugement dans sa manière d'opiner. Aucun second degré. Elle est à peine gênée par son silence. En général, Ben produit toujours un embarras. Il aimerait que les gens aillent plus simplement vers lui. Mais ce n'est jamais le cas. Comme s'ils voyaient derrière ses épaules la silhouette d'un autre que les miroirs ne lui renvoient pas.

— Il faudrait faire les courses.

C'est Denise qui a parlé. Ben acquiesce.

— Vous avez raison !

Il a voulu mettre de l'élan dans sa phrase. Il ne sait pas s'il y est parvenu. Elle l'observe.

— Je n'ai pas de voiture.

— Je vous emmène. Cela me changera les idées.

Il la dévisage. Il lui trouve cet air des êtres qui n'ont pas eu d'enfance. Troublé, il sort en criant de le suivre ou quelque chose comme ça.

La Chevrolet débouche sur la place. Là-bas, deux hommes entrent Chez Thérèse. Ils se retournent en apercevant la voiture et la regardent passer en silence. Denise se tait. Ses mains sont posées sur ses genoux comme une petite fille. Ben a l'impression de la connaître depuis toujours.

En quelques phrases, il lui dit ce qu'il attend. Tout est simple avec Denise. Elle tend le bras vers la gauche, la voiture obéit. Derrière l'église, l'épicerie dépôt de pain. Ben se gare, murmure prenez votre temps. Tenez, de l'argent. Faites à votre idée. On viendra ici autant de fois que nécessaire. Elle prend les billets et essaie d'ouvrir la portière. Pour lui venir en aide, Ben se penche sur elle. Elle ne se tasse pas au fond du siège.

Elle sort avec son air soucieux et cette manière d'avancer, penchée, comme s'il ventait. Je lui achèterai des fringues, songe Ben.

*

Denise est repartie vers cinq heures. Sans prévenir. Ben a entendu le moteur pétarader sous les fenêtres. Il s'est approché, le temps de la voir grimper sur sa selle et démarrer. Elle est sans souci de paraître, même se sachant observée. Pleine d'une force et d'un calme qui impressionnent. Curieux, Ben descend dans la cuisine. Elle a préparé un potage pour le soir. Le frigo est plein. Ben se sent moins seul. Il rebranche son téléphone, son ordinateur, lit ses messages, écoute le répondeur. Le dégoût de communiquer avec les autres se dissout.

Après avoir longtemps cherché, il trouve une pelote de laine noire. Il tend le fil de part et d'autre de la première marche de l'escalier. Infranchissable, murmure-t-il en l'enjambant. Absolument infranchissable. La nuit est là.

Une heure plus tard, il remonte dans la Chevrolet. Toutes les lampes de Provenchère sont allumées. Les éclairages halogènes installés à fleur du sol, seuls aménagements réalisés par les Anglais, braquent sur les tours et la façade leur lumière blanche. Au cœur de la tourbière et des bois, le château ressemble à une projection sur un écran.

Mis à part Chez Thérèse, le village paraît désert. Sur les façades de pierre, les volets sont clos. Les lampes municipales brillent dans l'air cristallin. Il gèle. Ben poursuit jusqu'à l'école et se gare en face du portail ouvert. Une des deux classes est éclairée. Il allume un cigare et regarde les deux fenêtres par lesquelles passe une lumière blanchâtre. Huit heures sonnent à l'église. Ben ouvre la portière, remonte le col de son manteau, traverse la rue déserte et pénètre dans la cour de récréation. Remettre ses pas dans ceux de l'enfance.

Il s'approche d'une fenêtre.

La classe est à peine changée, avec son plafond surbaissé et de gros radiateurs à accumulation qui ont remplacé le vieux poêle à bois. Les placards au fond, le parquet sont les mêmes qu'il y a un demi-siècle. Les tableaux noirs ont disparu. Ben ne retrouve pas celui qui pivotait autour d'un axe. Son père envoyait parfois un élève faire la dictée derrière, tandis que les autres écrivaient sur leur cahier. Deux jambes nues dépassant d'un sarrau allaient d'un côté à l'autre au rythme de la voix paternelle, trépignaient sur place au gré des accords des verbes pronominaux et des doubles consonnes. Ben compte les pupitres. Seize. Plus une grande table où s'entassent les travaux d'élèves.

Elle est assise au fond de la classe, légèrement de côté, penchée sur un cahier. Son stylo est suspendu au-dessus du papier sur lequel il s'abat parfois d'un geste rapide. On devine sur son visage de la lassitude, de l'agacement aussi qui pourrait se changer en rire car elle est très jeune. Des cheveux mi-longs, rassemblés dans la nuque, tirés sur les tempes pour se donner un air sage. À côté, sur une table d'écolier, brille l'écran d'un ordinateur. Ses gestes ont la même douceur que ceux de la maîtresse d'école que Ben a connue à cette même place. Il y a très longtemps.

Elle se lève, marche vers l'ordinateur et s'installe sur la chaise basse devant le clavier. Elle est de dos. Des épaules découplées, un cou gracile émergent d'un chemisier blanc pris dans son jean. Le regard de Ben revient au bureau. C'est bien celui de sa mère, sur lequel il l'a vu penchée après la classe, aux cinq tiroirs

que lui seul avait le droit d'ouvrir, une fois les autres
élèves partis. Il en connaissait chaque tache d'encre
qui maculait inexplicablement la façade, les minuscules éclats de bois. Il se remémore les objets qui en
faisaient la magie et qu'y disposait Anne Laforêt, le
plumier, les encriers, le crayon, bleu d'un côté rouge
de l'autre, les ciseaux, le calendrier, les buvards, les
pots de colle qui sentaient l'orgeat, les piles de cahiers
de composition à la couverture intimidante.

La jeune femme se relève, jette un regard sur le
devoir dont elle a abandonné la correction et revient
s'asseoir.

Ben aime les commencements. Toute son existence,
il les a guettés, s'en est nourri. Il sait leur pouvoir
contre l'ensevelissement du temps et des habitudes.
Contre la mort. Sarah l'avait bien compris, elle qui,
quoi qu'il lui en coûtât, lui pardonnait sa fringale de
conquêtes. Aller vers des rencontres, débuter un travail... La même incertitude, la même hésitation, la
même impulsion.

Il pousse la porte du grand couloir. Sur la droite,
l'escalier aux marches raides toujours impeccablement
ciré. Des placards ont été ajoutés. Les sanitaires sur-
baissés, l'univers miniature conçu pour les enfants,
rien de tout cela n'existait. Il n'y avait alors qu'un seul
monde, celui des adultes, qui contraignait les gosses à
se hisser sur la pointe des pieds dès qu'ils en avaient
la force et le désir. Dans la pénombre, Ben voit l'encadrement de la porte de la classe ourlé de lumière. Il
s'approche. Les deux pieds bien alignés sur le pail-
lasson, tel un élève en retard, il marque un temps, le
visage baissé, inspire profondément et frappe.

— Entrez !

La voix est gaie, teintée d'un léger accent. Comme soulagée d'interrompre une tâche.

— Bonsoir.

Elle est surprise de voir cet homme dans son manteau de cachemire noir, son visage de Tatar. Le bonnet de laine posé sur le sommet du crâne, comme une cagoule relevée qu'il pourrait rabattre à tout moment. L'air d'un braqueur dans les films. Elle se redresse, une main sur le col de son chemisier. Son geste est gracieux. L'apparition la prend en défaut.

Ben s'avance. L'odeur a changé. Celle du bois placé en réserve dans le coffre, au fond, et qui donnait certains jours l'impression de travailler dans un bûcher. Et puis les senteurs d'encaustique dont les élèves frottaient les parquets, par couples et à tour de rôle.

Elle attend, debout. Plutôt grande, hâlée, avec cette assurance des jeunes femmes qui furent choyées dans leur enfance. Une allure à avoir fait de la danse.

— Benjamin Laforêt...

C'est la première fois depuis des décennies que Ben prononce son nom. Depuis qu'il a commencé à exposer en Angleterre, un an avant de partir aux États-Unis.

— Oui ?

Une belle voix. Un peu grave, un peu déchirée, suave.

— J'ai été élève dans cette école.

Elle ne comprend pas le sens de la confidence. Il ajoute :

— Il y a très longtemps.

Elle sourit. Un sourire dont Ben ne s'était pas attendu à avoir autant besoin.

— J'ai vu de la lumière. J'ai eu envie de revoir ma classe.

Elle se détend.

— Vous avez bien fait.

Elle s'approche. Elle est chez elle, en son royaume. Ben se souvient de la hauteur de ton de sa mère lorsqu'elle évoquait *ma classe*. Il y percevait une pointe d'immodestie. Elle, si humble en toute autre circonstance.

— Je suis la maîtresse.

Le même ton. Les générations passent. Toujours ce rapport amoureux et passionnel avec le métier. Ils restent face à face. Ben indique les murs.

— Il y avait des tableaux pour accrocher les lettres que nous avions apprises. Ma mère avait toute une collection d'images avec des exemples de cursives, d'anglaises... Cinquante ans après, je m'en souviens encore. Votre travail n'est pas complètement désespéré.

Il ment. Soixante ans après.

— Votre mère était institutrice ?

Ben la dévisage. Elle semble tout à coup rassurée. C'est si simple, la confiance. Mais au fond, il devine qu'elle est troublée. Ben est un prédateur. Son égoïsme possède quelque chose d'extrême et de sublime qui fascine les femmes. Rares sont celles qui l'ont repoussé. S'approcher de lui, c'est déjà être en danger. Pourtant, ce soir, il est mal à l'aise. Déconcerté par le souvenir de sa mère, sa présence dans les murs. Tout à l'heure, la vue du corsage blanc de la professeur des écoles l'a ému.

— Oui... Son premier poste. Elle s'appelait Anne Laforêt. Mon père avait le cours supérieur, dans la classe à côté.

— Comme moi.

Elle a voulu dire qu'il s'agissait également de son premier poste. Qu'il faut être novice dans la profession pour se retrouver là. Si loin.

Ils restent silencieux. Ben s'avance vers le fond de la classe. Sa grande silhouette noire occupe peu à peu l'espace, en devient le centre. Ses yeux fouillent. Il redevient agissant. Pour la première fois depuis qu'il est arrivé dans ce foutu pays, il pense à une femme. Les jours précédents, il avait presque oublié cette moitié de l'humanité. La rencontre a quelque chose d'improbable dans cette école glacée qui accueille les enfants d'un monde disparu. Elle n'est pas faite pour rester, songe Ben. Trop fragile, trop urbaine. Le soir, elle s'ennuie dans son appartement là-haut en songeant aux siens. Elle est courageuse, mais elle est quand même sur le point de flancher. La fragilité des femmes n'a jamais dissuadé Ben. Il peut profiter de toutes les faiblesses, en conquérant.

Ses mains frôlent les tables, survolent l'écran de l'ordinateur, suivent la surface blanche du tableau à feutre, repoussent les mobiles accrochés au plafond, caressent au passage le pull qu'elle a abandonné sur le dossier d'une chaise. Ben murmure des phrases convenues, rien d'important, auxquelles il ne semble pas croire, naturellement rien de tout cela n'existait, le progrès, l'informatique, il faut avoir la vocation pour enseigner... Il est arrivé au bureau. Estelle est en retrait et le laisse pénétrer l'intimité de sa classe. C'est un moment particulier. Elle comprend peu à peu qu'un loup est entré. Que ses souvenirs d'enfant et d'écolier sont les seules chaînes qui le retiennent encore. L'animal est tout près d'elle, rôdant en liberté

dans ce lieu qu'elle croyait sacré, innocemment voué
à l'étude. D'un instant à l'autre, il pourrait se retourner et se saisir d'elle.

— J'habite Provenchère.

Il a dit ça comme ça. Sans marquer d'intention
lisible. Ses yeux fixent ceux d'Estelle. La regardent
comme si elle était un paysage. Elle aime être contem-
plée ainsi.

— Le château ?

Il acquiesce.

— Vous êtes revenu vivre au pays ?

Des mots jetés à la face de ce qui l'effraie, une volée
de grains de riz ou de prières lancés au museau du
diable. Et, très agréable, enfouie sous la fascination,
la peur.

Elle ne l'a pas dit, mais elle a pensé *pour la retraite*.
Ben comprend. Il entend tout de ce qu'on ne lui dit
pas.

— Je suis de passage.

— Puis-je voir la salle de classe de mon père ?

Elle rougit.

— Vous allez la trouver changée. Nous en avons
fait une salle de motricité. Lorsqu'il pleut...

Il ne dit rien. Elle espère qu'il va changer d'avis.
Mais cet homme n'est pas du genre à renoncer. Alors,
elle passe devant, murmure pardon, traverse le couloir.

La classe de Pierre Laforêt tient davantage du
débarras, de l'entrepôt de matériel d'éducation physique, du gymnase, que du lieu que Ben avait gardé
en mémoire. Contrairement à sa mère qui hante
toujours les murs, ici, son père est absent. Et le petit
Benjamin aussi. Et les autres gamins, Barthélémy,

Thérèse, Françoise... Ben recule. Ça ne l'intéresse plus. Estelle le voit. Elle n'y est pour rien. Elle a une expression vulnérable.

Dans le couloir, Ben saisit la rampe d'escalier.

— Lorsque j'étais gosse, je n'avais qu'à descendre pour me retrouver en classe.

Il ajoute :

— Curieuse impression, que d'habiter au-dessus, n'est-ce pas ?

Alors, elle dit des mots qui pourraient changer le cours de sa vie. Qui naissent dans sa bouche mais qui ont pris naissance sur les lèvres de l'inconnu. Une phrase qu'elle n'aurait jamais imaginé prononcer un quart d'heure plus tôt.

— Vous voudriez voir l'appartement de fonction de vos parents ? C'est cela ?

À son tour de le dévisager. Ben détourne les yeux.

— Oui.

— Je comprends.

Avant de préciser :

— Je n'attendais pas de visite. C'est en désordre.

Ses paroles tombent dans le vide. Tu dois savoir, Estelle, que cet homme est justement spécialiste des désordres. Il a construit sa vie sur le chaos. Son existence est un long bouleversement plein de désarrois fructueux.

Elle s'engage dans l'escalier, le regard de Ben calé au creux des reins.

La cuisine n'a plus rien à voir avec la pièce où la famille Laforêt prenait ses repas. Des meubles convenus, bon marché, comme dans toutes les cuisines des couples débutants. Sur la table, une bouteille d'eau, un verre, une assiette contenant la découpe d'une pomme qu'Estelle escamote sur la paillasse d'un évier en inox. Les yeux de Ben fouillent chaque détail.

— Ma chambre était là.

Ben tend la main vers une porte fermée. Avant qu'Estelle ne réponde, il ouvre. Un lit défait, des sous-vêtements qui sèchent, des piles de livres posés sur le plancher. Ben s'avance. Estelle ne proteste pas. Elle lui abandonne ces indices sur son intimité puisqu'il s'en est saisi. Il marche sur une paire de baskets. Se dirige vers la fenêtre.

— Ma table de travail était devant cette fenêtre.

Estelle est frappée par le ton de la voix. Ben est sur le point de se pencher pour repérer des marques sur le plâtre, se placer à genoux à hauteur d'enfant. Estelle est en retrait, contre le chambranle. Le désordre ne la préoccupe plus.

Il est maintenant de dos, devant la fenêtre sans rideaux. Dans la nuit, il scrute la masse des arbres à la recherche de la silhouette de ce châtaignier qu'il peut encore dessiner les yeux fermés. Mais l'obscurité la lui dérobe. Alors, son esprit vagabonde dans les ténèbres.

Estelle est gênée. Elle voudrait à présent qu'il s'en aille. Il est tard. Éric va appeler. Elle ne veut pas qu'il entende à quel point elle est troublée.

— Revoyons-nous, mademoiselle la maîtresse d'école.

Il ajoute :

— Je vous inviterai prochainement à dîner à Provenchère. Vous viendrez ?

Qu'il parte, qu'il la laisse en paix ! Elle hoche la tête.

*

Lorsque Ben arrive à Provenchère, une voiture est garée sur l'herbe. Un homme est dans la cuisine devant le potage préparé par Denise. C'est Markus Lang. Une visite de Markus est toujours un événement. Cela fait quarante ans que Markus et Ben chassent ensemble sur les mêmes terres, dispersent leurs forces sur les mêmes champs de bataille, enflamment les mêmes imaginaires. Qu'ils se croisent dans les galeries, les musées, les colloques. Sans s'être jamais lassés d'échanger leurs intuitions, persuadés tacitement d'être d'accord sur un essentiel qu'ils ne pourraient d'ailleurs pas vraiment formuler. Se retrouver régulièrement les rassure. Les repose aussi, tant il est vrai que réfléchir seul, c'est imposer sans cesse à sa pensée de s'automutiler pour se reconstruire. Un acte anthropophage, en somme. Entre ces deux hommes, les remises en question venant d'un autre soi-même sont moins douloureuses.

Ben avait vingt-cinq ans lorsqu'il a rencontré Markus. Il parcourait alors le Nevada. Markus, de cinq ans son aîné, était allemand. L'une des premières phrases qu'il a dites à Ben, et qui devait avoir sur celui-ci un puissant écho, fut : «Je dois devenir américain.» Markus œuvrait alors dans le gigantisme et nul autre pays que les États-Unis ne pouvait lui offrir des conditions comparables. Bénéficiant du soutien financier d'un mécène, propriétaire de casinos à Las Vegas, ses œuvres rappelaient aux yeux de certains critiques les travaux publics. Ne parla-t-on pas à l'époque d'«immensité naturelle souillée par un homme chétif»? Il n'empêche, Markus était, tout comme Ben, de la trempe des pionniers.

Ben devait travailler avec lui à la célèbre tranchée de neuf mètres sur quinze, séparée par un ravin sur une longueur d'un demi-mile, en plein désert du Nevada. Ce travail cyclopéen qui nécessita le déplacement de milliers de tonnes de terre est aujourd'hui considéré comme l'œuvre fondatrice du courant américain du land art. On ne peut imaginer projet plus subversif que ce creux tellurique, construit sur le vide d'un effondrement. Markus, tout comme Ben, se situait alors dans un rapport de forces avec la nature, une prise de possession des paysages. Aux États-Unis, ils trouvèrent des espaces pratiquement vierges dans les déserts et au fond de ces lacs salés qui évoquaient les toiles sans cadre auxquelles ils avaient rêvé en sortant des ateliers et des musées. Quitte à balafrer, à entailler, à laisser sa trace, comme les cow-boys marquent le bétail au fer rouge.

Avec les années, Ben s'est totalement détaché de cette relation de domination sur la nature. L'énergie de sa jeunesse, les années 1960 où chaque matin il était possible de croire qu'on allait inventer dans la jubilation quelque chose d'inouï, tout cela s'est apaisé, dilué et même terni. Peu à peu, Ben a trouvé une voie, plus en rapport avec l'histoire voluptueuse que les Européens entretiennent avec les paysages. Les influences anglaises subies dans ses débuts le rattrapèrent. Il commença dès les années 1970 une série d'interventions d'une grande légèreté, au seuil de la lisibilité, d'une subtilité écologique et qui nécessitaient, pour en porter témoignage, de les photographier. Ses enlacements de branchages, de bambous et de lianes, dans Weese Park quelque part dans l'État de l'Ohio, marquèrent une étape décisive. Il fit du caractère non pas éphémère mais transitoire de ses installations le centre d'une réflexion sur le vivant. Ses levées de terre et de gazon, très légères, représentant des personnages chamaniques, entérinèrent cette évolution.

Au moment de porter la cuiller de potage à sa bouche, Markus lève le front. Petit, râblé, l'air d'un moine défricheur du XIIᵉ siècle, il vit quasiment reclus en Allemagne dans un cloître bénédictin transformé en atelier. Cela fait trois ans qu'ils ne se sont pas vus. Ben prend un bol, s'assoit à la table et se sert. Ils sont là et ne disent rien. Manger est leur seule préoccupation, la chose la plus importante à leurs yeux en cet instant. Ils sont ainsi. Se retrouver après des années sans se comporter autrement que s'ils s'étaient quittés une heure auparavant est leur manière de vivre la continuité de leur amitié. Un jour, Markus a dit à Ben que s'il y avait un enfer ils s'y rencontreraient inévitablement, et qu'il le dispensait de le saluer.

Ben ouvre le réfrigérateur, trouve une daube cuisinée par Denise, allume le gaz. Les deux hommes regardent la flamme bleue. Ben songe que Markus a pris un coup de vieux et l'autre doit penser la même chose de lui.

Le repas achevé, Markus se lève et dit :

— Montre-moi.

Le ton est bourru, comminatoire. Ben connaît suffisamment Markus pour savoir ce que l'autre est venu voir ici, lui qui ne sort pratiquement jamais de son cloître roman et dont la réputation de mauvais coucheur est une des mieux établies du monde de l'art. Ben enjambe le fil de laine noire. Il sait que Markus l'a attendu et n'a pas franchi ce seuil.

Cette nuit-là, Provenchère reste allumé jusqu'à l'aube. Barthélémy, qui s'est glissé dans les bois près de la route, scrute l'image du château dans la brume, entamée sur ses bords par le brouillard, miroitante comme un reflet sur une cascade. Barthélémy ne peut se décider à partir. Il doute de la réalité de ce qu'il voit. Laisser toutes les pièces illuminées est inconcevable. Jamais un être normal n'agirait ainsi. Mais Barthélémy en a depuis longtemps accepté l'idée, le Crâne n'est pas à ranger dans la catégorie des êtres normaux. Il y a quelque chose de diabolique dans sa façon d'agir, d'être dans le secret du pays tout en venant d'ailleurs. Et sa manière de boire. S'être laissé conduire à la ferme-d'en-haut, ivre mort, par ce type qui n'aurait pas dû savoir où il habitait, s'être laissé coucher dans la pièce du bas où il s'est réveillé sous des sacs de pommes de terre le dérangent profondément.

Vers cinq heures du matin, constatant que Provenchère est toujours illuminé comme pour une nuit de sabbat, Barthélémy s'approche. L'idée le prend de relever les numéros de la grosse Mercedes stationnée à côté de la Chevrolet. S'accrocher à des chiffres, à des lettres, c'est déjà le début d'une forme de rationalité. Ce n'est pas ainsi que pense Barthélémy, mais c'est cela qui le guide sans nul doute. Il traverse la tourbière avec la crainte d'être vu car il est à découvert. Se jette dans l'ombre de l'énorme mur qui soutient le parc du château, suit la base des fondations, arrive près du portail. Une plaque étrangère, une voiture immatriculée en Allemagne. Barthélémy est soulagé et inquiet. Rassuré de constater qu'en toute logique Provenchère est devenu un repaire de quelque représentant de la pègre, de la mafia dira-t-il plus tard.

Et inquiet à l'idée d'être repéré et de finir dans un puits, une balle dans la tête.

Tu n'as rien à craindre, Barthélémy. Les dangers qui guettent à Provenchère ne sont pas ceux auxquels tu songes par une économie de la pensée. Là-haut, il y a Markus et Ben. Et tout de suite, Markus qui comprend que Ben est en difficulté. La détresse de Ben. Le grand vide, l'abandon de l'inspiration, le découragement qui touche son ami comme il l'a visité aussi au long de son existence. Les deux hommes passent l'essentiel de la nuit à travailler sur des projets de Ben. Markus regarde, profère un conseil, lâche des silences entre quelques mots rudes. Markus hoche la tête. Markus voit. Ses remarques sont justes, Ben le sent à l'impact qu'elles laissent en lui. La dureté de sa pensée, sa fermeté sont un mur contre lequel les balles reviennent plus rapides qu'elles n'étaient parties.

— Mais encore ?

Toujours cette demande insatiable de Markus. Alors Ben montre ses toiles, celles qui vont à Milan. Markus prend son temps. Ben épie sur son visage l'avancée d'un jugement. Cela dure. Longtemps. Ben laisse Markus et va s'allonger. Somnole. Lorsqu'il se relève, Markus est toujours devant les toiles, comme une statue qu'on aurait laissée là. Ben devine, à la mine sombre de son alter ego, que celui-ci réprouve. Alors, il prend les devants. Parle de cette absence qui l'a gagné et ne le lâche plus. Des raisons pour lesquelles il a choisi de venir ici où rien ne se passe comme il l'imaginait. Les souvenirs d'enfance qui lui reviennent le perturbent, l'empêchent de se fixer sur des projets.

Cette idée-là intéresse Markus qui murmure :

— Travailler en regardant ailleurs.

Ben dévisage son ami. Peindre, sculpter, créer en regardant ailleurs ? Il comprend que cette phrase possède un sens qui lui servira. Mais pas en cet instant. C'est trop fort, trop profond. Il lui faut le temps de faire son chemin. Markus sera probablement reparti quand ces mots produiront en lui un effet. Mais cela suffit à relancer Ben. Cela lui fait tant de bien de parler. Markus est le seul homme à qui Ben peut avouer qu'il se considère au bout de la route. Devant lequel il peut reconnaître sa stérilité. Il sourit amèrement. Tout au contraire, Markus voit dans sa détresse le signe d'une résurrection possible.

— Cela fait trop d'années que tu fais du Ben Forester, lâche-t-il brutalement.

Markus souffle la fumée de son cigare au visage de Ben. Autour d'eux, l'atelier a perdu son apparence de bric-à-brac. L'espace a changé. Ils ne sentent pas le froid. Ni le sommeil. Ils ont monté une bouteille et boivent avec application.

— Tu as raison, Markus.

L'autre hoche sa tête d'homme peu commode. Il ne s'est pas laissé aller comme Ben à la facilité. Il a tenu la rampe, avec toujours plus d'exigence. L'habitude d'une brutalité dans la pensée, dévastatrice pour les accommodements. Revenir aux sources, reprendre les bases. Ne pas s'égarer. Pas d'exposition qui ne soit mûrement préparée sous prétexte d'un cours exceptionnel des œuvres. Pas de concession.

De temps à autre, l'un des deux hommes va s'allonger sur le lit de camp. L'autre reste seul, rumine les derniers rebondissements de la conversation, marche dans l'atelier, s'arrête devant les fenêtres. Le dormeur réapparaît comme un fantôme au coin d'un labyrinthe et l'échange reprend là où il avait été interrompu.

Au fil de la nuit, Ben sent combien la présence de Markus le fortifie. L'idée renaît qu'une force peut de nouveau le gagner. Au fond, il était isolé, Ben, ces derniers temps. Entouré d'une cour de pique-assiettes, d'admirateurs, de marchands, de communicateurs. Il s'est laissé enterrer sous les compliments. Avec Markus, les choses se simplifient magnifiquement jusqu'à devenir effrayantes. C'est bon signe.

Les premières lueurs de l'aube irisent les fenêtres de Provenchère. Les deux hommes déjeunent dans la cuisine. Ils parlent de leur vie, de leurs souvenirs. Ils évoquent les femmes qu'ils ont connues, celles qui sont allées du lit de l'un à celui de l'autre. Ils les comparent crûment. Peut-être sont-ils attendris d'avoir vécu tout cela. Plus sûrement ombrageux et blessés de devoir en parler comme d'un temps à jamais révolu. La vieillesse leur fait apparaître la réalité plus abstraite. Ils ont du mal à s'y faire. Ils voudraient encore tout toucher, pénétrer, pétrir, blesser, embrasser, mesurer. Ils comprennent que ce temps-là leur est compté. Voir ne suffit pas à ces hommes. Voir ne leur a jamais suffi.

Ils décident d'aller marcher. Markus a demandé à Ben cette déambulation dans les paysages où son ami est venu se retrancher. Il a insisté. Markus veut comprendre. Dans la journée, il repartira. Une équipe l'attend qui travaille dans une cathédrale occitane dont Markus a conçu les vitraux. Ben voit son compagnon s'animer en évoquant le ciel.

Il gèle encore. Ils vont, côte à côte, silencieux. Markus s'est muni d'une canne. Le souffle des deux hommes prolonge leurs visages. C'est un matin de beau soleil. Sur l'horizon, à l'est, des ocres superbes. La brume anime les prés, découpe les futaies, encre les cimes des chênes de bordure. Magnifie. Régulièrement, ils s'arrêtent. La seule présence de Markus rassérène Ben. Ils ne sont plus deux regards posés sur les choses. Mais des êtres aux fibres entremêlées, eux-mêmes inclus dans le tissage du réel. Le sentiment de séparation d'avec la nature s'estompe. Ils sont à l'intérieur de ce qu'ils voient. Cette sensation d'immersion et de fusion est construite sur des années d'observation et de méditation. Markus souffle violemment. Sa poitrine gronde. Ben connaît ce signe qui trahit chez son ami une émotion profonde.

Ils longent la crête qui domine d'un côté Provenchère et de l'autre Blessac. Ben tend le bras en direction de la ferme et parle longuement à Markus. L'autre écoute. Le froid fait naître des larmes à ses yeux. Ils remontent le chemin qui mène à la ferme-d'en-haut. La cour est déserte, Barthélémy et son père sûrement claquemurés, malgré un chien à l'attache qui aboie. Ils continuent et accèdent à une masure abandonnée, mangée par le lierre et les ronces. Ben s'arrête. Comme lui, Markus s'intéresse aux ruines. Il a travaillé, après la réunification, sur des friches industrielles en Allemagne de l'Est.

Les deux hommes poursuivent leur chemin de contournement du bourg. Ils traversent des landes râpeuses, des bois de feuillus et des sapinières d'un noir profond. Sur un surplomb pierreux, ils s'arrêtent. Le village est à quelques centaines de mètres, en contrebas. Le soleil les cueille sur le rocher où ils sont postés. Il fait froid. Un vent du nord balaie le découvert. Ben indique des maisons, le bras tendu. Markus accompagne son geste de la pointe de sa badine. Ils restent longtemps ainsi.

Ils terminent leur chemin en boucle. Provenchère est en vue. Ils s'arrêtent, face au soleil d'automne.

— Cette lumière, Ben.

Ben hoche la tête.

— Je sais, Markus...

— Tout est là, mon vieux. Tout.

Markus se tait. Ben sait qu'ils en resteront là jusqu'à son départ. Ben est déjà remonté dans son atelier lorsque la Mercedes démarre.

3.

Jean la regarde partir vers la grange. C'est elle qui a voulu, décidé que ce matin elle s'occuperait des bottes de foin. Avec sa force de caractère, sa volonté, son côté buté parfois. Il a essayé de l'en dissuader, de lui dire que monter et descendre du tracteur, manœuvrer, c'était encore trop tôt, trop dur. Elle n'a pas écouté.

Il pleut. La cour est détrempée, le ciel est un couvercle. Par la fenêtre de la cuisine, il la voit encapuchonnée marcher dans ce cloaque, sans hâte sous le déluge. S'offrant à la pluie. Elle n'a rien pris au petit déjeuner. Comment tient-elle encore ? Jean a la gorge nouée. Il voudrait courir, la rattraper, la prendre par les épaules, la secouer pour la ramener à la vie, comme on secoue une mécanique pour en entendre à nouveau le bruit.

Comment un si grand bonheur annoncé a-t-il pu se briser ainsi ? Jean pense parfois que tout ce qu'il touche se transforme en malheur. Cette pensée, il ne peut la partager avec Elma. L'idée est indigne d'elle. Plus douloureux encore, le sentiment d'être tenu à distance, de ne pas comprendre ce qu'éprouve la femme qu'il aime. Celle dont le chagrin muet fait de lui un étranger. Lui aussi, il ressent un vide. Mais, du moins le suppose-t-il, est-ce un vide différent de celui qui engloutit Elma. Cela relève d'une absence extérieure à sa personne, qui n'engage pas la chair. Une sorte de rendez-vous raté, un report. Pour Elma, c'est différent. Elma ne ressent pas un creux, elle est devenue un creux. Elma se dissout. Elle est au bord du précipice. Et lui, tremble, pris par son vertige.

Jean quitte la fenêtre et va dans le bureau d'Elma. C'était son lieu à elle. Longtemps, il ne s'en est pas approché, autant par phobie des papiers administratifs que par respect pour le travail de sa femme. Aux murs, quelques publicités agricoles, un calendrier, une étagère de classeurs, la photographie en noir et blanc d'un attelage de Blessac avec son beau-père qui pose devant les bêtes. Jean ne l'a pas aimé, cet homme. Il a appris plus tard que l'autre le traitait d'étranger, de bohémien, sous prétexte qu'il vivait dans une caravane. Jean a toujours douté de la profondeur de l'affection qui unissait ses beaux-parents. Françoise, dont Elma a hérité la lumière, lui a toujours paru hors de portée de son mari. À présent qu'il n'est plus, le ressentiment de Jean s'est effacé.

Sur le petit bureau les papiers s'entassent. Hier, un employé du Crédit agricole a téléphoné. Des documents n'étaient pas parvenus à temps. C'est sans importance. Jean le lui a fait comprendre. On n'ennuie pas la propriétaire d'une ferme comme Blessac pour un retard dérisoire. Il est vrai qu'Elma, si soucieuse de la régularité des choses, délaisse ses devoirs de gestionnaire. L'assurance agricole, dont elle est l'agent local, a adressé des rappels que Jean retrouve, des enveloppes non ouvertes, pêle-mêle sur le bureau. Elma allume son ordinateur uniquement par habitude, peut-être pour donner le change. Elle laisse l'écran scintiller comme une lumière au fond de sa nuit.

Le goût du travail, qui fondait en partie l'équilibre de leur vie, Jean est en train de le perdre. Il s'en faudrait de peu que ce soit lui qui flanche. Depuis une semaine, il ne dort plus. Songer à Elma, seule dans la chambre en bas, le blesse profondément. La nuit, il l'entend se lever, faire du thé, sortir parfois. Alors, il est inquiet. Et si elle attendait qu'il descende ? Si c'était à lui d'aller vers elle ? Il n'ose pas. La crainte de la blesser. Celle d'être repoussé.

Les choses importantes de la vie de Jean, ce sont les femmes qui en ont décidé. Sa première épouse, en le quittant pour un autre, l'a jeté dans la marginalité. À présent, Elma fait chanceler ses fragiles certitudes d'homme. Quelquefois, Jean aimerait être différent. Fort, cynique. Égoïste. Riche. Nomade.

Neuf heures sonnent à la pendule de la cuisine. Jean enfile sa canadienne, chausse ses bottes, prend ce chapeau de cuir qui lui donne l'air d'un bushman. La pluie a cessé. Il va labourer une pièce de Blessac de l'autre côté de la route, non loin de la ferme-d'en-haut.

Il traverse la cour, fait un détour pour caresser les chiens, et s'approche d'un tracteur, un gros John Deere de cent quatre-vingts chevaux, attelé à une charrue aux socs encore gras de la terre travaillée la veille. Jean se hisse dans la cabine. Le ciel est menaçant. Un vent léger pousse la pluie dans les grandes flaques d'eau qui percent la cour. Là-bas, devant les anciennes métairies de Blessac, le sycomore étend ses ramures nues sur des nuages en perdition. Jean frissonne. Les yeux posés sur cette désolation, il actionne le préchauffage du moteur. Sans Elma, Blessac lui paraît un puits vertigineux au fond duquel il est tombé. De plus en plus souvent, Jean pense à Paris. Avec nostalgie. Ses rêves l'ont tout d'abord inquiété car il y voyait une trahison à l'élan qui l'avait porté vers Elma. Une infidélité. À présent, il s'y est habitué. Son esprit hante les rues du XXe arrondissement où il a passé son enfance et l'essentiel de sa vie. Il est né à Ménilmontant, Jean. Son père et sa mère reposent au Père-Lachaise, c'est tout dire. Il aime Paris. À plusieurs reprises, il a proposé à Elma de s'y rendre quelques jours, en amoureux. À l'hôtel, car il n'y a plus aucune famille. Elma a toujours repoussé l'escapade, prétextant des obligations, les bêtes, son peu d'intérêt pour la ville. Des arguments que Jean a trouvés faibles mais qu'il a respectés, bien qu'il soit secrètement blessé par le manque de curiosité d'Elma. Faire le chemin inverse de celui qu'il a accompli, quelques heures seulement.

Jean aime la rue, le petit noir du matin pris sur le zinc, la tension gouailleuse des conversations. Il aime la brillance des trottoirs après la pluie, les platanes au printemps, la lumière dans les allées ratissées des squares, les tags sur les murs lépreux. Les jolies femmes croisées dont le souvenir accompagne jusqu'au sommeil. L'odeur du métro, ses voûtes d'émail blanc. Porte-des-Lilas, Gambetta, République... Ces mots lui manquent. Qui pourrait comprendre, ici ?

Sans oublier ce sentiment, à Paris, d'être porté par l'Histoire, de s'y inclure. Jean n'est pas allé longtemps à l'école. Après le brevet, son père l'a fait entrer comme apprenti dans une petite imprimerie de la rue des Rondeaux. Il a cependant compris à quel point Paris flotte sur l'Histoire comme Venise est posée sur sa lagune. Cela lui fait défaut ici, à Blessac. Des événements ont bien dû se produire là comme partout ailleurs. Mais lesquels ? Jean a beau chercher, il ne voit que de petites choses, des actions sans grand écho. Toute son enfance, Jean est passé devant le mur des Fédérés avec le sentiment qu'une énergie violente ruisselait encore des pierres. La ville est une plaque photographique qui se souvient de tous ses passants. Mais ici ?

Ne pas saisir les fils de la mémoire de cette campagne lui est pénible et le retranche. Ici, il est un corps étranger, un immigré. Tant qu'Elma l'éclairait, le guidait, il n'était pas conscient de cette singularité. Il est même probable qu'elle n'existait pas aussi fort. À présent qu'Elma l'abandonne pour se consacrer à son chagrin, il est un cerceau qu'une main ne pousse plus et qui oscille.

Jean est arrivé sur la route. Là-bas, à quelques centaines de mètres, Elma est au milieu de ses vaches et répand le foin dans les mangeoires. Sa manière de se mêler au troupeau a toujours effrayé Jean. Il a longtemps cru qu'elle n'avait peur de rien.

Un gyrophare orange brille sur la cabine de son tracteur. Le seul point dans cette immensité pluvieuse et glacée qui lui rappelle l'agitation de la ville. Si Jean devait se représenter la mort, cela pourrait ressembler à ce qu'il voit ici, certains matins. Des éclairages changeants, des formes mouvantes, des vides, du froid, des brumes. En aucun cas, il ne parvient à imaginer les paysages du trépas avec les couleurs et l'agitation de la rue.

Le tracteur débouche en lisière d'une grande terre de quatre hectares avec, en son centre, un îlot de végétation folle, de souches rassemblées après le remembrement. La veille, Jean a labouré la partie du haut. Il s'arrête, prend le temps d'apprécier la régularité et la finesse de ses sillons. En cet instant, il retrouve son regard d'imprimeur. Les alignements, ce beau parallélisme, cet empilement calligraphié de lignes écrites à la pointe de ses socs, sur le sombre de la terre ou le blanc d'un vélin, c'est un peu semblable. Jean a fait des progrès en labour. Au début, les gens repassaient sur son travail par malice. Avec le temps, ils ont appris à le connaître. Ils ont admis qu'il aimait réellement ce pays, qu'il allait partager leur destin, qu'il n'était pas seulement de passage. Et surtout, qu'Elma était plus heureuse depuis qu'elle vivait à son côté. Alors, les labours de Jean n'ont plus été Chez Thérèse un sujet de raillerie, ou alors seulement quand il est présent.

Le tracteur s'engage dans la terre. Jean met ses roues dans les sillons de la veille. Assurer la continuité, la reprise de la trame qu'il est en train de tisser avec la patience d'un écrivain. Jean règle les socs, s'imprègne des repères qui lui serviront à ne pas dévier de sa voie. Les premiers instants de concentration passés, il laisse son esprit vagabonder. Une part, en lui, surveille le capot du tracteur, son attelage et les traces qu'il abandonne. L'autre est libre dans cette immense solitude qui l'écrase et l'oppresse.

Il travaille depuis une heure lorsqu'il aperçoit Barthélémy posté devant un rideau de fougères roussies par le gel. Il m'observe depuis longtemps, pense Jean qui s'arrête, coupe le moteur et saute au bas de la cabine. Il l'espérait, au fond, la visite de son voisin. Ainsi nomme-t-il Barthélémy, bien que les deux fermes soient distantes de plus d'un kilomètre et demi. Jean s'approche. Il y a deux ans, il aurait fait un signe, lancé un bonjour de loin. Il a appris depuis. Il apprend vite. Ce silence des êtres lui pèse parfois, mais il le respecte. C'est la façon, ici, de tenir tête à tout ça.

Les deux hommes évitent de croiser leurs regards. Ils demeurent silencieux, tournés vers les labours. Jean sait que Barthélémy juge son travail. Du temps qu'il était imprimeur, lorsqu'il observait une affiche ou un texte, Jean procédait de la manière la plus froide qui soit. Barthélémy, c'est pareil. Il jauge, il mesure, il compte. Il sait ce qu'il fallait faire et ce qu'il faudra entreprendre. Jean admire son savoir.

Même lorsqu'il ne parle pas, Barthélémy est traversé d'idées. Jean ressent leur avancée, sans pouvoir les capturer. La plupart sont hors de sa portée. Quand Barthélémy lui rendait visite dans la caravane, au milieu des bois de Haute-Faye, Jean avait remarqué sa profondeur, son esprit toujours en alerte. Le vieux célibataire lui a déjà fait part d'observations originales qui trahissaient une connaissance de questions complexes. Ce matin, il est nerveux. Pas rasé, la gueule en coin, édenté, la casquette de travers.

— Tu l'as vu, toi ? demande-t-il enfin.

— Qui ?

Barthélémy donne un coup de menton du côté de Provenchère.

— Celui du château.

Jean secoue la tête.

— Moi, si...

Jean ne reprendra pas son labour ce matin. Le moment est aux paroles et il faut admettre cet allongement du temps. Ce qu'il ne terminera pas aujourd'hui, il le poursuivra plus tard. Être un instant séparé d'Elma le repose, même si cette vérité est gênante.

— Une nuit. C'était...

Barthélémy raconte la scène de l'arrivée de celui qu'il appelle le Crâne. Il y met ses mots, son émotion, son humour. Cela donne quelque chose d'épique et de mystérieux. Croire en la simplicité des faits, ici, serait déraisonnable. Il y a des intentions dissimulées partout. Barthélémy fabrique de l'Histoire devant Jean qui l'écoute sans tout comprendre.

— Il paraît qu'il a déjà couché avec l'institutrice.

— Estelle ?

Barthélémy hoche la tête.

— Il est rapide, suggère Jean que la conversation commence à distraire.

Barthélémy marque le coup. Essaie d'interpréter la remarque de Jean. Cherche un double sens. S'ensuit une argumentation implacable qui fait intervenir Thérèse, Alain, et d'autres encore *bien placés pour savoir*. Parfois, Barthélémy se tait et dévisage Jean comme s'il cherchait intensément dans son regard les clefs du mystère qu'il dénonce. Il y a une attention avide dans ses yeux, du doute, une forme d'investigation aussi. Comme on interroge ses propres traits dans un miroir.

Jean sait qu'il faut attendre. Si l'essentiel a été formulé, il demeure des ombres. Barthélémy réfléchit. Il reprend le fil. Il y a cette histoire de la Mercedes immatriculée en Allemagne. Ça défile, à Provenchère.

Depuis quelques minutes, Jean écoute plus distraitement. Il a décroché. Ses pensées reviennent à Elma. En cet instant, il a envie de la serrer dans ses bras. Lui dire qu'elle est le seul point de chaleur contre lequel se réchauffer dans ce désert glacé. Des mots de Barthélémy lui parviennent, comme des bulles qui percent en surface. Denise qui fait les ménages. Thérèse, toujours, au centre de cette toile d'informations dont Jean a fini par comprendre que les plus invraisemblables étaient les plus probables.

Barthélémy prend son temps. Rentrer déjeuner à la maison, en tête à tête avec le vieux, ne lui dit pas grand-chose. Si l'atmosphère était meilleure à Blessac, Jean lui aurait dit de venir manger. L'autre aurait protesté. Jean aurait insisté, sans forcer pour ne pas blesser. Et son voisin serait venu. Mais aujourd'hui, ce n'est pas possible. Barthélémy le comprend. Barthélémy qui sait tout, à l'écoute de tous les murmures, de tous les signes qui le confortent dans sa croyance en des forces occultes, souterraines, destinées à briser les justes. L'idée d'un complot général dont l'existence est à la source de tant d'inexplicable.

Alors qu'il reprend la départementale, Jean comprend qu'il ne lui a pas dit l'essentiel. Il n'y a pas songé, ou plus certainement n'a-t-il pas voulu lâcher un indice trop profondément enfoui pour qu'il ne soit précieux. Elma a failli avoir un accident sur la route, à l'embranchement de Provenchère. Elle lui en a parlé. Un homme tout en noir dans une voiture américaine lui a coupé la route. Quelques centaines de mètres plus loin, elle l'a retrouvé qui observait la ferme. Il fallait m'appeler, avait dit Jean, intrigué par sa manière fiévreuse de rapporter l'incident.

Et maintenant, il pense à cette autre image oubliée. Elma, hier au soir, allant marcher sur la crête depuis laquelle on aperçoit les tours de Provenchère. Une déambulation inhabituelle et sans objet et dont elle était revenue muette. Jean est intrigué. Les paroles de Barthélémy lui reviennent, décousues. Disant toute une même chose qu'il ne parvient pas à comprendre. Et lentement, l'intuition qu'un événement est à l'origine de la brusque décision d'Elma, ce matin, de reprendre le travail.

À hauteur de la route privée qui descend à Blessac, Jean repère le tracteur d'Elma à côté des bêtes. Le gyrophare tourne sur la cabine. Jean cherche des yeux la silhouette d'Elma. Personne. Il s'engage sur le chemin, longe les clôtures. Il la voit alors, loin, à l'opposé. Une petite silhouette dans le pré, qui va vers le néant car il n'y a rien dans cette direction. Jean arrête le tracteur. Il franchit les barbelés et prend le pas de course. Il crie. Il est trop loin pour qu'elle l'entende, mais il crie quand même. Cela lui fait du bien de pouvoir hurler Elma ! de toutes ses forces. Effrayées, les limousines s'écartent à son passage et prennent le trot. Jean accélère. Elma est là-bas, à deux cents mètres. Elle avance avec une curieuse démarche, les bras écartés, un peu grotesque. Jean court à perdre haleine. Il redoute cet instant où il sera à la hauteur de sa femme.

— Elma !

Elle ne se retourne pas. Des larmes coulent des yeux de Jean, troublent la réalité. Ses poumons brûlent. Ses jambes sont plombées par le poids de ses bottes aux crampons garnis de terre.

— Elma !

111

Elle continue à avancer, les bras tendus loin du corps, raide comme une marionnette.

Jean l'attrape par les épaules, la retourne avec une violence dont il ne se croyait pas capable envers une femme. Elle est face à lui, les yeux levés vers le ciel. D'une profondeur effrayante. Jean veut la presser contre lui. Mais il sent quelque chose entre leurs corps. Il la repousse pour voir ce qui les sépare. Son ventre. Énorme. Elma a garni sa parka de foin. Ronde comme au terme de sa grossesse. Elma qui veut remonter le temps. Pauvre Elma.

— Elma !

Jean la plaque au sol et se jette sur elle. Il ouvre le manteau, arrache le rembourrage d'herbe sèche.

— Arrête ! Je t'en supplie ! Arrête !

C'est Jean qui crie. Qui hurle.

Et Elma qui se laisse éventrer. Sans un mot, sans un regard.

*

Barthélémy remonte vers la ferme-d'en-haut. Vaguement déçu. Il espérait en apprendre plus. Elma doit bien savoir quelque chose, elle est premier adjoint après tout. Et cette sensation diffuse que Jean lui a dissimulé des vérités. Il n'y a aucune raison à cela. Mais Barthélémy a vu tant d'événements aux apparences inexplicables faute d'en connaître les ressorts secrets.

Jean a progressé pour labourer. Avec le matériel qu'ils ont à Blessac, c'est facile. Barthélémy pense aux dernières années qui ont précédé la retraite. Ses difficultés, son découragement, l'impossibilité de rivaliser avec les autres, les jeunes. L'humiliation de quitter

aussi pitoyablement son activité. Tous ces renonce-
ments dont personne n'a mesuré à quel point ils lui
étaient douloureux. La conviction amère d'avoir été
vaincu par la *modernité* sans pour autant être convaincu
d'avoir tort. Il croit en une paysannerie éternelle qui
n'a rien à voir avec ce qui se passe maintenant. Il n'est
plus de son temps. Il ne l'a peut-être jamais été.

L'idée fait son chemin que Jean ne lui a pas tout
dit. Cela le déçoit. Lorsqu'il était dans sa caravane,
tout seul dans les bois de Haute-Faye, c'est lui qui l'a
repéré le premier. Il l'avait vu un matin qui se rasait
devant un miroir accroché à la porte ouverte. Il s'était
demandé où ce type trouvait l'eau pour sa toilette et
le reste. C'est la première question qu'il s'est posée,
Barthélémy, en découvrant Jean. L'eau.

Au fond, il n'était pas étonné de trouver un homme
là. On ne sait jamais ce qui se passe en forêt. Pendant
la guerre, le maquis tenait des positions à quelques
centaines de mètres, justement. Et les Allemands ne
l'ont jamais débusqué. Barthélémy est persuadé qu'il
s'en passe, des choses, en forêt. On pense que ce
monde est vide et c'est une illusion. D'ailleurs, Barthélémy ne croit pas au vide. La campagne est pleine.
C'est là que se reposent les mystères.

Il était allé le voir après l'avoir épié une bonne
semaine. Pourquoi ? Lui, si renfermé. Timide, dirait
Thérèse, qui trouve des mots moins blessants que ceux
qui fréquentent son café. Barthélémy ne saurait dire.
Jean lui avait paru un brave homme. Et encore, cela
n'avait pas suffi pour se décider à aller vers lui. Des
braves types, Barthélémy en connaît, pour lesquels il
n'aurait jamais accompli ce premier pas. Non, c'est
autre chose. Un mot conviendrait pour dire ce qu'il
a ressenti en voyant cet homme se raser en prenant

son temps parce qu'il n'a le goût à rien. Le mot *frère*. Barthélémy avait cru voir un frère.

Certains matins, Jean allait au village avec son cabas, faire quelques courses. De maigres courses, Barthélémy s'en était vite rendu compte. Deux kilomètres à pied car sa voiture avait rendu l'âme peu de temps après son arrivée. Il téléphonait de la cabine près de l'église. Barthélémy a appris plus tard qu'il essayait de trouver un emploi sans savoir qu'on ne trouve jamais un travail en téléphonant avec des pièces d'une cabine perdue. Au retour, il marchait sur le bas-côté et d'un seul coup, lorsqu'il pensait que personne ne pouvait l'apercevoir, il sautait dans le sentier qui menait à sa caravane. Barthélémy en sourit encore. Croire que personne ne vous voit, dans ce vieux pays, c'est agir comme un enfant. Et même les enfants, ici, ne croient pas ça. Jean le pensait, lui. Cela aussi, avait amusé Barthélémy. Alors, il s'était décidé à aller à sa rencontre.

C'est bête à dire, mais cette solitude et la sienne, il leur avait trouvé quelque chose de semblable. Le désir aussi de parler avec un homme qui ne le connaissait pas. Un étranger qui ne l'avait pas déjà étiqueté pour toujours. Pour lequel il était tout neuf.

Avec du recul, Barthélémy pense qu'il s'agissait d'un acte insensé. Une décision tout à l'opposé de sa vie d'homme replié, prudent et maussade. Mais en l'accomplissant, il avait eu le sentiment de sortir d'une ornière où il s'enlisait depuis toujours. Trahir l'image que les autres se faisaient de lui. Les prendre à revers. Courir un risque. Il ne le regrette pas. Lorsqu'il l'avait vu approcher, Jean avait eu une expression que Barthélémy n'oubliera jamais et qui le récompensait déjà de son courage. L'air d'un homme traqué qui vient

d'être découvert. Soulagé d'être repris. Alors, pourquoi Jean lui cacherait-il quelque chose aujourd'hui ?

À mi-pente, Barthélémy lève les yeux. Aucune
fumée ne sort de la cheminée de la ferme-d'en-haut.
Il songe à son père dans la maison froide où ne pourraient désirer vivre que des songes et des fantômes.
Quand il poussera la porte, il retrouvera le vieux assis
devant l'âtre éteint, attendant que son fils prépare un
repas frugal. Comment en sont-ils arrivés là, tous
deux ? À cette paix armée, construite sur le silence ?
À ce naufrage ?

Barthélémy se demande toujours pourquoi à quinze
ans il n'est pas parti comme les autres à Paris. C'était
si courant à cette époque. Cette décision, il n'a jamais
eu la force de la prendre. Il se savait incapable de
vivre ailleurs que là. Il est comme un arbre, Barthélémy, intransportable. Cependant, quand il songe à
ceux de son âge qui ont eu ce courage, à présent à la
retraite, et qui ont fait restaurer leur maison familiale,
il ne peut s'empêcher de les considérer comme des
gens blessés. Leurs enfants, c'est différent. Mais eux,
les premiers, les pionniers, les éclaireurs, il leur trouve
mauvaise figure. Il pressent, sur leurs visages et dans
leurs manières, les heures passées dans les trains de
banlieue, l'ennui de leurs boulots ineptes. Le mal du
pays qui les a rongés au point qu'ils reviennent y
mourir. Barthélémy sait bien qu'il n'est guère brillant
et bien mal placé pour donner des leçons. Il est même
le dernier à pouvoir le faire quand on regarde de près
ce qu'est sa vie. Il éprouve pourtant devant eux un
sentiment qu'il ne pourrait pas nommer, le peu de
force qui le tient encore debout.

Lui, il est resté. Archaïque, plongé dans la misère d'une vie sans femme, humble, pauvre. Il n'a rien fait de grand. Rien de ce qu'il a entrepris n'a réussi. Il a d'ailleurs si peu entrepris. Mais il est resté. Il n'a pas abandonné le pays des anciens. C'est peut-être pour ça après tout, parce qu'il a fait le chemin à l'envers, que Barthélémy aime bien Jean.

Barthélémy en est là lorsqu'il aperçoit la silhouette noire de Ben qui gravit le chemin. L'autre ne le voit pas. Barthélémy est concentré. À force de suivre cette ombre, il va bien découvrir quelque chose qui la concerne. Cette idée est absurde, mais le caractère improbable d'une idée n'effraie pas Barthélémy. La soirée chez Thérèse le blesse toujours. Il essaie de se remémorer des mots, des attitudes, des regards qui trahiraient la vérité. Une intuition enfin se dégage. Ce type connaît le pays. Il lit en nous. Il sait des choses sur nous.

Ben a ralenti. Barthélémy s'arrête et se cache derrière une lisière de châtaigniers. Il a le temps. L'autre ne peut échapper. Le vieux célibataire songe à Thérèse qui a fait embaucher Denise à Provenchère. Elle doit en avoir appris, la Denise. C'est décidé, ce soir, il ira au café.

Ben s'est agenouillé et observe le sol. Barthélémy est intrigué. Il sait bien qu'il n'y a rien par terre, ici ou ailleurs. Cela fait soixante ans qu'il le prend, ce chemin, qu'il arpente cette colline pour aller chercher les bêtes dans un pacage plus haut. De l'herbe, des pets de lapin et des crottes de mouton, des cailloux. Rien ! Une bruine légère tombe et malgré cela l'autre ne bouge pas. Barthélémy se cale à l'abri. Le Crâne est toujours là, accroupi comme s'il relaçait une de ses chaussures. L'idée tranquillise Barthélémy.

Il jette un coup d'œil dans la pente. Le gris-bleu des toitures de la ferme-d'en-haut lui apparaît comme un palet d'ardoise dans le vert acidulé des arbres. Il aime cette vue en surplomb sur le corps de bâtiments à flanc de coteau, protégé des vents mauvais. C'est son grand-père qui a construit la ferme, en des temps où il y avait de l'espérance pour les paysans. Deux années avant la Première Guerre mondiale. Barthélémy laisse son regard suivre les faîtières. Toutes à changer.

Il se retourne vers le haut. Personne.

Barthélémy se décide à longer le chemin tout en restant à l'intérieur du bois. Peu à peu, il est entouré d'un silence étrange. Le bruit de ses pas sur les brindilles, les branches basses qu'il brise pour se frayer un passage ne produisent aucun son. Et très vite, l'impression d'être observé. Il pivote, ne voit rien. La fatigue lui joue des tours. Cet énervement aussi, qui ne l'abandonne plus depuis que son père referme sur eux une dalle de silence. Comment allons-nous finir ? se demande Barthélémy. Il le sait.

Il est à hauteur du point où Ben s'est agenouillé. Il s'approche, cherche ce que l'autre pouvait bien observer aussi longuement au sol et ne discerne rien. L'impression dérangeante d'être épié ne se dissipe pas. Cela l'ennuie, Barthélémy, de ne pas trouver ce qui a pu intéresser cet étranger. Après tout, ici c'est chez lui. Il connaît chaque pouce de cette terre. Et voilà que le Crâne distingue des choses que lui-même ne discerne pas. Alors, il scrute méthodiquement, avec cette attention qui est le propre des hommes de la terre. Soudain il frissonne. Ce n'est presque rien. Des promeneurs auraient pu passer là sans l'apercevoir. Des touristes. Pas lui.

Sur le côté d'une ornière, à l'intérieur d'une touffe de joncs, plusieurs tiges ont été savamment entrelacées. À l'extrémité de la tresse, une feuille morte de châtaignier fixée par une pointe d'aubépine bat dans le vide. C'est fragile comme de l'ouvrage de femme. Un jouet de bergère, pense Barthélémy. Une fillette des champs qui cherche à tromper le temps et qui s'invente une chose qui n'a pas de sens justement parce qu'on lui demande de n'accomplir que des actes qui ont une utilité. Discrète, au ras du sol, frémissante et si inspirée de ce qui l'entoure, perdue dans la jonchée de feuilles de châtaignier toute proche. Et pourtant, différente de ce que la nature aurait pu imaginer. Une intention. Si invisible et visible à la fois.

Barthélémy se signe. Non qu'il soit croyant ou qu'il ait jamais eu quelque complaisance pour les curés. Au contraire, même. Il ne croit pas en Dieu, Barthélémy. Pas davantage que son père, que le père de son père. C'est plutôt aux diables qu'il croit. Et cet après-midi, l'un d'eux, vêtu de noir, abandonne des signes derrière lui. Et disparaît aussi vite qu'il est apparu.

Le silence rend l'impression d'être observé plus oppressante. Dans le ciel pluvieux, un épervier tourne en cercles concentriques au-dessus du chemin. Barthélémy regrette de ne pas avoir son fusil. Son arme ne peut pas grand-chose contre les sortilèges, mais contre les oiseaux de mauvais augure, on n'a toujours rien inventé de mieux. Les circulaires européennes sur les espèces protégées, Barthélémy ne veut même pas savoir qu'elles existent. S'il y a quelque chose d'encore un peu vivant en voie d'extinction dans ce pays, c'est plutôt lui.

À une centaine de mètres, les ruines de la masure d'Albert. Une façade basse, parallèle au chemin, avec encore accrochée en pignon la potence des fils électriques coupés depuis longtemps. Une porte de grange délabrée, une étable à la toiture effondrée. Barthélémy a bien connu Albert, qui était de l'âge de son père. Un homme discret, leur plus proche voisin. La réputation d'un travailleur. C'est le mot qui vient à l'esprit de Barthélémy. Pour lui, ce mot dit tout. Une litanie de qualités et de duretés résumées en un seul substantif. Barthélémy se souvient de son attelage tiré par deux limousines, chargé de bordures de trottoir et de linteaux qu'Albert livrait à une quarantaine de kilomètres, sur un chantier à la préfecture. Deux jours pour rallier la ville. Dans le moindre souvenir de Barthélémy souffle le vent d'une épopée.

Personne à présent ne peut s'en souvenir, mais un jour l'essieu du tombereau d'Albert s'est brisé net dans la descente. À l'endroit justement où le Crâne a tressé sa sorcellerie. Barthélémy avait neuf ans, pas davantage. Mais l'accident auquel il a assisté avec Benjamin, le fils des instituteurs, est resté dans sa mémoire. Les cris, la peur pour les bêtes. Les blocs de granit bleu qui versent dans le talus en emportant les ridelles. Ces blocs qu'il faut remonter en les tirant à l'aide d'une tresse de chaînes sur une rampe improvisée de madriers en châtaignier. Tous ces efforts. Il revoit cela comme si les années n'avaient aucun pouvoir d'effacement.

Barthélémy s'approche de la maison abandonnée. Et toujours cette sensation d'une présence, d'un regard, d'une gêne. Barthélémy passe la main dans sa barbe. Il se rend compte peu à peu ne plus savoir pourquoi il est là, l'objet de sa filature, et même si elle possède un sens. Un sentiment d'inutilité le frappe soudain. Il s'avance vers la fenêtre brisée de l'unique pièce du rez-de-chaussée. Les ruines l'inquiètent, lui renvoient l'image de sa vie. Chacune d'elles porte le signe d'une défaite. Il y voit ce qui restera dans cinquante ans de la ferme-d'en-haut, lorsque son père et lui ne seront plus. La masure d'Albert n'est peut-être que le maillon d'un long abandon qui fera de cette contrée un théâtre d'ombres, un pays aux maisons perdues, aux mémoires égarées.

À l'intérieur, sur le dallage, l'étrave d'une vieille table, une chaise au paillage percé, tout au fond le foyer obscur de la cheminée. Barthélémy se recule vivement. Il a cru, mais c'est impossible, croiser un regard. Au même instant, là-haut, dans le ciel l'épervier a jeté son cri.

— La prochaine fois je prendrai mon fusil, dit-il en dévalant la pente d'un pas qui fait danser ses épaules.

*

Ben observe Barthélémy. Depuis la ferme-d'en-haut, il se sait suivi. Cela ne le dérange pas. Le mystère entretient le vide autour de lui, le protège pour quelque temps encore. Il y a peu, cette attention portée à ses faits et gestes l'aurait prodigieusement agacé. À présent, il s'en amuserait presque.

Markus est parti, mais l'énergie qui irradiait autour de sa présence est demeurée. Markus a donné de son feu à son vieil ami qui grelottait. Comme Ben, en un automne des années 1980, avait rendu courage au sculpteur allemand au bord du suicide.

Ben sent renaître une force qui porte plus aisément son grand corps. Une sensation qui prolonge chaque geste, une manière de voir plus perçante. Une acuité. Mais aussi l'impression de devenir d'une grande fragilité. Ben a l'habitude de ses vieux mystères, de ses résurrections inespérées.

« L'isolement est l'essence du land art », lui a rappelé Markus, citant leur ami Walter de Maria. Markus a voulu dire que Provenchère est un lieu propice, un lieu de résonance. Des signes parviennent. Cette nuit, Ben a étudié des cartes de la région, avec une minutie retrouvée, une exaltation comme au temps où il produisait ses installations les plus révolutionnaires.

Les espaces qui inspirent Ben Forester sont des endroits ordinaires, à l'opposé du spectaculaire et du pittoresque. C'est justement l'absence de caractère remarquable qu'il parvient à saisir et qui donne à ses interventions toute leur profondeur. Comment a-t-il pu oublier que le vieux pays de son enfance présente l'effacement de la toile blanche ?

Depuis plusieurs jours, quelque chose germe en lui. C'est en vrac, dans un état auquel lui-même ne peut encore donner de sens. D'ailleurs, pour cela, il lui faudrait saisir les morceaux à assembler. Or, dans la pénombre de ses intuitions, les idées sont encore si imprécises, si incomplètes. Pourtant, elles sont là. S'il ne bouge pas, s'il ne tremble pas, s'il reste concentré dans son affût, elles se dévoileront. Il ne lâchera pas prise. Ben Forester est un pitbull. Lorsqu'il a mordu, il ne desserre plus les mâchoires. Tous les créateurs sont ainsi. Ce qu'il demande simplement, sans être jamais sûr de l'obtenir, c'est l'impulsion initiale. Le désir. Le travail, la réflexion viendront à bout du reste. À présent, il est rassuré. Une pensée est en train de se construire, qui l'a choisi comme réceptacle. Le combat va commencer.

Ben est revenu à la ferme d'Albert. Ce sont des propos confiés à Markus au cours de leur déambulation qui l'ont mis sur la voie. Ben n'attend pas de ses amis qu'ils disent, mais qu'ils lui permettent de dire. Devant la masure, Ben a prononcé des phrases tues pendant un demi-siècle. Et Markus, par la nature de son silence, lui a permis de les entendre, d'en comprendre l'importance. Plusieurs jours après.

Comment Ben a-t-il pu oublier ce qui s'est passé là ? Albert vivait seul, dans sa ferme isolée. Un petit homme sec, haubané de muscles durs comme la pierre qu'il taillait à la mauvaise saison pour compléter de faibles ressources. Les jeudis et les dimanches, Benjamin venait le voir, souvent en compagnie de Barthélémy.

Cela avait commencé comme un jeu. Albert lui tend un marteau et un burin et lui dit :

— Essaie, petit. C'est pas difficile. Il suffit de vouloir, ce n'est que de la pierre. Tu peux être plus dur.

Ben a neuf ans. Cela fait des semaines qu'il regarde le vieil homme assis par terre sur l'aire de battage, martelant un bloc de granit posé sur un vieux pneu. Lorsqu'il monte la côte et qu'il entend la sonnaille des coups, son cœur bondit. Le gosse discerne, dans l'acte de façonner la pierre à la seule force d'une pointe et d'une massette qui vole au bout du poing, quelque chose qui relève d'un mystère. Là où le vieux voit un travail, l'enfant perçoit déjà la possibilité d'une œuvre.

Bien des années après, en posant le pied sur une

bordure de trottoir partout dans le monde, Ben pensera à Albert.

Obtenir des blocs parallélépipédiques à partir des grosses boules de granit qui émergent du sol dans les bois et les prés alentour avait toujours paru à Ben une forme de miracle des premiers temps. Albert avait montré à l'enfant comment fendre ces masses géologiques de plusieurs dizaines de tonnes. Il lui avait enseigné l'art de lire la texture du rocher, l'orientation de ses cellules minérales, son grain, le sens de ses veines. Avec une économie de moyens prodigieuse. Toute sa vie d'artiste, Ben intégrera ses leçons.

Sa fascination pour les formes géométriques, les cubes, les pavés, les pyramides, les cercles, qui furent longtemps au centre de ses recherches, est certainement née là. Les bordures de trottoir d'Albert, leurs faces régulières et planes, leurs angles droits symbolisaient l'affrontement entre technique et nature. Ben a été long à découvrir que les formes mathématiques sont un déni de la vie. La géométrie, sublime d'un point de vue humain, lui apparaît mortifère par son désir même de perfection. Une de ses œuvres, saluée au cours de l'année 1974 comme l'une des plus singulières, est composée d'un grand disque de métal parfait posé sur des rochers bruts évoquant assez précisément un dolmen. Les critiques ne s'y sont pas trompés en voyant là l'expression d'un heurt violent entre la perfection du cercle d'acier et l'irrégularité des blocs de pierre. Peut-être, mais alors Ben n'en prend conscience qu'aujourd'hui, cette œuvre était-elle une forme d'hommage à Albert, le simple paysan qui s'échinait à tailler le granit bleu.

Ben a contourné la masure et observe par la porte de la grange. C'était là, à même le sol, qu'Albert travaillait. L'émotion lui noue la gorge. Dans la pénombre, il revoit la petite silhouette occupée à user la pierre. Des gravats, les ruines d'un *cornadis* par lequel quatre vaches passaient la tête d'un mouvement gracieux d'inclinaison des cornes qui faisait sonner leurs chaînes. Le sol est jonché de détritus. Une charrue gît dans un coin. Dans un angle, le bac en pierre taillé par Albert. Ben s'approche, pose la main sur le rebord de l'abreuvoir. Ses doigts filent sur le grain du granit comme ceux d'un aveugle. Les milliers d'éclats partis à la pointe du burin d'Albert lui racontent une histoire, celle des chemins en boucle qui s'en reviennent mourir sur leurs pas.

Il gèle lorsque Ben regagne Provenchère. La visite à la ferme d'Albert, la marche ont déclenché un afflux d'idées. Les retenir, se saisir de celles qui ont un sens, écarter les autres. En chemin, il tire un calepin de sa poche et prend fébrilement des notes, esquisse un croquis. La nuit enserre la forêt, gagne la tourbière. Les murs de Provenchère lui apparaissent enfin, enracinés aux berges d'un loch. Denise a allumé les lampes extérieures qui éclairent la façade. Ben ne lui a jamais demandé de le faire, mais la jeune fille en prend l'initiative chaque soir, dans un geste de conjuration, pour se protéger de l'impression d'abandon et de gelure qui règne dans la bâtisse.

Au moment où Ben franchit le portail, il la voit, son casque à la main, refermer la porte. Denise tourne la tête. Il lit un instant d'inquiétude et puis du soulagement. Pas une phrase inutile, elle est comme ça, Denise. Ben aime l'épure de son absence.

— J'ai tout préparé. Il n'y a qu'à réchauffer.

Denise s'est adaptée aux goûts de son patron. L'inverse est également vrai. Pendant la journée, c'est à peine s'il l'entend au rez-de-chaussée. Rien de ce qu'elle prépare n'est le fruit d'une entreprise hasardeuse. Elle ne cuisine que ce qu'elle sait faire, des plats d'une simplicité familiale. Quant au ménage, elle assure le minimum, ne s'aventurant jamais au premier, se gardant bien de franchir le fil noir au pied de l'escalier.

Denise a posé le casque sur sa tête. Ben fait face à une créature étrange aux reflets bizarres dans son petit manteau de Skaï luisant. Il hésite, se sent désarmé. Ce dénuement le trouble.

— Cela te dirait d'aller en ville avec moi ? On ferait des courses.

Le casque lève sa visière vers lui. Aucune parole. Denise réfléchit.

— Comme vous voudrez.

— Demain. Oui, demain. On va fêter ça.

Denise ne marque aucun signe de surprise. Elle est déjà perchée sur le pédalier et s'active pour démarrer le moteur qui tousse. Fume. Pétarade enfin. Ben la regarde, conscient de l'irrémédiable espace qui les sépare, de leur proximité aussi. Si Sarah était encore en vie, elle l'aurait prise sous sa protection. Sarah était ainsi. D'une douceur inexplicable avec certaines créatures. D'une âpreté sans égale avec les autres.

Denise est juchée sur la Mobylette qui vrombit. D'un coup de talon, elle fait sauter la béquille. La roue arrière qui tournait dans le vide rencontre le sol. L'engin s'élance dans une embardée, oscille entre les statues. Denise franchit le portail. En d'autres temps, Ben aurait ri. Mais ce soir, il reste tourné en direction de la forêt où a disparu la jeune fille. L'inconnu visionnaire qui le squatte a glissé des mots étranges dans sa bouche. C'est d'alcool dont Ben a besoin. Beaucoup d'alcool. La nuit va être longue. Il a quelque chose à fêter.

Au petit matin, Ben s'approche d'une des fenêtres de façade. Le gel enserre Provenchère. Les poutres de châtaignier craquent. Il n'est pas le seul spectre à hanter le château. Là-bas, sur un bureau, brillent deux écrans d'ordinateur. Ben a travaillé toute la nuit. Ses cahiers sont couverts de croquis, de textes. Une idée est en train de germer, folle. Une idée qu'il désire ne partager avec personne. Cette idée s'est imposée si simplement, au fond. Cela crevait les yeux. Mais lui, Ben Forester, ne la voyait pas. Contrairement à Benjamin Laforêt. Il tournait autour depuis des jours, des semaines. Depuis toujours peut-être. Il rôdait, l'encerclait. Elle est sortie du néant, ectoplasme de pensées en décomposition, agglomérat de recherches avortées, intuitions anciennes abandonnées. Inconciliables réconciliés.

Certes, il doutera, hésitera, désespérera de parvenir à ses fins. Mais tout est là, dans ce calepin. Maladroit et cependant d'une justesse qu'il oubliera pour ne la redécouvrir qu'au terme de son travail. C'est en pensant à Estelle, la jolie maîtresse d'école, qu'il a eu l'intuition fondatrice. Il rêvait à ses yeux, à ses jambes, à ses vallées. Et tout à coup, quelque chose lui est apparu quelques secondes. Une mécanique aux engrenages de cristal qui a éclaté en mille morceaux sitôt qu'entrevue. Dorénavant, il ne s'agit plus que de rassembler ces fragments dont il a perçu la parfaite harmonie, le temps que la vision s'inscrive de manière indélébile en lui.

Ben porte le goulot de la bouteille à ses lèvres. Il boit lentement sans quitter des yeux les statues. Lui aussi, il attend, voûté, physiquement ruiné. Il se prépare. De nouveau, il est ce Ben Forester qui a inventé là où faire du neuf était inconcevable. Il est celui qui, en compagnie d'une poignée d'autres, a sacrément dépoussiéré un vieux monde usé jusqu'à la trame. Il est en pleine possession de ses moyens. Markus avait raison. Provenchère est un chœur.

Ben donne quelques coups de téléphone, de ces appels qui ont le pouvoir de mettre tout en branle. À cette heure ? Ben, tu te rends compte de ce que tu me demandes. Il est trois heures... Je te paie assez cher, Steeve, pour que tu décroches le téléphone à n'importe quelle heure du jour, de la nuit. Et même en enfer je te demanderai encore de décrocher ce foutu téléphone ! Ben sait rappeler à ceux qui le servent les logiques qui guident leur vie. Sa dureté est un diamant. Il est sa propre violence. Les autres plient. D'accord, Ben, tout sera fait selon tes indications. Je m'y mets ce matin. Je t'appelle dans la journée. Ben qui raccroche. Tout paraît possible. Difficile mais possible. Et soudain, au cœur de son exaltation de veille de bataille, l'idée insidieuse et terrifiante que celle-ci ne ressemble pas aux autres.

Le jour se lève.

*

Aujourd'hui, impossible de travailler sérieusement. Les enfants étaient trop énervés. Estelle relève la capuche de son vêtement d'hiver et sort dans la cour.

Un vent d'est la saisit. Elle porte sa main gantée à la base du col de fourrure qui encadre son visage. Elle frissonne. À peine cinq heures trente et déjà la nuit. Un pays terrible que ce vieux pays.

La jeune femme marche vers la clôture qui domine le terrain de jeu, face à la forêt. En lisière, un châtaignier au tronc tourmenté, sur lequel, dans la pénombre, s'est posée une lumière grise. Son regard s'arrête sur l'arbre.

Estelle espère que le froid va l'apaiser. Elle songe en souriant aux mises en garde de son grand-père qui a fait son service dans la neige et le gel d'un camp militaire, non loin d'ici. Et qui en avait conservé, lui, l'enfant de Martillac, le souvenir d'une punition divine. Estelle remonte sur son front une mèche de cheveux. La journée a été éprouvante. Les enfants ressentent cet énervement qui ne la quitte pas, comme une colère qu'elle porterait. Sinon, comment expliquer leur dissipation, leur manque d'empressement à apprendre ?

Elle bat en retraite et referme à clef le grand couloir glacé. Elle est seule dans l'école vide. Estelle pousse la porte de sa classe encore chaude du remue-ménage de la journée. Jusqu'à ces temps derniers, elle croyait que cette salle était un sanctuaire. Non pas absolument coupé du monde, mais un lieu à part quand même. C'est un peu pour cela qu'elle a choisi ce métier, Estelle. Le goût d'exercer une activité retranchée de l'agitation ordinaire. Ça paraît vieux jeu pour une fille de vingt-quatre ans, juriste plutôt destinée à fréquenter les prétoires que les écoles déshéritées. C'est pourtant ainsi. Estelle fait en sorte que ses enfants, ainsi qu'elle nomme les élèves, comprennent le changement qui survient dès le seuil de la classe franchi. Elle-même, en pénétrant là, a l'impression d'être une autre. Ce n'est pas tout à fait elle qui enseigne, tout au moins lorsque cela se passe bien. C'est une autre Estelle, plus instruite, davantage compatissante. Meilleure.

Cela, c'était avant.

Il a frappé à la porte comme un élève en retard. Sa manière perfide de retenir le heurt des doigts contre le bois, avec le secret espoir de n'être pas entendu et de pouvoir repartir en douce. Avec assez de fermeté, de fausse franchise, pour bien montrer qu'on n'a rien à se reprocher. Estelle entend encore ses coups sur la porte. Elle revoit la grande silhouette noire dans l'encadrement près du tableau, devant les premières tables, hésitante et déjà en terrain conquis.

Depuis le soir où cet homme a pénétré dans sa classe, tout a changé. Estelle pense à lui tous les jours. Au milieu d'une dictée, d'une correction de fichier de mathématiques, d'une leçon d'histoire. Il est là qui l'observe de ses yeux qui regardent les femmes comme des paysages. Elle ne pourrait pas dire s'il la trouve belle car c'est un séducteur, un homme qui a connu tant de femmes. Ne la contemplait-il pas déjà par la fenêtre plongée dans la nuit, avant d'entrer ? Estelle frissonne. L'idée d'être épiée par ce regard ne l'horrifie même pas.

Elle s'en souvient. Lorsqu'il s'est avancé, quelque chose de pervers et de tendre est entré. De sacrilège. À présent, ce n'est plus exactement une classe, bien que rien n'ait changé. Le lieu s'est brutalement ouvert aux quatre horizons. Les murs se sont effondrés, les fenêtres ont volé en éclats. Le toit s'est soulevé. L'ordre s'est altéré. Ce type, Benjamin Laforêt croit-elle se souvenir, mais son émotion était si grande qu'elle n'est plus sûre de rien, a tout brouillé, tout bousculé avec ses airs de spectre précautionneux. À commencer par elle, sa manière d'éviter de la frôler, comme si l'approcher la mettait en danger. Comme si la toucher était trop facile. Et elle, qui oublie sa condition de maîtresse, ses devoirs. Qui se met à redouter que ne retentisse le coup de téléphone rituel d'Éric.

Estelle referme les cahiers restés ouverts sur son bureau. La solitude l'écrase. Personne ne cherche à la connaître dans le village. Personne n'imagine comme elle souffre, abandonnée loin des siens dans ce pays minéral et dur. À quel point la déchire l'envie de sauter dans sa voiture et de filer vers l'ouest, vers l'Aquitaine, ses ciels. Partir la nuit et se retrouver à l'aube quai des Chartrons. L'autre soir, elle s'est rendue au supermarché du chef-lieu de canton, à quinze kilomètres. Simplement pour voir des lumières acidulées, les néons, les brillances vulgaires scintiller dans la nuit.

Personne ne soupçonne la force qu'il lui faut déployer pour se présenter tous les jours à son poste, aimable, attentive aux malheurs des uns, à la sottise des autres. Souriante, patiente. Chaque matin, accueillir les parents pressés, surveiller l'arrivée des cars de ramassage, étreindre, consoler, moucher. Elle est un prêtre oublié aux marches du monde. Ses années de fac, ses vacances à la mer, ses premiers flirts sur la plage, ses Noëls en famille, son chat laissé à Bordeaux et qu'elle hésite à prendre avec elle ici sont ses meilleurs souvenirs. Les coups de fil de ses parents, les appels d'Éric chaque soir ne lui suffisent plus. Leurs mots, les silences, les tout va bien à demain je t'embrasse... S'ils savaient comme elle a changé depuis qu'elle est là.

Est-ce pour cela que l'homme en noir a franchi si aisément la porte de sa classe ? Avec son nom à sortir du bois pour enlever les jeunes filles déprimées. Pourquoi est-il venu lui parler de sa mère ? Elle l'imagine, cette femme, sévère comme on pouvait l'être au sortir de l'École normale dans les années 1930, 1940. L'idée de vivre où elle a vécu trouble désormais Estelle. Dans l'appartement au-dessus, elle se souvient du regard perçant du visiteur auquel elle a livré sans combattre son intimité. Son lit se trouve à l'emplacement du sien lorsqu'il était enfant. Cette idée la dérange. La nuit, elle rêve que des bras enfantins l'étreignent incestueusement. Et son corps accueille ses privautés volées aux rêves. N'a-t-il pas dit qu'il était né là, dans la pièce à côté ? Jamais Estelle n'avait songé à ce point à la vie qui l'a précédée là. C'est un hôtel, qu'un appartement de fonction. Toutes ces idées la bouleversent. Demeure l'impression détestable de n'être plus tout à fait la maîtresse d'école qu'elle rêvait être.

Estelle referme la porte. C'est vendredi. Un week-end entier à rester là. Éric ne viendra pas de Bordeaux. Elle le lui a demandé, en raison du verglas. Au plafond, les néons s'éteignent en craquant. Par les deux fenêtres de façade, les lampes municipales renvoient dans la classe une lueur ténue qui brille sur le tableau blanc. Les enfants ne se trompent jamais. Il va neiger.

*

Elma a fait l'effort de manger, ce soir. Pour Jean, pour lui seul. Parce qu'il a cédé une fois encore. Pour sa faiblesse qui ressemble à de l'amour tant elle est déraisonnable et insondable.

Après dîner, Jean est parti regarder le journal télévisé. Elma range. Elle a encore le goût de la viande dans la bouche. L'envie de vomir, de se débarrasser de cette chair morte qui infecte la sienne. Le fait que Jean ait paru rassuré de la voir se nourrir ne la console pas. Comme s'il suffisait de porter de la nourriture à ses lèvres pour être de nouveau parmi les vivants. Jean en est à un point où se saisir du moindre mensonge lui permet de tenir. Elma, avec la science des malades, invente des bribes d'espoir, comme on abandonne derrière soi des traces tronquées pour qui vous suit.

Terrible journée après que Jean l'a retrouvée, sa parka gonflée de paille. Jean qui la bouscule, la frappe, qui hurle. Elle le voit gesticuler. Le sentiment d'une obscénité devant son désir de vivre à tout prix. En urgence, le médecin de famille est venu à Blessac. Elma a accepté les calmants. Mais elle est comme ces chatons à demi sauvages qu'elle avait voulu endormir pour les faire stériliser. À peine avaient-ils lapé l'écuelle dans laquelle elle avait dilué des soporifiques qu'ils dansaient dans la cour, grimpaient sur les toits, sautaient dans le vide.

Elma a simulé. Elle sait faire. Écouter, hocher la tête, tenir des propos raisonnables, paraître se résigner, admettre l'inadmissible, camoufler l'absence. Le médecin et Jean s'y sont laissé prendre. Ou plutôt, ils ont bien voulu se laisser berner, las eux aussi de tout ce malheur, de tout ce froid, de leur propre vie peut-être. Plus question d'un séjour dans une clinique pour dépressifs où les êtres déréglés sont remis en marche. Elma a gagné. Elle reste à Blessac. C'est cela qui lui importe. Si jamais elle doit guérir, c'est ici. Nulle part ailleurs.

Jean est assis dans un fauteuil. Elma l'observe. Voilà que ses tempes grisonnent. Cela ne la dérange pas. Elma l'aime ainsi, bien qu'elle ne sache plus exactement qui aimer hormis son chagrin. Par moments, la tête de Jean bascule en avant. Il y a quelque temps elle aurait souri, se serait approchée, espiègle.

Il n'a pas deviné sa présence. Ses mains aux grosses veines gonflées par le froid sont posées comme deux oiseaux morts sur les accoudoirs. Elma aimerait les prendre et les porter à ses lèvres, leur redonner le goût des envols. Mais elle ne le peut pas. Une force maléfique emprisonne ses élans.

— Je vais me coucher. Ne bouge pas.

Elma s'est approchée. Elle s'est penchée et a déposé un baiser sur son front. L'habile comédie que celle des désespoirs travestis.

Le pas de Jean dans l'escalier. Dix heures. Il n'a pas franchi le seuil de la chambre d'Elma, n'a rien tenté pour la séduire. Faute d'être attisé, leur désir se meurt comme un feu abandonné. Elma est capable de concevoir cette fin sans se révolter. Elle y voit même un cheminement vers autre chose. Quoi, elle ne saurait dire. Sur le plancher du premier étage, le pas de Jean. Un pas d'homme soucieux, lent, appuyé. Les robinets de la salle de bains. L'interrupteur du couloir qui claque. Elma ferme les yeux. Jean passe devant la porte de la chambre rose. Comment peut-il ?

Il va neiger. C'est une bonne chose au fond que cette neige malgré toute la dureté qu'elle ajoute au moindre travail, aux déplacements, à la vie des animaux. La neige a le pouvoir de réinventer. Elma se souvient comme, enfant, elle aimait l'hiver. Son père lui avait acheté une paire de skis pour glisser dans les prés.

Des paroles de Jean reviennent. Une histoire confuse. Les soixante-dix hectares de Grande-Combe auraient été achetés. Pourquoi Jean lui a t-il dit cela ? Elma devine. Jean sait qu'elle aurait aimé acquérir ces pentes boisées en âge d'être exploitées. Mais c'était en d'autres temps, longtemps avant. Lorsque replanter avait un sens. Jean a voulu l'appâter, la ramener à la vie par la faim de terre qu'il devine en elle. Elle n'a pas mordu à l'hameçon. Trop gros, trop facile. Voyant son air déçu, elle a demandé le nom du nouveau propriétaire, bien qu'au fond, elle s'en moque. Il n'a pas pu répondre. Une société forestière basée à Paris, une banque peut-être. La Caisse des dépôts et consignations a beaucoup investi ici, ces derniers temps. Tout est possible dans un pays qui se meurt. Et quelques poignées de mots qui recouvrent les idées comme de la terre lancée sur un cercueil.

Le sommeil ne vient pas. Malgré les cachets, malgré le désir de s'y abandonner. Elma attend. Dehors, il gèle. Des bruits familiers lui parviennent, des craquements, des soupirs entendus depuis l'enfance. Elle est née ici. Françoise a accouché dans cette chambre. Tout s'est bien passé à ce qu'on lui a dit. Avec Françoise tout se passait bien des choses de l'amour.

Elma se met en boule. Elle est une jeune femme seule dans son lit. Certes, son mari est tout proche. Un geste suffirait, une parole pour qu'il la retrouve. Elle songe à toutes les femmes qu'elle connaît et qui vivent seules. Elle imagine Estelle dans son école froide, enserrée de nuit et de regards. Comme elle doit souffrir ! Avec Estelle, tout est simple. Aucune des demandes de la jeune maîtresse d'école n'est déraisonnable. Elma, qui décide des dépenses scolaires, signe les bons de commande les yeux fermés. À présent qu'elle a les yeux grands ouverts, elle ne signe plus rien.

À quoi bon rester couchée, Elma ? Lève-toi.

Elle enfile une robe de chambre et traverse à tâtons la salle commune plongée dans l'obscurité. Elle s'approche de la fenêtre près de la porte d'entrée. Plonge les yeux dans cette nuit glacée.

Tout d'abord, elle ne voit rien. Elma offre son regard aux ténèbres. Une bâche noire est tendue sur les murs de la ferme, devant ses yeux, empaquetant le bâtiment. C'est cette idée absurde qui traverse Elma, celle de sa maison emballée dans une toile. Des images récentes vues à la télévision, à propos d'une installation de Christo. Elle les chasse. Elle leur trouve un caractère immoral, déloyal. Gênant, pour tout dire. Cela heurte ses conceptions du travail, de la dignité. Déployer autant d'énergie pour quelque chose qui ne restera pas. L'éphémère délibérément voulu la dérange. Elle aime penser que ce qu'elle fait trouvera un écho longtemps après elle.

Elle scrute de nouveau la toile noire. Percer cet écran, tenter de voir au-delà. Ses yeux fixent un point là-haut, au bout du chemin privé de Blessac, à hauteur de la route départementale. Elle ne veut pas se l'avouer, mais le souvenir de l'homme à la Chevrolet ne l'a pas quittée. C'est un souvenir dérangeant, mystérieux, qui l'accompagne dans son errance de femme affligée. Elle s'est rendue plusieurs soirs sur la crête qui domine Blessac d'un côté et Provenchère de l'autre. Regarder le château sans comprendre pourquoi. Elle sait que Jean l'a vue.

La trame de la toile se distend et lui abandonne des parcelles de réalité. Le filet de terre plus claire du chemin est posé comme un cheveu blond sur une épaule sombre. Soudain, Elma sursaute. Elle se redresse. Elle en est certaine. Elle a vu une lueur là-haut, un point minuscule et incandescent. Les yeux la piquent. Elle presse ses paupières et regarde intensément dans la même direction. Rien. Et, de nouveau, cet éclairage dérisoire au cœur de la nuit. Plus longtemps cette fois.

Elma bat en retraite, retourne à sa chambre et s'habille sans bruit.

Dehors, le froid traverse sa parka. Elle frissonne, s'avance vers le sycomore. Elle y voit si peu qu'il lui faut tendre les bras comme une somnambule. Ses doigts se posent enfin sur l'écorce. Elle s'agrippe au tronc. Remonte l'écharpe sur sa bouche. Tout là-bas, brasille une étoile.

Les premiers pas sont difficiles. Ce ne sont pas ses yeux qui voient mais sa mémoire. Se souvenir de la position du chemin par rapport au sycomore, éviter la pêcherie en contrebas, se remémorer les nids-de-poule remplis d'eau. Avancer dans la nuit comme on se donne au vide. Un sentiment grisant saisit Elma. Elle est capable de poser le pied sans se soucier de savoir si la terre la soutiendra. Un abîme est déroulé devant ses pas et elle avance quand même. L'illusion de marcher sur le vide. Libératrice.

Elma est à mi-pente près de la barrière qui donne accès au pré. À tâtons, elle se glisse par l'ouverture qu'elle vient d'entrebâiller. L'extrémité de la clôture

s'enfonce dans son ventre. Elma force, passe. Se
retrouve au milieu du troupeau. Elles sont là, ses bêtes
mythologiques. Elles l'ont sentie venir depuis longtemps, elles l'ont reconnue. Aucune ne s'étonne de sa
présence folle. Elles savent ces choses-là.
La lueur est toujours là-bas, difficile à situer. La
jeune femme marche dans l'herbe humide et glacée.
Autour d'elle, les vaches. Certaines couchées, d'autres
debout, dans leur immobilité antique. Non loin, un
veau tète. Elma entend les bruits de succion. Toute
cette chaleur, cette tendresse des muqueuses, au profond de la gelure.

Elma ne sent plus le froid. Son cœur bat très fort.
Soudain, elle prend conscience de s'observer elle-
même, comme s'il s'agissait d'une autre avançant dans
la nuit à grandes enjambées dans les herbages. Elle se
voit aller. Cette Elma qui se précipite en avant comme
une enfant en fuite n'est plus complètement la proie
du chagrin. Non qu'elle ait oublié sa peine, car cela
lui est dorénavant interdit. Mais elle l'a semée, a
trompé sa vigilance pour quelques secondes, quelques
minutes. Cet état singulier, Elma l'a connu une seule
fois depuis le drame. Lorsque l'homme à la Chevrolet
lui a coupé la route, réfutant ce qu'elle croyait savoir
des priorités.
Essoufflée, elle s'arrête. À une centaine de mètres,
la masse sombre des deux gros rochers des Bruges.
Elle les connaît bien, ces boules de granit de quatre
mètres environ de diamètre, séparées par un étroit
passage de terre. Enfant, elle y a joué des heures, les
escaladant comme des montagnes surplombant un
canyon imaginaire, contemplant de leur sommet la
ferme de Blessac posée au creux de ses terres.

Une lumière blanchâtre irradie derrière l'un des deux blocs. Elma n'a pas peur. Elle est prête à rencontrer le diable, si c'est un diable guérisseur qui se tient là, dans cette fente aux parois de pierre. Elle perçoit alors un cliquetis de chaînes. Elle hésite, se retourne vers Blessac, mais les bâtiments sont invisibles. Elle approche encore. Le tintement métallique se fait plus distinct.

Ce qu'elle découvre la statufie.

Une grande silhouette noire est plaquée contre le rocher. On ne voit que son dos, mais la première image qui vient à l'esprit d'Elma est celle d'un oiseau aux ailes sombres, agrippé à la roche. Par terre, deux lampes projettent une lumière violente. Près de l'une, un ordinateur est posé sur le sol. Elma est terrorisée mais elle ne peut faire autrement qu'avancer.

Elle n'est plus qu'à quelques mètres. Une rumeur sourde accompagne le cliquetis métallique. C'est un souffle grave comme un froissement de vent. Quelque chose venu du ciel.

— Qui êtes-vous ?

Elma s'est débarrassée de son cri. Elle l'a jeté au plus loin, hors de ses entrailles. Avec une violence qu'elle ne se connaissait pas. À présent, elle ne peut plus reculer. La silhouette se redresse, agrandie par son ombre, immense. Elma aperçoit un marteau au bout d'un poing. Elle reconnaît l'homme à la Chevrolet. Son bonnet de laine noire, son manteau. Ses yeux.

— Que faites-vous chez moi ?

Elma n'a plus peur. Reste la colère.

— Fichez le camp ! Vous êtes chez moi !

Elle comprend l'absurdité de sa protestation. Il n'y a plus de chez soi, ici, à cette heure de la nuit. Et, comme si elle n'existait pas, il se remet à marteler.

— Je vous interdis de tailler ces blocs de granit. Ils m'appartiennent.

Une hésitation imperceptible entre deux coups. Ben continue, à petites touches brèves et savantes qui enlèvent régulièrement des éclats de pierre.

— Tu me fais de l'ombre... Écarte-toi, s'il te plaît.

Sidérée, Elma ne bouge pas. Alors, il se retourne et, d'un geste très doux auquel elle ne peut résister, il la saisit par les hanches et la pousse sur le côté.

— Je vous interdis de me toucher et de me tutoyer. Arrêtez ! Je vous dis que ce bloc de granit est à moi. Vous êtes chez moi ! Je vais prévenir mon mari.

Ben repose son burin et son marteau. Un instant, Elma croit l'avoir dissuadé de poursuivre. Mais il se penche vers le sol et saisit une scie à disque. La machine émet une stridulation et entaille la pierre dans une gerbe d'étincelles.

*

La neige mouchette contre la vitrine. Ce matin, la place du village est blanche. Dans l'angle du café le poêle ronfle. Thérèse est assise à une table et lit un magazine dont elle tourne les pages d'un geste brusque du majeur. Elle est seule. C'est dimanche. Thérèse déteste les dimanches. L'hiver aussi. Plus encore l'hiver. Ce froid comme un fardeau supplémentaire qui complique tout sans rien apporter en contrepartie. Barthélémy, par exemple. Cela fait des jours qu'il n'est pas venu boire un verre. Il doit pourtant en avoir appris, des choses, toujours à rôder, à surveiller, à apparaître dans le dos des gens sans qu'on l'ait entendu venir.

Quant à Denise, elle n'a rien rapporté de consistant sur la vie de l'autre si ce n'est qu'il se fait appeler Ben et qu'il n'est pas exigeant. Denise dit il n'est pas compliqué. Elle s'en tient là. Rien sur quoi s'appuyer pour construire une identité, percer un secret. Thérèse enrage de la mauvaise volonté évidente de sa nièce qui évite de venir la saluer comme avant. Fouiller, épier, ce n'est pourtant pas difficile. Quelque chose la retient. L'idée que Denise puisse avoir peur lui a traversé l'esprit. Vite chassée. Elle est trop simple, Denise, pour éprouver de la crainte sans réagir brutalement.

Les yeux de Thérèse courent sur les pages glacées. La jet-set défile sous son regard, familière, inaccessible. Un monde parallèle. Peut-être la fréquente-t-il, l'autre, cette société de riches.

La porte s'ouvre dans un bruit de sonnailles. Thérèse relève la tête. Alain rentre en s'ébrouant, les épaules couvertes de glace. Un grand sourire sur son visage hâlé, barbu et déjà empâté à trente-huit ans. Thérèse se contracte imperceptiblement. Le forestier s'approche d'elle.

— Tu es seule ?

— À ton avis ?

Il se penche et tente de l'embrasser.

— Arrête ! On pourrait nous voir. Tu sais bien que je ne veux pas.

L'autre insiste. Il lui prend le poignet et l'attire vers lui.

— Viens...

Il y a dans son ton quelque chose de puéril. Cette manière ne dérange pas Thérèse, elle la trouve même attendrissante. Elle n'aimerait pas qu'un sentiment trop fort l'unisse à ce garçon que près de vingt-cinq ans séparent d'elle. Elle veut rester libre. C'est sa manière à elle d'exister.

— Non, je te dis.

— Allez...

Alain insiste. Il sait qu'elle va céder. Il le sait comme cela, d'instinct. C'est si simple, l'amour. Il suffit de ne pas en douter. Thérèse hausse les épaules, s'intéresse au magazine. Faut-il être écrasée de solitude pour prendre cet ours pour amant ? Quel imbécile aussi que son mari. Mourir si tôt. Bêtement. De son vivant, on ne pouvait jamais compter sur lui. Même pour ça, il n'a pas été à la hauteur. Non qu'elle lui était attachée par passion. Thérèse est sûre que rien ne résiste au temps, la passion moins encore que le reste. Mais ils avaient leurs habitudes. Leurs corps ne se dérangeaient plus en se visitant. Ils s'épaulaient dans leurs rancœurs, leurs regrets, leurs aspirations.

Lui, Alain, c'est différent. Sa force tout d'abord. Une dureté des muscles qu'elle n'a jamais connue. Être écrasée sous une masse chaude à la brutalité contenue. Cette idée de véhémence dominée émeut Thérèse. Une force d'homme qui n'a pas encore compris qu'il est mortel. Moins qu'un enfant, finalement. Et dont elle finit toujours par triompher. L'intuition qu'en secret Alain la respecte, qu'il ne la plie à son désir qu'à des limites supportables à son âge. Sans le dire, parce qu'il y a de la tendresse entre eux.

Lorsque Alain la serre dans ses bras, Thérèse a l'impression d'être prise dans la forêt par une de ses créatures. Des odeurs de résine, d'humus, de champignons, de feuilles sont collées à ses caresses. Elle qui a toujours rêvé de la ville. À vingt ans, au début des années 1960, elle a eu l'opportunité de travailler à Paris, secrétaire à la Fédération du bâtiment et des travaux publics où son père avait un ami. Elle enrage. À présent, elle serait à la retraite, vivrait en ville, plutôt que de servir des ivrognes et des mal léchés. Toute sa vie à contempler cette place vide, ce monument aux morts, cette église dédiée aux enterrements, son prêtre occasionnel qui a sûrement oublié, faute de les pratiquer, les rituels du mariage et du baptême. En face, l'alignement des maisons dont elle pourrait dire chaque pierre, chaque tuile manquante. Cela mérite-t-il même le nom de paysage ? Elle ne le croit pas. Une vie pour rien, comme ces chiens attachés à leur chaîne. Et toute cette mort qui l'encercle. Parfois, elle n'en peut plus. L'envie de partir comme à vingt ans. Non. De fuir.

Elle finit par céder. Alain l'a entraînée dans la cuisine. Elle se laisse plaquer contre la table d'un mouvement des hanches presque vulgaire. Mais cela n'a pas d'importance. Se comporter ainsi avec Alain ne prête pas à conséquence. Il ne voit pas la vulgarité là où les autres la dénoncent. Il est trop pratique, Thérèse veut dire pragmatique. Si cette manière d'agir est la plus simple pour réaliser ce qu'il désire, alors c'est la plus belle à ses yeux. Toujours se contraindre, une vie entière à se surveiller, à quoi bon lorsque plus personne ne vous regarde ?

De grosses mains la lutinent. Thérèse ferme les yeux, rêvant que ces doigts appartiennent à un autre. Non pas à son défunt mari, ça, c'est impossible à imaginer. Il n'a jamais eu cet empressement plein de gaieté. Même à l'âge d'Alain, il était retenu. Son désir, puisque c'est le mot auquel il faut bien songer, prenait des manières sournoises, équivoques. Entraîner l'autre un peu plus loin dans sa propre mésestime. Plutôt que vers une fête. S'il y avait une part d'enfance chez son mari, c'était celle de l'adolescent vicieux qui n'a jamais eu la chance de rencontrer une femme bien vivante. Il a dégoûté Thérèse des choses de l'amour. Il en faut peu pour dissuader d'une activité aussi compliquée, aussi répétitive, sans issue hormis des rêves de transcendance. Ce qu'elle aime, chez Alain, c'est lire l'expression du désir. Davantage que sa propre attirance. Comprendre dans le regard de l'autre qu'on l'espère encore lui suffit largement.

Alain embrasse la nuque de Thérèse. Des gouttes de neige fondue tombent sur ses épaules. Elle frissonne.

— Ça suffit. Arrête, s'il te plaît.

Elle s'écarte, va vers la porte d'entrée du café, la condamne et prend l'escalier qui monte au premier.

La chambre est restée dans la pénombre. Les persiennes laissent filtrer le jour d'un blanc de neige. Elle dormait là, Thérèse, tout enfant. Après son veuvage, elle n'a plus voulu demeurer dans la chambre matrimoniale. Elle ne sait pas pourquoi cette phobie. Curieuse, cette idée de revenir à l'origine. Une pièce plus petite, plus intime. Avec des réminiscences différentes. Elle n'a pas osé le dire à ses enfants. Et lorsque ceux-ci viennent quelques jours, elle regagne ses pénates en prenant garde que rien ne trahisse ses habitudes.

L'idée à présent qu'elle s'abandonne ici à un homme comme Alain la dérange. Elle préférerait que ce soit dans le lit conjugal. D'une certaine manière, cela lui permet de mesurer le chemin d'une vie. Dans cette chambre, petite fille, elle a pensé en secret à son premier amour, Benjamin, le fils des instituteurs. Elle a éprouvé là le vertige d'être entièrement préoccupée par un autre. S'oublier, laisser un être vous investir. Rêver à lui plus qu'on ne pense à soi-même. Cette dépossession de soi, cet élan pour Benjamin qui ne le voyait pas puisqu'il avait une autre amoureuse.

Avec cinquante ans de recul, à présent qu'elle est une femme vieillissante négociant son dernier amour, il lui semble que ce premier sentiment était le plus beau de tous ceux qu'elle a éprouvés par la suite. Désincarné, mais pas absolument. Inaccompli, sans espoir, et par conséquent idéal. Amoureuse... Le mot lui est revenu. Un mot qui se chante dans les cours de récréation. Elle est amoureuse, elle est amoureuse... Oui, elle l'était. Tant d'années plus tard, n'est-ce pas la même quête ?

Thérèse se tourne contre Alain. Dans la précipitation, il a conservé sa chemise à carreaux. Son gilet est remonté sur son ventre rond et blanc. Mais c'est son regard qui attire l'attention. Un regard malicieux et tendre. Thérèse n'aime pas être dévisagée ainsi. On lui vole quelque chose d'intime, de plus intime encore que ce qu'elle a concédé l'instant d'avant. Quelque chose qu'elle réservait à la rigueur à son mari, parce qu'avec lui ça n'avait plus d'importance. Quelque chose qui touche au secret. Elle pose la joue contre la poitrine du forestier. Cet énergumène est le deuxième homme de sa vie. Il ne le sait pas et elle ne le lui avouera jamais. Ils ne sont pas à égalité. Il connaîtra d'autres femmes, plus jeunes, plus délurées, moins douces. Mais pour elle, il sera le dernier. Lorsqu'elle mourra, elle imagine parfois la scène, ses deux fils et ses brus rendront le deuil à la sortie du cimetière. Et lui, Alain, passera le front baissé et leur serrera la main avec un vrai fond de tristesse. Ils ne sauront pas que ce colosse mal dégrossi, ce bûcheron à la réputation d'ivrogne, a connu leur mère. Ils ne pourraient même pas l'envisager, sauf à concevoir sa solitude tandis qu'ils faisaient leur vie si loin, l'un à Paris, l'autre à Lyon. Pays maudit, songe Thérèse, que celui qui contraint les fils à se séparer des mères. Alain passe la main dans ses cheveux. Elle est décoiffée. Tant pis. De toute façon, personne ne poussera la porte du café avant onze heures. Elle a pris soin d'ouvrir les persiennes de la cuisine. Ainsi, les rares habitants du bourg savent que ce matin elle était encore vivante au point d'accomplir ce geste dérisoire. De son côté, elle observe le même rituel, scrute les façades des autres, surveille leurs cheminées, prête à donner l'alerte. Suffisamment vivante pour ouvrir un volet, Thérèse. Mais pour le reste...

Les mains d'Alain sont lourdes, insistantes et savantes. Elles peuvent être légères aussi, se poser sur de vieilles chairs fanées avec la douceur d'un oiseau. Au fond de lui, peut-être Alain comprend-il à quel point il est difficile pour une femme qui a toujours connu le même homme d'aller vers un autre. Alors qu'elle est si peu sûre d'elle. Thérèse décide de le croire. Elle ferme les yeux.

Une voiture traverse la place. Par la fenêtre de la chambre, on perçoit le craquement des pneus sur la glace. Personne ne viendra aujourd'hui, les routes sont verglacées. Cela la blesse, Thérèse, cet abandon, cette indifférence. Du temps où le pays était un réservoir d'hommes, on a bien su les y trouver pour leurs saloperies de guerres, leurs saletés d'usines. S'il n'y avait pas la télévision, on se croirait Dieu sait où. Que faut-il donc faire pour montrer qu'on existe ? Pourquoi serait-il impossible ici de voir de belles choses, de grandes réalisations dont on serait fier et qu'on viendrait admirer de loin ? Thérèse n'a pas d'idée sur ce que pourrait être précisément ce genre de choses. Mais elle sait qu'on ne peut pas vivre longtemps sans amour-propre. Elle déteste qu'on lui dise vous habitez un beau pays. Cela signifie pour elle que, mis à part les paysages, il n'y a rien de joli ici, et surtout pas les gens. Les prés, les bois, les ruisseaux à truites, les vieilles églises romanes vides, elle en a son compte.

— Il se passe des choses.

Alain vient de parler. Elle n'y pensait plus, Thérèse, à le questionner, bien au chaud contre lui. Son corps s'éveille d'un long endormissement. Elle ne répond pas. Elle le laisse avancer.

Tout à l'heure, elle se demandait combien de couples, dans le bourg, se livraient au même exercice. Alors qu'Alain s'activait, elle s'est mise à compter, intérieurement. Les petits épiciers venus du Nord, ça c'est sûr, avec leurs quatre enfants et le cinquième en route. Roger et sa femme, s'ils se sont réconciliés. Elle avait trouvé tout au plus six couples en état de jouer. Ce n'était pas si mal. Elle pourrait être infiniment plus morte qu'elle ne l'est. Elle appartient encore au monde de ceux qui aiment. Elle a jeté un regard très tendre à Alain et a vu que ce regard lui allait au cœur.

Thérèse se cale contre son homme. Il est déçu par son manque de curiosité. Alors, il parle.

— Mon commanditaire m'a dit que les bois de Grande-Combe ont été vendus. On devait y faire une éclaircie. Plus question.

Les yeux de Thérèse brillent. Elle était déjà au cou-
rant. Mais elle sait d'expérience qu'il vaut toujours
mieux paraître ignorant que savant. Son père le lui a
appris, en souvenir du maquis. Elle a retenu cette
leçon. Dans son métier, cela lui a servi.
Alain poursuit :
— Une société à Paris. Ils ont fait très vite. Ils y
ont mis le prix. C'est bizarre.
— Où sont-ils, ces bois ?
— De l'autre côté du ruisseau.
Alain marque une pause.
— C'est pas tout.
Cette fois, Thérèse est piquée.
— La ferme d'Albert, au-dessus de chez Barthé-
lémy... Paraît qu'elle a été achetée aussi.
— Il n'y avait pas d'héritiers ?
— Des petits-enfants, à Paris. Le sous-seing est déjà
signé. Ça a été très vite là aussi.
— Qui ?
— On ne sait pas.
Thérèse est persuadée qu'Alain ne voit pas le rap-
port entre ces affaires. Pourtant, il les évoque comme
si, inconsciemment, il pensait qu'elles prenaient leur
source à la même logique. Son cœur bat plus vite.
Quelque chose se trame depuis que l'Américain est
arrivé. C'était trop théâtral, trop calculé, cette
manière d'apparaître et de mettre les quatre clients
du café dans un état aussi lamentable. Alain n'a jamais
reparlé à Thérèse de cette soirée. Elle devine sa honte.
Non pas d'avoir bu, cela, il l'assume avec une innocence qu'elle trouve imbécile. Mais avoir été ainsi mis
dans les cordes, devoir repartir avec son frère Roger
sous le bras, un bel ivrogne celui-là, quelle défaite.
Trouver son maître à ce jeu. Thérèse les a bien obser-

vés. Ceux d'ici, ses champions, n'avaient aucune chance. Cet homme boit comme on boit ailleurs, des alcools plus violents, dans des circonstances plus brûlantes. Il a une manière désinvolte de porter le verre à ses lèvres, d'un geste léger, qui dit un désespoir plus profond que celui des survivants qui fréquentent son café. Thérèse a réfléchi à l'impression saisissante que Ben lui a laissée. Demeurer aussi lucide après tant de whisky. Il n'y a que dans d'autres mondes que les hommes peuvent être ainsi.

Et son regard, sa manière de la dévisager au moment de partir en demandant l'école, elle ne pourra jamais l'oublier. C'était si différent, ces yeux. Cela ne l'étonne pas que la petite institutrice, avec ses airs de madone en jeans, y soit passée si vite. Une vieille amie à elle qui habite juste en face de l'école lui a tout raconté.

— J'ai vu Denise, hier au soir.

— Celle-là !

— J'ai failli ne pas la reconnaître.

Là, c'est Alain qui joue au chat et à la souris. Thérèse attend. Il se tait.

— Qu'est-ce qu'elle avait donc, notre pauvre Denise ?

— Toute rose.

— Comment ça, toute rose ?

Il y a de l'agacement dans la voix de Thérèse.

— Habillée de pied en cap en rose. Elle était chic, ta nièce. Parka, pantalon, bottes... On aurait dit une majorette.

Thérèse hausse les épaules.

— Une *pom-pom girl*, rectifie Alain, qui ajoute sur un ton grave : Et elle riait.

— Tu en es sûr ?

— Oui, ça j'en suis sûr.

4.

Sans la neige, ce matin, il n'aurait pas su. Des empreintes dans la cour, menues, décidées, laissant la trace noire de leur fuite en direction de la route. Jean buvait son café, debout près de la fenêtre, lorsqu'il les a vues. Il n'a rien dit. Cela fait longtemps qu'il ne croit plus aux questions. Les seuls problèmes jamais résolus sont ceux auxquels il n'a pas tenté de répondre. Elma lui reviendra un jour, il l'espère. Il n'a pas d'autre choix. Elle retournera dans le monde qui était le leur. Ils connaîtront de nouveau des jours légers et furtifs, des jours de bonheur. Elma est sa dernière chance. Il vient de si loin, il ne peut concevoir qu'elle lui soit ravie. Seulement, en attendant, elle est inaccessible. Ce n'est plus la même Elma. C'en est une autre, en rapport avec des vérités qu'il ne peut concevoir. Les vérités d'un monde pris à revers.

Le soir, il monte dans la chambre du premier. Elma est déjà couchée au rez-de-chaussée selon un rituel bien établi. Il s'allonge tout habillé sur le lit et attend. La pièce est plongée dans l'obscurité. Un livre est posé sur la table de nuit. Jean n'a plus le goût de lire. La grande ferme de Blessac s'apprête à passer une nuit d'hiver. Entre deux belles armoires de famille, l'écran de contrôle qui permet de surveiller les étables les nuits de vêlage est éteint. La neige a jeté sur la campagne un silence immense. Jean s'est habitué à cette paix des pierres et des poutres centenaires. Au début, pour lui qui avait vécu toute sa vie dans des appartements sonores, ce silence signifiait une absence oppressante. Ne pas entendre derrière les cloisons la télévision des autres, leurs cris, les réveils à cinq heures, c'était comme si le monde n'était plus en partage. Heureusement, à côté dans le lit, il y avait Elma. Grâce à elle, il s'est accoutumé à cet isolement. Et maintenant, il y est attaché.

Ses pensées reviennent à Elma. Il voit dans sa volonté de lui dissimuler quelque chose le début d'une résurrection. Mentir est le signe précurseur d'un retour à la vie. Mais a-t-elle seulement la volonté de lui dissimuler quoi que ce soit ? Cela lui ressemble si peu. Elle est si droite, si limpide.

Jean a besoin de cette croyance.

Vers onze heures, il entend grincer la porte d'entrée. Il se lève. De la fenêtre, il aperçoit Elma traverser la cour sous la neige. L'étrange impression qu'une partie de lui-même s'est arrachée à son corps et le fuit. Il lève les yeux et découvre la petite lumière qui brille là-bas, derrière les rochers des Bruges. Une lueur dans la nuit vers laquelle se dirige sa femme.

Sans allumer, Jean descend l'escalier, endosse sa canadienne, enfile ses bottes et sort. Un croissant de lune éclaire la campagne blanche. Il franchit une barrière et se dirige, en faisant un détour, vers la forêt des Bruges. Il ne veut pas laisser la trace de ses pas sur le chemin. Il ne veut pas qu'Elma découvre avoir été suivie. Ce ne serait pas digne. Jean redoute toujours ne pas se montrer à la hauteur de l'amour qu'elle lui porte. Vivre avec Elma, c'est vivre légèrement au-dessus de l'ordinaire. Non qu'elle soit prétentieuse. Elle accomplit les tâches les plus ingrates de son métier d'agricultrice avec un courage tout naturel qui impressionne. Mais dans la simplicité d'Elma, la trace d'une grandeur ancienne.

Jean est en lisière des Bruges. Il avance en prenant garde aux branches basses, retenant ses pas sur la croûte glacée. À une trentaine de mètres, il se tasse au pied d'un arbre. Là-bas, deux lampes posées dans la neige projettent une lumière crue. La silhouette d'Elma apparaît. Un homme est là. Jean aimerait saisir ce qui se dit, mais il est trop loin. Seul un cliquetis métallique lui parvient.

Elma s'adresse à l'inconnu occupé au pied du bloc de granit et qui ne s'est pas même tourné vers elle à son arrivée. Parfois, elle se recule puis marche en faisant des gestes qui ne lui ressemblent pas. Le regard de Jean est attiré par l'ombre de la jeune femme sur la paroi rocheuse. C'est cette apparence-là qu'il fixe sans pouvoir en détacher les yeux. Il suit ses altérations, ses mouvances, ses contours insaisissables. Il cherche dans cette chimère une vérité d'Elma qu'il n'aurait pas saisie, une explication de ce qu'elle est devenue.

Il est frappé par l'idée qu'Elma défend quelque chose qui les concerne tous deux. Leur sort est en train de se jouer dans ce tête à tête avec le personnage vêtu de noir. Mais alors qu'en toute autre circonstance il se serait précipité pour lui venir en aide, la seconder, Jean comprend que non seulement il ne doit pas intervenir, mais que là où elle se trouve, elle est inaccessible.

Un moment, l'inconnu se tourne dans la direction de Jean et s'adresse à Elma. Elle s'avance alors en lisière du dôme de lumière et regarde. Mais Jean sait qu'elle ne le voit pas, qu'elle est aveugle, prisonnière comme sous une coupole de verre. Et même s'il criait, elle ne l'entendrait pas.

De retour à Blessac, Jean est allongé depuis une demi-heure lorsqu'il entend la porte d'entrée se refermer.

*

Au matin, elle sait qu'il sait. Cette idée lui était déjà venue, bien avant, mais à présent elle en est certaine. Comment la moitié de son être pourrait-elle accomplir longtemps quelque chose d'aussi mystérieux sans que l'autre l'apprenne ? Cette nuit, Ben lui a dit que quelqu'un les observait, quelqu'un venu de la ferme, a-t-il précisé. Elle a essayé de percer l'obscurité, mais elle n'a rien vu. L'idée que Ben voit Jean alors qu'elle ne le distingue pas elle-même la dérange. Elle passe le reste de la nuit à se demander si elle doit lui avouer ce qui se passe. Sa rencontre.

Jean est descendu comme d'habitude. Dans son lit, tournée vers le mur, Elma l'a entendu. Il a entrebâillé la porte pour s'assurer discrètement de son sommeil. Se rassurer. Puis il est allé préparer le petit déjeuner en prenant soin du silence, retenant les objets qui s'entrechoquent, refermant doucement le robinet. Ne pouvant emprisonner l'arôme du café.

Quand elle se présente dans la cuisine, il est aux prises avec le grille-pain.

— Laisse, dit-elle.

Elma saisit l'appareil, lui rappelle qui commande ici, appuie là où ça fait mal, lui montre qu'elle connaît tous ses secrets de machine. Et l'objet cède comme il le fait depuis des années. Elma pose les mains sur le comptoir, le regard fixé sur la porte d'un placard. Jean ne bouge pas, il attend. Soudain, elle se retourne et, pour la première fois depuis longtemps, s'abandonne contre lui, presse son visage au creux de son épaule et reste silencieuse tandis qu'il lui caresse les cheveux. Lorsqu'elle s'écarte, ils sont gênés. Leurs gestes ont la maladresse des premières rencontres. Le grille-pain claque et Jean en profite pour saisir les tartines brûlantes avec un empressement qui ne se justifie pas. Ne rien dire. Agir comme s'il ne s'était rien passé. Ils ne croient ni l'un ni l'autre aux explications, aux paroles qui renversent le cours des choses, aux moments de vérité. Ils aspirent à vivre en vérité, c'est tout. De toute façon, elle n'aurait pu aller plus loin, ce matin. Il l'a compris. Elle lui est reconnaissante de sa lâcheté.

Par quoi commencer ? Le premier soir, elle s'en souvient, la colère. Un inconnu extravagant taille un rocher au cœur de la propriété. Pas n'importe quel rocher. Le plus beau, le plus gros. Un acte insensé qui d'emblée la révolte. Elma mesure à quel point l'idée de propriété est ancrée en elle. Que retirait-il du granit, cet homme, qui la dépossédait ? s'est-elle demandé depuis. Le bloc, vieux de plusieurs millions d'années, ne lui appartient-il pas tout autant maintenant ? Voilà qu'elle en doute. En mettant ses signes, Ben détourne la pierre, la subtilise sous ses yeux. La précipite dans un monde parallèle où personne n'est détenteur des chimères qui y flottent.

Elma n'est plus sûre à présent que le rocher des Bruges soit toujours à elle. Cette vérité dont elle n'a jamais douté ne relève plus d'une évidence. Elle est comme un piéton dans la foule qui prend conscience d'avoir été victime d'un pickpocket. La certitude brutale et insidieuse qu'il lui manque quelque chose. Mais que te manque-t-il, Elma ? Dans quelles poches fouilles-tu, Ben ?

Elle est prise à revers sur une de ses certitudes les plus simplement établies. Brutalement, sa perception de l'espace fondée sur un parcellaire notarié, une géographie précise des terres acquises par les générations qui l'ont précédée, se trouve ébranlée. Toute cette histoire remise en cause. Un électrochoc que ces quelques coups de burin.

Le premier soir, la colère.

La nuit suivante, debout devant la fenêtre de la salle commune, Elma guette la lumière. Toute la journée elle a hésité. Prévenir Jean, se précipiter à Provenchère et mettre en demeure son hôte de ne plus s'aventurer ici. Menacer. Fermer les yeux. Jouer l'indifférente. Briser à grands coups de masse l'esquisse de ce que l'autre a déjà taillé dans la roche. Elle en aurait la force tant est grande son irritation. Elle se souvient de cette nouvelle de Colum McCann dans laquelle un paysan irlandais tue sa jument sauvée des eaux par des soldats anglais. Elma serait prête à tuer son rocher. Il est à elle. Pourquoi alors est-ce si dur d'avouer à Jean qu'un homme, tout près d'ici, met sa marque sur ce qui ne lui appartient pas ? Que ce simple geste a le pouvoir de provoquer en elle de la fureur, c'est-à-dire de la vie ? Elma ne saurait le dire.

En robe de chambre, le visage tout contre les carreaux givrés, Elma a froid. Elle a réfléchi. Elle s'est convaincue de la légitimité de sa réaction en échafaudant un raisonnement qui se fonde sur l'histoire du propriétaire d'un immeuble tagué. Le bien est toujours à lui, mais il est déprécié. Et puis, au fil des heures, sa pensée s'écroule. Le froid enserre la ferme. Le temps ne compte plus. Depuis la mort de l'enfant, il n'y a plus de temps, il a disparu. Cette nuit-là, rien. Le lendemain, rien encore. Elma désespère, alors qu'elle devrait se féliciter. Le prédateur ne revient pas. Il joue l'inconstance. Elle est folle de rage. Elle ne peut rien faire dans la journée, déjà qu'elle n'avait goût à rien. Elle est observatrice de sa propre colère comme si celle-ci touchait une autre. Elle se met à douter que l'événement se reproduise. Et du regret tout aussitôt. Elle a peut-être rêvé. Sa colère a effrayé le diable.

Elle ne relâche pas son attente. Elle n'est plus seulement un chagrin, elle est aussi du guet, de l'impatience, de l'indignation. Une nuit enfin, elle voit un halo percer de nouveau l'obscurité. Comme l'extrémité d'une mèche. Vite, ses vêtements, sa parka, ses bottes. Le cœur battant, un manteau de silence jeté sur ses gestes, elle referme la porte de Blessac. Le sentiment d'agir en trahissant son mari. Plus forte, la certitude intime que cette trahison leur est nécessaire.

Lorsqu'elle arrive au pied du rocher, il est là à taper à coups brefs et secs sur son burin. Le voir à la même place la rassure. C'est inconcevable, elle en a conscience. Alors, elle renoue avec le fil de sa colère.

Elle lui interdit de tailler ce bloc de pierre qui lui appartient. Il continue. Il observe son travail, saisit sa scie électrique, et la stridulation de la lame tranche dans les mots d'Elma.

Il a de grands gestes sortis de la nuit. Sous son bonnet de laine noire, son visage est impénétrable. Elle ne peut se l'avouer, mais elle a l'impression de le connaître, d'être liée à lui. Cela dure plusieurs soirs. Combien, jusqu'à cette nuit de neige où Jean l'a suivie, elle ne sait plus. Toujours la même scène. Elle arrive et proteste. Lui, poursuit comme si elle n'était pas là. Sans s'inquiéter, avec une patience d'adulte qui n'interrompt pas sa tâche malgré les récriminations d'un enfant.

Pour Elma, c'est toujours le même monologue, la même récitation d'une litanie. Ses arguments s'usent. Sa violence s'émousse. Non qu'elle doute de son droit, mais elle se vide de sa croyance. Revenir chaque nuit et protester, c'est déjà accepter. Lentement, le flot de ses paroles se tarit. Elma va jusqu'aux dernières gouttes de fiel, au terme d'un écoulement. Elle reste persuadée ne pas avoir tort aux yeux d'une logique ancienne. Mais cette logique ne l'intéresse déjà plus. Il n'est plus temps de penser comme cela. Une période nouvelle s'ouvre. C'est la première victoire de l'inconnu. L'avoir dépossédée d'un sentiment d'appropriation. Maintenant que tous ses mots ont disparu de la surface, qu'ils se sont envolés, apparaissent sous leur trame convenue d'autres paroles, d'autres questions. Et le sentiment libérateur d'être enfin mise à nu.

*

L'air est cristallin. Un vent léger s'est levé. Une heure avant l'aube, Ben s'éveille. Il redresse sa grande carcasse rompue de fatigue, quitte l'atelier, et descend dans la cuisine où il sait que Denise, la veille, a préparé un petit déjeuner. Appuyer sur quelques boutons, ouvrir le frigo, il y parvient sans trop de mal.

Denise accomplit des miracles. La semaine dernière, ils sont allés faire des courses au supermarché de la préfecture. Après avoir rempli le coffre de provisions, Ben a conduit Denise dans le centre-ville où demeurent quelques boutiques de prêt-à-porter. Choisis ce que tu veux, a-t-il dit. Quelle couleur aimes-tu ? Rose. Un éclat dans les yeux de Ben. Qu'avez-vous pour mademoiselle, exclusivement en rose ? a-t-il demandé à la vendeuse. Ils ont écumé les magasins, achetant chaussures, accessoires, sacs, sous-vêtements. Roses. C'est Ben qui a eu l'idée des lunettes. Ben aime lorsque son argent permet d'obtenir ce qui est refusé à l'innocence.

Il fait encore nuit. Ben remonte à travers bois vers les ruines de la maison d'Albert. Ne pense pas, marche, se disait-il déjà lorsqu'il arpentait quarante ans plus tôt le nord de l'Écosse à la recherche d'un introuvable. Ben n'a jamais renié ce principe. Parfois, la déambulation est le centre même de son œuvre. Il contraint alors le spectateur à se déplacer pour accéder à une installation éloignée de tout. C'est une manière de cesser de poser le regard sur le paysage. Un moyen de s'y fondre, de s'y intégrer.

Les mains au fond des poches de son pardessus, Ben avance dans l'obscurité. Il est transpercé de sensations, d'impressions fugaces ou précises. Des images

le traversent de part en part telle de la lumière pénétrant un prisme.

Il sait, grâce à un coup de téléphone reçu la veille,
que dorénavant il est ici chez lui. Les quelques prés
d'Albert, la masure lui appartiennent. Ainsi que les
soixante-dix hectares de la forêt de Grande-Combe,
achetés à une société forestière implantée dans la
région. Ben songe à son ami Giuseppe Penone qui, à
la fin des années 1960, aux confins de la montagne
ligurienne et de la vallée du Pô, jetait les bases de son
œuvre sur les terres qui avaient appartenu à son
grand-père. Cette idée a toujours intrigué Ben. Par le
cœur, Albert n'est-il pas l'un de ses aïeux ? Pour Ben,
c'est une évidence que cette continuité entre la civilisation rurale ancienne et son travail. Il a seulement
fallu que l'une meure pour que l'autre s'empare de
certains de ses codes, de ses gestes. Les détourne, en
réinvente la magie des origines.

Ben est arrivé sur le plateau. C'est le partage des
ombres. Il se tourne vers l'horizon et attend. Les yeux
mi-clos, il guette une lumière ancienne, une clarté qui
lui redonnera la force de ses dix ans.

Mais il sait trop de choses, Ben. Faute d'innocence,
il est retombé dans l'ignorance. Le voilà encombré
par ses réussites, celles des autres, son expérience, tout
ce qu'il a appris en cinq décennies. Son œuvre
l'embarrasse, le frappe d'impuissance. Il est comme
ce vieux monde qu'il a tant contribué à faire craquer
dans les années 1960 par ses inventions délirantes, ses
installations scandaleuses devenues classiques aujour-
d'hui.

Dans ses yeux, le reflet gris du point du jour vaste
comme le tableau sans bord dont il rêve depuis tou-

jours. Quelques secondes, flotte l'espoir de renouer avec l'éblouissement venu de l'enfance. Et très vite, Ben comprend que ce matin encore la lumière ne sera pas celle qu'il attend.

Il redescend sur Provenchère. La dimension de ce qu'il projette est telle qu'il ne peut gaspiller son temps. De nouveau, la pensée d'Elma l'accapare. La fille ressemble tant à la mère. Lorsqu'il l'a rencontrée, il a cru que le temps se jouait de lui.

En 1955, Ben a quinze ans. Il a quitté le village et son école depuis cinq ans. Il n'est jamais revenu, n'a revu personne. Ni son ami Barthélémy, ni Françoise, la fille des fermiers de Blessac, d'une année plus âgée que lui. Depuis les salles de classe lépreuses et les dortoirs sinistres de l'internat du lycée où ses parents l'ont inscrit, Benjamin pense à la fillette. Il l'aime d'amour comme on aime à cet âge. Ce sentiment est partagé et les deux adolescents s'écrivent.

Au cours des vacances de cet été 55, Benjamin obtient de ses parents l'autorisation de passer quelques jours au village de son enfance. Non pas chez Barthélémy, comme il l'a espéré, mais chez l'un des instituteurs en poste, condisciple de son père. Aujourd'hui encore, il se rappelle ce jour où le car l'a déposé sur la place, devant le café de Thérèse. Barthélémy l'attend, juché sur un vélo trop grand pour lui. En retrait, M. Denis et son épouse guettent son arrivée.

Ben est aujourd'hui un homme cynique qui ne s'étonne de rien et plus guère de lui-même. Revenu de tant de choses, riche, admiré. On a oublié ses frasques pour ne retenir que ses inventions. Et pourtant, devant ses yeux, c'est un garçon de quinze ans, malingre, en culottes courtes et chemisette blanche, les cheveux peignés en arrière, qui remonte le chemin où il se trouve ce matin, en tenant la main d'une jeune fille. Elle porte une jupe à fleurs et un corsage qu'il pourrait peindre aujourd'hui encore, bien que depuis il ait saccagé tant de corsages, relevé tant de jupes, pénétré tant de mystères. Les deux adolescents sont assis sur le bord d'un talus. À leurs pieds, la forêt est frémissante de parfums et d'ombres. Benjamin s'est tourné vers Françoise. On dirait les personnages en noir et blanc d'un film de René Clément. Peut-être a-t-il glissé une brindille entre ses dents pour se donner du courage. Ben ne s'en souvient plus.

Ils n'en reviennent pas, ces deux-là, de s'être retrouvés. Ils sont seuls et le temps leur est compté. Leurs lèvres se touchent, leurs doigts s'effleurent. Chacun guette sur le visage de l'autre l'étendue de son propre vertige. C'est alors que Françoise se lève et prend Benjamin par la main. Ben en est sûr. Un demi-siècle plus tard, il n'a aucun doute sur ce miracle. Toute sa vie dément cette scène, et pourtant Françoise, ce jour-là, lui a bien pris la main. Ils se retrouvent vite dans le berceau d'un hêtre aux branches basses entremêlées. Benjamin en repousse les rameaux, les courbe pour offrir un passage à Françoise. Il étend son gilet au sol, tresse un nid, aménage un bonheur. Le bel amour que ce premier amour-là, un jour de l'été 55.

Au terme de son séjour, Ben reprend le car. Les parents de Françoise l'ont mise sous clef à Blessac. Malgré cela, lorsque le tacot passe à hauteur du chemin de la grosse ferme, elle est là, sur le bord de la route. Le visage écrasé contre la vitre, Benjamin pleure. Il se précipite sur les sièges arrière et voit la silhouette de la jeune fille immobile sur le bas-côté. À cet endroit même où Elma est venue lui reprocher sa conduite.

Reprocher sa conduite. La fille ne pouvait pas mieux dire au nom de la mère. Ces paroles, à cinquante ans d'intervalle, ont conservé tout leur sens. Ils s'écrivent. Longtemps, sans parvenir à se retrouver. Benjamin s'inscrit aux Beaux-Arts, part pour Paris. Ses lettres s'espacent. Il ne répond plus. Benjamin oublie ses promesses. Ben Forester est en train de naître.

Ben est arrivé près de la masure d'Albert lorsqu'il aperçoit un homme qui paraît l'attendre. Petit, tassé, sec. Ben reconnaît le père de Barthélémy.

— Bonjour.

Le vieux s'approche et le dévisage.

— Toi, tu es Benjamin Laforêt le fils des instituteurs.

Ben acquiesce.

— Montre-toi, là! Retire ton bonnet.

Ben s'exécute.

— C'est bien toi... T'as pas changé.

L'homme détourne la tête. Il regarde les ruines.

— Il t'aimait bien, Albert. Il me parlait souvent de toi.

— Je sais.

Les deux hommes se taisent.

— Albert, il a jamais su ce que t'étais devenu. Ça lui aurait fait plaisir de savoir que tu pouvais te payer le château.

Ben ne répond pas.

— Et qu'est-ce que t'es devenu, hein?

— Je ne sais pas.

Le père de Barthélémy acquiesce comme si l'aveu lui paraissait recevable.

Après un moment de silence.

— Vous m'avez reconnu.

— Tu ne te caches pas.

— C'est vrai... Vous allez leur dire ?

— Ils peuvent toujours attendre. Sont trop cons.

*

C'est une sorte de distance, comme de la défiance. Un climat qui a imperceptiblement changé. Des regards fuyants, ou vaguement ironiques. Des parents qui s'attardent moins en accompagnant leurs enfants, sans désir de parler. Ou qui ne traînent plus le soir, après la classe. Des regards d'hommes aussi, moins respectueux. Et des mères, plus familières, qui semblent signifier bienvenue au club. La femme de service, cette semaine, lui a répondu sur un ton aux limites de l'insolence. Estelle n'en revenait pas. Elle a dévisagé l'employée municipale d'ordinaire taciturne et a réagi avec autorité.

Estelle est mortifiée et ne pense pas mériter cette réprobation qui ne dit pas son nom, ce reproche muet. Son travail est toujours impeccable. Elle est tout entière maîtresse d'école. Chaque moment de sa vie est consacré aux enfants. Elle sait, c'est excessif.

Lorsque les parents viennent à elle, elle leur répond avec une infinie patience. Sa classe reste allumée tard le soir. Ses cahiers sont corrigés, ses cours préparés. Elle aurait pu habiter à quarante kilomètres d'ici, en ville, et rentrer chez elle dès cinq heures le soir. Elle n'en a rien fait. Elle a choisi de partager la vie de la population. Ce mois-ci, elle a conduit les enfants à la

préfecture pour visiter le musée, les archives départe-
mentales. Les grands ont pris des photos numériques
avec l'appareil acheté par la municipalité. Les gosses
vont à la piscine, même si la matinée passe dans les
trajets et la séance de natation. Elle explique ses projets en conseil d'école, justifie ses choix...
Des collègues l'ont mise en garde. Tu t'investis trop,
Estelle. Il faut te changer les idées. Elle a compris
changer d'idées. Ils ont raison. C'est fini, les hussards
noirs de la République. Terminé depuis longtemps,
cet engouement naïf pour une éducation destinée à
profiter aux enfants du peuple. Ce travail de mission-
naire, d'évangéliste laïc. Cependant, la possibilité
d'être un personnage central de la vie du village et
des alentours, quelqu'un de respecté, ne lui est pas
indifférente. Ici, elle est vraiment utile, et c'est la première fois qu'elle éprouve ce sentiment. Elle sait que
ce temps ne durera pas, qu'elle regagnera des régions
plus douces, des centres-villes plus policés. Mais pour
l'instant elle est là, et fait face avec honneur.

Alors qu'elle pourrait être indifférente à son habil-
lement, elle reste toujours élégante. Pas tant pour elle,
quoiqu'elle ait toujours été très soucieuse de ses apparences. Mais pour dire qu'elle est ici comme elle serait
dans une école de riches. Une manière de respecter
les autres, de leur signifier qu'ils sont importants à ses
yeux. Il n'y a que des corbeaux et de vieux paysans
pour la regarder passer dans les chemins déserts. Eh
bien tant mieux ! C'est une façon d'affirmer sa
marque. Et puis, Estelle l'a vite appris. Ici, les chemins
ne sont jamais vraiment déserts.

Elle pensait que les gens avaient remarqué ses
efforts. Ce n'est pas si facile que ça, de faire face au
sentiment d'abandon et à la tentation du laisser-aller.

Elle est une des rares personnes venues d'ailleurs à s'intéresser à eux, sans calcul, sans arrière-pensée. Elle qui aime la ville, Bordeaux, les cinémas, les magasins, les théâtres. L'océan... voilà qu'elle s'immerge dans l'isolement mélancolique de ce pays dont on dit que celui qui a supporté d'y vivre peut s'installer n'importe où dans le monde. Cela lui plaît, cette idée, à Estelle, d'une épreuve initiatique, d'un passeport qui autoriserait plus tard toutes les errances. La perspective de pouvoir, si elle en triomphe, poser son sac n'importe où. Une forme de liberté conquise.

Dans quelques années, elle repensera à son école trop grande pour une seule maîtresse, à la forêt qui engloutissait tout. Aux enfants, naturellement. Aux soirées d'hiver interminables. Au granit. Elle qui n'aime que les façades de craie, les promenades dans les vignes, la mer et les garçons bronzés. Aussi, elle ne comprend pas qu'on lui batte froid. Insidieusement.

Que peut-on lui reprocher ?

Au fond, elle le sait, Estelle, ce qui court sur son compte. Elle le sait depuis le premier jour. Être victime n'est pas une excuse, tout au contraire. À peine le loup s'est-il installé à Provenchère qu'il a pénétré dans sa classe. Puis il est monté dans son appartement. Tout s'est passé comme s'il n'était venu que pour cela, avec une seule idée, sa chute. Dans le bourg, on pense qu'il connaissait déjà Estelle. Les gens colportent ce mensonge. Des personnes qui habitent en face de l'école l'ont vu. Des vieilles qui n'attendaient rien d'autre, car elles ne peuvent admettre que soient données à la maîtresse d'école la beauté et la réserve des sentiments, la grâce et la simplicité. Elles savent bien, ces vieilles femmes instruites de la vie, qu'il n'y a que dans les contes de fées que les jolies filles restent sages. Dans la réalité, les belles sont arrogantes et volages et les laides délaissées. Le monde est simple, sinon comment croire qu'il dure depuis si longtemps ? Ainsi va-t-il dans l'imagerie un peu floue qui défile devant leurs yeux. Estelle n'est pas dupe.

Personne, naturellement, ne le lui a dit. Qui en aurait le courage ? Avec qui évoquer des questions aussi délicates ? Il n'y en a qu'une en qui Estelle pourrait avoir confiance. C'est Elma, l'adjointe au maire. Mais Elma n'a pas remis les pieds au secrétariat de mairie depuis longtemps. Estelle se dit qu'elle devrait lui téléphoner, prendre de ses nouvelles. Elle hésite à passer la limite qui sépare les relations de civilité d'un intérêt sincère. Ce serait également une façon d'avouer sa détresse. Voilà qu'elle se met à calculer. Pourtant, lorsqu'elle y songe, Elma est la seule à qui elle aurait envie de confier sa peine. Peut-être parce qu'elle aussi lui est apparue comme une femme déterminée et fragile. Blessée mais vivante.

Chaque jour de congé, Estelle enfile sa tenue de jogging et part dans la campagne. Ce matin, elle choisit de traverser la place et d'affronter le village désert. La voiture d'Alain est garée devant Chez Thérèse. Le café est fermé. Là-bas, les stores de l'épicerie dépôt de pain et de presse sont encore tirés. Peut-être le resteront-ils toute la journée. Il fait froid. Estelle traverse le mail. Elle a remonté la capuche de son haut de survêtement pour atténuer la brûlure du froid. Elle aimerait qu'on la voie. Non pas pour le côté méritoire de l'exercice. Mais simplement pour affirmer moins que son existence, simplement sa présence.

Qu'on se dise : tiens, elle est toujours là, la petite institutrice. Elle est courageuse, celle-là, avec le temps qu'il fait.

Elle est à la sortie du village. À sa gauche, en contrebas, une puissante odeur de résine et de sciure monte de la scierie. Ce parfum de bois la renvoie à la forêt des Landes. À ses promenades à bicyclette entre Arcachon et Biscarrosse. À ses haltes amoureuses avec Éric. Il ne l'a pas appelée, hier soir. Comme si lui aussi se doutait de quelque chose. Elle a composé son numéro et n'a trouvé que son répondeur. Estelle croit à l'interprétation des hasards. C'est à dire, plus simplement, qu'elle ne croit pas au hasard. En particulier en amour. Elle dépasse la dernière maison du village. Elle n'est bientôt plus qu'un point sur la route.

Dès les premiers virages, la route longe le ruisseau. L'humidité glacée accompagne la course de la jeune femme. Bientôt, derrière les arbres dénudés, la vaste tourbière rousse. Une impression de froid, de premier matin du monde. Elle ne pourra jamais s'y faire, à ces herbes brûlées par le gel, aux genévriers et aux forêts de sapins qui jettent sur les collines leur toile noire. C'est une terre à feux follets. Elle comprend aussi que l'on puisse l'aimer, justement pour cette absence, pour ce qu'elle recèle de souvenirs morts et de fuites impossibles. Et puis il y a la lumière. Crue, blessante, parfois miraculeuse, mais cela ne dure jamais. Une lumière si différente de celle qui adoucit les ciels du côté de Pauillac ou de Montalivet.

Estelle allonge sa foulée. Ses pieds frappent le sol en cadence. Aucune voiture n'est passée depuis longtemps. L'air est d'une pureté tranchante. Son cœur bat régulièrement. Son corps est dans l'éblouissante souplesse de la jeunesse. L'effort efface les ombres qui chagrinaient ses yeux. D'un geste rapide, elle remet en place le bandeau qui lui ceint la base des cheveux. Nike imprime sur son front une marque chamanique qui rehausse la pureté de ses traits. Estelle court, légère.

Et soudain, Provenchère. Le château posé au-dessus des tourbières, le mur de grosses pierres en contrefort du jardin de façade tel un embarcadère. Estelle détourne le regard. Elle ne voudrait pas avoir l'air de s'intéresser aux tours, aux toitures. La Chevrolet est stationnée devant l'entrée, ajoutant au mystère inquiétant du lieu touché d'anéantissement. Une cheminée sur l'arrière crache une fumée droite. Estelle accélère. Elle détesterait l'idée qu'on la voie courir là, à quelques centaines de mètres du château. Elle s'en veut même d'avoir choisi cet itinéraire. Quitter au plus vite cette proximité.

Elle aperçoit le pont qui franchit la rivière et, à l'opposé, la route goudronnée qui monte à la ferme-d'en-haut. Tant pis, malgré la côte sévère, elle décide d'abandonner la départementale et de s'extirper de ce voisinage maléfique. Elle entend alors dans son dos vrombir un moteur. Estelle se mord les lèvres. Quelqu'un l'aura vue avant qu'elle ne bifurque. Tout le village saura.

Le cyclomoteur la dépasse. Juchée sur la selle, une silhouette casquée, un peu de travers. Estelle ne la reconnaît pas. En la voyant ralentir, tendre le bras sur la droite avec une application qu'aucun danger de circulation ne justifie, un bras qu'Estelle ne peut interpréter autrement que comme un signe ironique, elle comprend qu'il s'agit de Denise. Un instant, Estelle sourit en remarquant que Denise est toute rose. Avant de se rendre compte qu'il s'agit du même rose que celui de son survêtement Nike.

*

C'est fini. Elle le sait. Elle ne pourrait pas dire pourquoi, mais c'est achevé. Un coup de burin de plus, un autre passage de polisseuse et ce serait trop. Pourtant, ça ne ressemble à rien. Ou alors, à quelque chose qui ne ressemble à rien. On peut passer tout à côté du gros rocher sans le voir. Naturellement pas Jean ou Barthélémy ou quelqu'un d'ici. Mais on pourrait quand même passer sans voir.

Elma n'a en rien participé à son élaboration. Mais lorsque Ben s'est relevé et s'est écarté de la paroi, elle a compris l'achèvement. À sa place elle en serait restée là aussi. Et un fond d'incrédulité. D'admiration. C'est terminer qui est compliqué. Commencer, n'importe qui peut commencer. Elle en sait quelque chose.

Cela fait longtemps qu'Elma ne parle plus. Elle écoute et elle regarde. Elle ne voit rien que son dos, son pardessus et son bonnet car il est penché sur la pierre qu'il taille. Depuis plusieurs nuits la colère a fait place au silence. Elma s'y accroche comme à quelque chose qui flotte enfin devant ses yeux. Lui, il agit comme si elle n'était pas là. Comme si elle n'existait pas. Elle a constaté cependant qu'il tenait compte de sa présence dans ses déplacements, dans la manière de disposer l'éclairage.

Elle n'a pas honte de son emportement passé, même si à présent elle ne le comprend déjà plus. Il lui était nécessaire. L'homme en noir est un fomenteur d'indignations et d'orages. Il porte ça en lui, ce pouvoir d'engendrer la tempête. Il est dangereux, comme elle en a eu conscience dès le premier regard. Peu à peu, l'intuition que seul un homme tel que lui, un manipulateur de foudre, un errant crapuleux, peut l'aider. Et cette idée qui la blesse tout autant qu'elle lui paraît exacte : Jean la respecte trop pour la sortir de là.

Surtout ne pas demander à quoi ça ressemble. Car cette idée est encore dans sa tête. Qu'est-ce que ça signifie ? à la rigueur. Mais même pour cette question, il est encore trop tôt. Pour comprendre, Elma aime les associations, les rapprochements. Elle vit encore dans cette illusion qui ne mène pas loin. En plus des silences et des choses dangereuses, ce type s'y connaît en démolition. En désordres. Désordres est le mot qui vient à l'esprit d'Elma. La vie de cet homme est un grand tumulte et néanmoins, à le voir dans son pardessus en cachemire, avec son bonnet posé sur le crâne, son visage régulier et massif, ses gestes contrôlés, il inspire l'idée inverse d'une puissante organisation intérieure. Il est peut-être là, son secret. Son ordre intérieur est si fort qu'il bouscule l'extérieur. Le chaos n'est pas dedans mais dehors, là où on ne l'attend pas. Elma, c'est le contraire.

Ça ressemble à quelque chose, se dit-elle quand même car elle aime décrire, formuler, expliquer. Si elle rencontrait Estelle l'institutrice, elle pourrait lui dire ce qui s'est passé. Là-bas, aux Bruges, de nuit, un homme a taillé le granit. Maintenant que c'est fini, ça fait penser à une bordure de trottoir qui sortirait partiellement du rocher. Pas tout à fait, mais il est impossible de se tromper quand même, de voir autre chose. Plus exactement, il y a deux bordures de trottoir bout à bout, puisqu'on distingue nettement ce qui ressemble à un joint. Et les angles vifs émergeant de la masse ronde de la pierre, la faisant du coup apparaître pâteuse et molle, suggèrent justement qu'il n'y a pas d'angles vifs et de bordures de trottoir par ici. Voilà ce qu'a fait cet homme dangereux, car il l'est, souviens-t'en, Estelle. Il a évoqué une absence. À partir de quelque chose, il fait penser à sa non-existence.

Elma progresse. Elle en a conscience. Elle s'est éloignée de son chagrin. Il est toujours là, certes, mais un peu sonné par tout le chemin que sa victime vient d'accomplir. Il va faire l'impossible, ce chagrin, pour la reconquérir dès qu'elle se retrouvera livrée à elle-même, dès que le type en noir qui a l'air de s'y connaître en peines, un air d'écorcheur de désespoir, celui-là, aura le dos tourné. En attendant, Elma en est provisoirement libérée. Car elle n'est plus là où elle devrait être. Plus à Blessac, plus au côté de Jean. Elle n'est pas davantage noyée dans ses souvenirs et ses rêves de bonheur domestique. Elle est ailleurs.

À présent, une question tourmente Elma. Comment cette histoire va-t-elle se poursuivre ? Oui, comment ? Elle cherche, mais elle ne trouve pas. L'homme en noir, celui qu'elle n'attendait pas, est venu et en quelques nuits il a transformé le gros rocher des Bruges, l'a subtilisé sous les yeux finalement pleins d'acceptation de sa propriétaire. Mais escamoter les rochers, ce n'est pas assez. Elma pressent que dès qu'elle reprendra le chemin de Blessac, dès qu'elle arrivera à la ferme aux fenêtres éteintes, elle sera de nouveau écrasée par sa peine. Cette idée l'effraie.

Il rassemble ses outils, méthodiquement, de ses gestes précis. Toujours sans rien dire. De temps en temps, il saisit dans la poche de son veston une flasque et avale une rasade d'alcool. Elma le regarde boire. Elle est fascinée par ses lèvres et sa gorge qui semblent pouvoir engloutir le ciel et ses étoiles avec le calme que donne l'habitude d'accomplir des actions éblouissantes. Elle qui a horreur de l'alcool, qui aime chez Jean justement sa sobriété.

Il a mis ses burins et ses marteaux, son bloc électrique, ses lampes dans un grand sac de cuir qu'il a jeté sur ses épaules. Sans un regard pour elle. Ce déni la précipite vers lui. Elle est happée par ce vide qu'il crée autour de sa personne. Direction Provenchère.

Mais au lieu, comme les autres nuits, de remonter par les bois et d'accéder à la route goudronnée, il prend par les prairies, vers la ligne de crête qui sépare les deux propriétés.

Alors, Elma accomplit un geste insensé.

Elle le suit.

— Vous partez comme ça ? Sans explications ? Il faut me donner des explications.

Il marche de son pas rapide. Malgré elle, elle est entraînée dans son sillage. À la course car leurs jambes n'ont pas la même taille.

— Je vous demande ce que vous comptez faire de ce que vous avez sculpté dans mon rocher.

Les mots trahissent.

— Répondez-moi !

Elle ajoute s'il vous plaît. La supplication s'échappe de ses lèvres sans qu'elle l'ait voulu. Il marche. L'essoufflement gagne Elma qui trotte à son côté. Ses pieds heurtent des taupinières gelées, se tordent dans des ornières, mais elle continue en lui réclamant des comptes. De pauvres comptes. Elle redescend sur terre, perd de l'altitude. Elle est en vrille. Cette émotion partagée d'une intensité inouïe, quand il s'est relevé tout à l'heure, cette communion s'efface et même le souvenir en est troublé.

Ils butent contre une forte clôture de barbelés qui sépare la cuvette de Blessac des pacages abandonnés de Provenchère. Là-bas, dans la brume montée des tourbières, le château flotte dans les voiles de ses éclairages violents. Ben et Elma se sont arrêtés devant cette apparition, assez mouvante pour douter qu'au petit jour elle existera encore. Ben jette son sac par dessus l'enclos et escalade les fils de fer avec une légèreté que sa taille et sa masse ne laissaient pas prévoir.

Un moment suspendu, quelques secondes au cours desquelles rien n'est décidé. Ben dévisage la jeune femme. Elma est troublée, dérangée par ces yeux qui cherchent quelque chose en elle dont elle n'a aucune idée. L'attention brûlante cesse enfin. Ben ramasse son sac dans l'herbe humide.

— Des hochets de bergère ?

— Pardon ?

— Savez-vous tresser des hochets de bergère ?

Elle est déconcertée. Cela fait vingt ans qu'elle n'a pas entendu parler de ces boules de jonc tressé dans lesquelles les bergères, jadis, plaçaient quelques cailloux qui sonnaient quand elles les agitaient.

— Pourquoi vous me demandez cela ?

— Je vous le demande.

Elma marque une hésitation. Elle a brusquement le sentiment qu'en répondant elle s'expose. Qu'elle livre une part importante de sa mémoire, d'apparence négligeable.

— Oui, j'ai su tresser des hochets de bergère. Il y a longtemps.

Ben acquiesce. Elle discerne sur son visage comme un attendrissement qui ne dure pas.

— Quand vous aurez retrouvé les gestes, venez me voir.

Dit durement. Et il part vers Provenchère.

Le lendemain matin, en déjeunant, Elma remarque simplement, d'une voix à peine altérée :

— Là-haut, au pied du rocher des Bruges, c'est fini. Tu peux aller voir.

Jean acquiesce, il attendait cette phrase.

Ils en restent là.

*

Roger regarde la neige. De gros flocons serrés, hésitants. Les toitures du village sont blanches. Pas un bruit, pas un craquement. Tout autre que Roger trouverait à l'endroit un air de désolation. D'abandon. Rien sur quoi poser le regard qui ne soit bancal ou en ruine. Le banc de scie, tout en longueur sous sa couverture d'évrite rapiécée de bardeaux. Le mur de planches mal jointives pour protéger des vents du nord. Les immenses tas de sciure détrempée. Un peu partout, des milliers de planches, des billes de bois noirâtres, près de s'écrouler, affalées les unes contre les autres.

Derrière la scierie, dans une zone incertaine entre le village et la forêt, les derniers troncs brisés par la tempête, échoués dans un désordre absolu comme si un raz de marée avait poussé ces épaves au milieu des terres. Au bout, la silhouette d'un camion grumier en réparation, abandonné sous la neige. Sa tête hydraulique aux mâchoires d'acier repose de tout son long sur la plate-forme de chargement, tel le cou difforme d'une créature préhistorique morte. À côté, un vieux GMC d'après-guerre, touché d'une immobilité qui semble définitive.

Roger allume une cigarette dans le creux de ses deux grosses mains crevassées. Sa tête se penche sur la flamme du briquet. La visière de sa casquette couvre son geste. Ses épaules de costaud s'arrondissent sous sa veste tendue. Au moment de la première inspiration, il ferme les yeux. Un peu de chaleur tapisse sa bouche, et aussitôt ce fond de goudron qu'il aime.

Une seule voiture, celle du facteur, est passée ce matin. Elle roulait au ralenti. La tournée du postier indiffère Roger. Il n'attend pas de lettres. Il n'en écrit pas, d'ailleurs. À la maison, c'est sa femme qui s'occupe des papiers, gère les affaires de la scierie. Lui, son domaine, c'est le bois.

Encore un jour où il ne se passera rien. Non que Roger attende quoi que ce soit. Et les choses sont bien ainsi, dans cet état d'assoupissement profond. Il aime cette idée d'isolement que rien ne paraît devoir troubler. La certitude que personne ne le cherche, là où il est, tranquillement en train de fumer, adossé contre un lot de parquet que son commanditaire n'est jamais venu réclamer en huit ans. Son esprit est concentré sur le vide qui l'entoure. L'illusion, car il n'est pas dupe, d'être ainsi comme en enfance lorsqu'on est encore capable de vivre dans l'instant.

Son regard balaie les maisons côté cour. C'est la face qu'il préfère, Roger. Pas celle de la place avec ses fenêtres repeintes, ses ravalements et son air faussement coquet. Non, ce qu'il aime regarder, parce qu'il y a toujours quelque chose qui trahit les intimités, des secrets, c'est cet enchevêtrement de clapiers, de jardinets qui l'hiver prennent un aspect désolé, de balançoires pour les gosses, d'outils oubliés, de piscines en plastique crevées, de niches... Derrière Chez Thérèse, un abri à bois. Roger pense à Alain qui approvisionne Thérèse. Il aimerait tant être libre, Roger, comme son frère. Libre de rester là, à ne rien faire toute la journée, sans compte à rendre à personne. En paix, calé derrière les planches, protégé de la neige. Fumer sans se demander ce qui va arriver. Débrancher le téléphone. À midi, il irait manger Chez Thérèse. Ensuite, il reviendrait faire la sieste dans la guitoune qu'il s'est aménagée à côté du banc de sciage et qu'il a baptisée du nom de *bureau*. Il aimerait. Mais il est mari et père. Quelle bêtise, la vie.

Justement, c'est l'heure de la récréation. Une volée de cris d'enfants lui parvient depuis l'école qu'il ne peut voir de la scierie. Cette gerbe de hurlements est le seul remue-ménage dans ce monde qui se glacifie, qui disparaît sous sa propre vieillesse. Roger va devoir attendre que finisse la récréation pour recouvrer sa sérénité. Il lève les yeux sur le clocher dans le ciel strié de flocons. Son défunt père a fourni les bois de charpente lorsqu'ils l'ont refait. Soixante ans bientôt. Roger songe au vieux qui, à ce qu'on lui a dit, allait pisser chaque matin sur les poutres de chêne destinées à protéger le saint autel. Il sourit. C'est une expression du visage qu'il faut connaître pour la comprendre. Ça ressemble à l'onde d'une douleur, une absence brève, qui lui donnent au contraire un air qui ne prête pas à sourire. C'est sa façon à lui, sans retrousser les lèvres et dégager les dents, de signifier qu'il est content.

Témoigner qu'il est touché par un instant de joie, léger comme un copeau.

Les cris des enfants ramènent Roger à l'affaire qui mobilise le village. Il n'en revient pas qu'Estelle ait déjà reçu le châtelain chez elle. Il ne la croyait pas comme ça, l'institutrice. Il ne sait pas exactement ce qu'il faut mettre derrière l'expression *comme ça*. Prudemment, il y met le pire. La professeur des écoles, comme il faut les appeler maintenant, n'est qu'une femme après tout. Il paraît qu'elle fait bien son métier, qu'elle est attentive aux gosses. Roger a trois enfants dans son école. Certes, il ne s'occupe pas des devoirs. Mais sa femme lui a dit que les choses allaient mieux depuis qu'Estelle est arrivée. Elle a débloqué Jason, le petit dernier, qui redoublait son CP parce qu'il n'arrivait pas à lire. Son prédécesseur était un vieux garçon reclus, en poste là depuis trente ans, et qui chassait le dimanche. Avec qui, aux yeux de Roger, on pouvait s'entendre sur bien des questions. Avec celle-là, c'est différent.

Elle est trop charmante, la professeur des écoles. Roger dit institutrice, il préfère. Sa jeunesse, son élégance font que chaque fois qu'il l'a croisée ou aperçue, il s'est trouvé pitoyable. Grossier est le mot qui dit exactement ce qu'il ressent. Le charme de cette jeune femme est une écorchure à la rudesse d'ici. Elle n'est pas à sa place. Elle vient de la ville, des beaux quartiers certainement. Trop de raffinement est une blessure faite à ceux qui survivent là tant bien que mal, comme lui qui travaille dans le bois et les moteurs toute la journée. Il faut des gens ordinaires parmi nous, pense Roger. Si on valait quelque chose, on serait partis. Tous ceux qui étaient capables ont fui le pays, ont réussi à Paris ou ailleurs, loin. Il a fait sienne cette idée. Elle le dévaste.

D'ailleurs, elle ne restera pas. Il ne la verra pas vieillir, s'enlaidir, comme toutes celles des alentours auxquelles Roger peut dire attends ma belle, tu ne seras pas toujours une jeunesse en minijupe. Estelle repartira aussi jolie qu'elle est arrivée. Elle demeurera dans le souvenir de Roger éternellement séduisante alors que lui vieillira. On ne peut pas faire confiance à ceux qui ne restent pas parmi nous. Il y a du dépit, chez Roger, dans sa relation avec les femmes. Son mariage contraint, il y a dix ans, n'a rien arrangé.

La rumeur qu'Estelle s'est laissé séduire, Roger emploie un autre mot, ne le surprend pas. Le console même, le conforte dans son opinion. Dimanche matin, il l'a vue faire son jogging du côté du château. À midi, Chez Thérèse, il a retrouvé Alain, Barthélémy et quelques autres. Au meilleur moment, il a dit de sa voix qui traverse les sapinières et surmonte le ronflement des diesels, avec des mots auxquels il avait pensé toute la matinée, des mots choisis :

— L'Américain, il les peint toutes en rose, celles qu'il...

Sa phrase s'est posée sur un silence de velours. Et les autres ont franchement ri. Même Thérèse, qui n'aime pourtant pas les allusions salaces.

Comme chaque fois qu'il repense à Ben, une bouffée de colère. Roger garde en souvenir le fameux soir Chez Thérèse. Et l'envie de l'humilier si jamais leurs chemins venaient de nouveau à se croiser.

Ils auraient dû se montrer plus prudents dès les premiers verres. Ce type a une manière de porter la boisson à ses lèvres que Roger n'a encore jamais vue.

Une légèreté diabolique dans le geste, presque de l'inattention. Du détachement est le mot que cherche Roger. Mais inattention lui suffit. C'est à ne pas croire, on dirait qu'il a vraiment soif. Très vite, il les avait enterrés. S'il n'y avait eu Alain pour le sortir de là, Roger aurait fini comme Barthélémy, au fond de son veston.

Depuis, la scène le hante. Il sait que le vieux Louis ne peut tenir sa langue, et bien qu'il n'ait pas été plus brillant que les autres, il l'a racontée un peu partout. Roger l'a compris à des allusions. Alain aussi, bien qu'il soit d'une nature plus simple, moins ombrageuse. Gentil sous ses airs de brute. Mais pas lui. Roger, c'est pas un gentil. Il n'a pas bon fond, comme on dit ici. Il désire simplement qu'on le laisse en paix, là, dans sa scierie.

Sa cigarette est depuis longtemps éteinte. Il repousse le moment d'en allumer une autre. La récréation a cessé et les enfants sont rentrés dans leur boîte. De nouveau, le village est plongé dans le silence. Roger goûte peu à peu une paix délicieuse. Il aime l'hiver malgré toutes ses complications. À cause de toutes les complications qui réduisent les activités. Si on lui demandait son avis, il hibernerait. Chez Thérèse. Que faisaient-ils donc, les anciens, à la mauvaise saison ? Ils restaient chez eux, au coin du feu. Au lieu de s'agiter.

Les pensées de Roger se développent avec lenteur et régularité. Ce sont de vieilles pensées, pour la plupart usées d'avoir beaucoup servi. Leur polissure née de l'usage ne blesse pas dans les angles. Elles coulent facilement, rassurent. Elles distendent le temps avec assez de souplesse pour que celui-ci passe, au gré de Roger, plus vite ou plus lentement.

L'œuvre vive

Le bruit d'un moteur trouble la paix qui recouvre le village. Roger relève la tête. Il aperçoit la Chevrolet qui traverse la place. Lentement, comme dans les films américains lorsque les flics filent quelqu'un dans la rue. Roger se redresse. Un moment d'attente. La neige qui floconne. Tout sentiment de légèreté qui disparaît.

Piqué par la curiosité, Roger est sur le point de remonter Chez Thérèse lorsqu'il voit la silhouette de Ben venant vers la scierie. Il n'en croit pas ses yeux. Il bat prudemment en retraite derrière une pile de lames de parquet. L'autre est à une cinquantaine de mètres. Toujours son pardessus noir, son bonnet. Un visage d'une pâleur étrange. Ce type a arpenté le monde, pense Roger. Il connaît l'endroit et l'envers des choses.

— Bonjour, Roger.

Roger sort de sa cache. Ben est là, qui le dévisage, scrute le banc de sciage, inspecte sans en avoir l'air les billes de bois.

— Ça va ?

Roger acquiesce. L'idée que l'autre s'est souvenu de son prénom lui est pénible.

— Ça va. Et toi ?

Roger tutoie tout le monde. C'est une règle. Ben le dévisage et Roger se sent mal à l'aise. Il aimerait parler du temps, de la neige, de l'état des routes, de chasse ou mieux encore de braconnage. Mais il ne trouve aucun sujet à aborder.

Ben va d'un pas décidé vers un empilement de madriers qui attendent là depuis longtemps. Roger le suit du regard, sans bouger. Ben mesure les poutres

sans se soucier de lui. Comme s'il n'existait plus.
Roger intervient :

— C'était une commande de la SNCF. Un coup
de scie et cela faisait des traverses.

— Je vois...

— La commande a été annulée. Tu sais comme ils
sont.

Ben est accroupi dans la neige, un mètre ruban
métallique à la main. Il mesure les madriers de section
carrée.

— Tu en as combien ?

— Je ne sais plus bien. Une centaine.

— Tu peux les repasser au sciage ?

Roger prend son temps pour répondre que oui, il
le peut. Le travail gagne toujours à apparaître comme
une simple hypothèse parmi d'autres.

— Voilà les dimensions.

Ben tend un papier sur lequel il a noté des mesures
précises pour les poutres.

— Toutes pareilles ?

— Toutes.

Ben s'est relevé. Les deux hommes ont les épaules
couvertes de neige. Roger, ça ne le dérange pas, et il
constate que l'autre non plus. Un Parisien se serait
esquivé en diagonale vers l'abri de la scierie en dan-
sant sur place dans la gadoue. Ben est là comme il
serait au soleil ou sous la pluie. N'importe où. Avec
détachement. Roger, le premier, regagne l'auvent de
la toiture.

— Pour quand ?

C'est la question la plus grave que Roger puisse
poser. Il la formule toujours avec une solennité et une
componction qui impressionnent le client. On ne
dirait jamais qu'il s'agit d'un semblant de question.

Qu'il demande cela uniquement parce qu'il a vu son père demander avant lui, de cette manière. Sans jamais tenir compte de la réponse.

— Je ne sais pas.

Ben lève le nez vers le ciel. Roger comprend que les poutres, ce n'est pas urgent tant qu'il neigera. Après, on verra. Et soudain, la curiosité qui l'emporte.

— Il y a des travaux à Provenchère ?

— On peut dire ça comme ça.

Ben regarde le village. La vue semble l'intéresser. Roger se tait. C'est de nouveau un moment de paix dans le silence feutré de l'hiver. Finalement, Ben se tourne vers Roger, lui parle de prix. L'autre est d'accord. En cet instant, il serait d'accord sur tout, pourvu de pouvoir approcher ce type et d'accéder à ses secrets.

Au moment de partir, Ben montre deux billes de tilleul. Il demande de les débiter en précisant avec minutie des dimensions qui intriguent Roger. Comme si les chiffres, qui n'ont rien de conventionnel en matière de bâtiment, revêtaient une signification.

— Il me les faut à Provenchère. Le plus vite possible.

Roger acquiesce. L'idée de se rendre au château lui convient. Pour une fois, il fera passer ce travail avant les autres.

Ils se serrent la main. Ben quitte l'abri des planches et aperçoit le vieux GMC.

— Il tourne encore ?

Roger opine. La nouvelle paraît faire plaisir à Ben. Il fait un signe et s'en va en disant quelque chose.

Et là, Roger sent brutalement ses jambes mollir. Il a cru entendre, murmuré avec désinvolture :

— J'espère qu'il ne va pas pisser dessus chaque matin.

*

C'est humiliant. Estelle est humiliée. Lorsque Denise lui a remis l'enveloppe devant les parents qui venaient chercher leurs enfants, elle s'en est saisie fiévreusement. Elle a eu conscience, avec une clarté absolue, que tous ceux qui l'entouraient se rendaient compte qu'elle tremblait.

Ce n'est qu'une enveloppe. Dans du papier épais, format moyen. Aucun signe, aucune adresse, même pas son nom. Peut-être est-ce le regard de Denise qui l'a troublée. Comme si elle lisait déjà dans ses yeux sa propre perte. Sa chute.

— De la part de M. Forester! a claironné l'autre. Elle ne pouvait pas attendre qu'il n'y ait plus personne! Ou mieux, se taire. Et toute rose, encore. Chaque fois que Denise vient à l'école chercher ses neveux, son accoutrement s'est enrichi. À croire que Laforêt, Forester ainsi que Denise le nomme, commande pour elle sur Internet tout ce qui est rose et qui ressemble de près ou de loin à un vêtement, à des chaussures ou à des accessoires vestimentaires. Estelle est furieuse. Des parents lui ont jeté un regard en coin. Elle y a lu des choses sales. Ce soir, tout le monde parlera d'elle dans les maisons.

Ils sont enfin partis. Seule une fillette, oubliée par sa mère et qu'Estelle avait refusé de remettre à son père qui n'en avait pas la garde, attend dans la salle de classe. Estelle n'a pas touché à l'enveloppe. Elle s'est contentée de la poser sur son bureau. Par dépit, par inquiétude. Parce qu'elle sait qu'après l'avoir ouverte vont s'envoler de ses plis des sortilèges qui la concernent. Elle essaie de corriger des cahiers mais il y a trop de fautes. C'est décourageant. Elle ne sait pas par où commencer. Il arrive cependant que son métier lui procure des joies intenses. Ce petit Jason, par exemple, qui ne parvenait pas à déchiffrer au CP. La satisfaction de la mère, comme une récompense qu'on n'attend pas. Des mots timides qui gênent tant on perçoit leur sincérité. L'indifférence du père.

Estelle jette un regard à la fillette qui colorie une frise au bas de son fichier. Et toute son exaspération s'évanouit. C'est une enfant ballottée entre deux parents qui se haïssent. Tiraillée. Comme du gibier. Une petite main qui à chaque début de récréation cherche une autre main à serrer pour aller et venir dans la cour.

Estelle se lève. En passant près du bureau, elle pose les doigts sur le papier de l'enveloppe comme pour conjurer un sort et s'avance vers la fillette avec une tendresse qui n'est pas forcée.

Elles sont là, à bavarder, lorsque la mère arrive. Sans un mot de remerciement, comme si son retard était normal, comme s'il relevait de la chose la plus évidente du monde, la femme repart avec la gamine. Estelle l'entend dans le couloir qui habille la petite avec impatience. Elle imagine les gestes brusques, la fermeture Éclair coincée. Comme d'habitude. Elle ne se coince jamais lorsque Estelle la manipule, cette fermeture. Les deux ombres quittent l'école, l'une tirant l'autre, l'une accrochée à l'autre. La mère tenant à l'enfant muet des propos d'adulte dépassé par sa propre existence.

Estelle reste un moment au carreau de la fenêtre. La neige fond. Le sol est gadoue. Les deux lampes municipales en face de l'école sont les points les plus vivants de tout ce qui s'offre à son regard. C'est la débâcle.

L'enveloppe est toujours sur le bureau. Estelle a espéré un moment qu'elle aurait disparu. Les songes parfois se dissolvent comme ils sont venus. Estelle est lasse. Demain, la sortie en forêt s'annonce difficile. Pourvu que les parents pensent à mettre des bottes aux enfants. À les habiller chaudement. Elle ne parvient pas à s'y habituer, à ces gosses qui arrivent en plein hiver en baskets et T-shirts. L'ordinateur est éteint. Estelle se saisit de l'enveloppe et quitte la classe.

Heureusement, il fait chaud dans son appartement. Estelle referme la porte, tourne la clef dans la serrure. La solitude l'accable. Davantage que la solitude, l'abandon. Elle se demande si elle va avoir la force de rester ici ce soir. Seule. Si elle ne va pas pleurer. Si demain il fera jour. Pourquoi Éric ne vient-il pas la rejoindre, sur un coup de tête, délaissant pour elle son travail ? Cas de force majeure ! Ma fiancée a besoin de moi. Laissez-moi passer... Simplement parce qu'il aurait ressenti, à des signes subtils que seul l'amour rend lisibles, combien elle va mal. Elle lui serait reconnaissante de cet acte insensé. Un geste à sceller un attachement pour la vie, à emporter son cœur pour toujours. Je me souviens, dirait-elle plus tard, lorsque j'ai vu sa voiture franchir sous la neige le portail de la cour. Je ne dormais pas. Il était minuit. Un peu plus peut-être. Je n'en croyais pas mes yeux. J'ai d'abord pensé qu'il était arrivé quelque chose de grave avant de comprendre que c'était moi, cette chose grave qu'il venait réparer à pleine tendresse. Éric qui monte les escaliers quatre à quatre, qui enfonce la porte. Éric qui a compris, à trois cents kilomètres de là, que je pleurais.

Depuis quelque temps, leurs coups de téléphone se font plus brefs. Les voix différentes, plus dures, même au moment de se dire des mots tendres. Et les silences. Imperceptiblement plus longs, douloureusement amplifiés par l'appareil qui révèle les pensées derrière les paroles. Si prompt à les contredire. Estelle pense parfois qu'Éric n'ose pas avouer qu'il a rencontré une autre fille. Il y a de la lâcheté à plaquer quelqu'un qui vit au loin, dans des conditions difficiles. À d'autres moments, elle songe que c'est lui qui n'a plus confiance en elle.

L'enveloppe est sur la table de la cuisine. Estelle met de l'eau à chauffer sur le gaz. Ses gestes ont cette légère hésitation qui dit la fatigue. L'émotion. Elle s'efforce de ne pas penser à ce qui l'attend. Malgré les radiateurs brûlants, elle a froid. Tout le temps, elle aura eu froid ici. Un froid qui pénètre les idées.

Elle n'a pas faim. Autant l'ouvrir tout de suite, cette enveloppe. Estelle cherche un couteau. Pour trancher proprement le rabat ou peut-être pour se protéger de ce qui va en sortir. La lame s'enfonce, glisse, écarte. C'est un papier tramé, genre Canson, hâtivement découpé avec des franges sur les bords, plié en deux. Estelle l'ouvre et trouve un dessin. L'école, elle la reconnaît parfaitement, les arbres, le portail un peu penché, la cour. Estelle découvre un visage derrière l'une des deux grandes fenêtres de sa classe. Un visage qui la regarde et qui lui ressemble absolument. Une autre Estelle, en quelques coups de crayons incisifs.

Une Estelle tout à la fois enlaidie par la tristesse et très belle.

Estelle est captivée. Il était là, le sortilège. Son couteau posé sur la table de cuisine ne lui a servi à rien. Quelques mots sont griffonnés dans la marge : *après-demain soir, Provenchère*. Et une signature, Ben Forester.

Estelle a retiré la casserole d'eau qui bout. Elle ne mangera pas ce soir. Le téléphone a sonné. C'étaient ses parents. Elle n'a pas répondu. Elle n'a rien à leur dire. Elle est assise sur une chaise de cuisine, les pieds sur les barreaux, le dessin de l'école sous les yeux. Son regard scrute le visage de cette jeune femme qui semble chercher en elle une réponse déjà trouvée. Une approbation. Le trait est si subtil que des vérités la concernant et qui lui échappent depuis toujours y sont dévoilées. Estelle est fascinée par ce reflet d'elle-même. La brutalité de l'invitation, n'est-ce pas une forme de convocation ? ne la blesse pas. Et même la manière dont elle lui est parvenue, par Denise, comme pour l'humilier devant les parents, elle l'a déjà oubliée. Ne demeure que ce tremblement devant le vide qui s'ouvre sous ses pas. Car elle n'ignore pas que Provenchère n'est pas un château, mais un antre. Une tanière. Ben n'est pas un hôte, mais un loup.

Elle se penche avec attention sur la signature. Il lui était resté le souvenir de Benjamin Laforêt. Voilà qu'elle retrouve Ben Forester. Elle comprend le lien qui unit clairement le pseudonyme au nom. Ben s'est présenté à elle dans sa classe sous son identité véritable. À nu. Tel l'enfant qu'il avait été dans ces murs.

La nuit est avancée. Dehors, la pluie glacée ajoute à la désolation de la neige. Soudain, Estelle songe à

Internet. Son cœur se met à battre. Vite, redescendre dans la classe et lancer la recherche. Que peux-tu me dire, pythie, sur Ben Forester ? Estelle enfile sa parka et dévale les escaliers. Le couloir est glacé. Dans la classe demeure un peu de la chaleur de la journée. Les rampes d'éclairage au plafond claquent et une lumière blanchâtre remplit la salle. Il est près de onze heures à la pendule ronde au-dessus du bureau.

Estelle allume l'ordinateur, patiente. En tapant « Ben Forester », elle a enfin l'impression de se protéger, de marquer un point contre cet adversaire qui l'attire tant. Elle lutte telle la petite chèvre de Monsieur Seguin obstinément campée face à son destin.

Ça y est. La recherche est expéditive. Grâce à Elma, l'école possède le haut débit. Une autoroute invisible passe dans cette campagne oubliée, l'irriguant d'images, d'idées, d'inventions, une voie rapide dont presque personne au pays ne connaît l'existence. « Forester, Ben. » Neuf cent soixante-huit sites lui sont consacrés ou lui font référence, uniquement dans le monde francophone. En anglais, plusieurs milliers. Estelle s'abîme dans leur lecture. Des expressions reviennent, comme dupliquées dans la mémoire collective et convenue d'une histoire officielle de l'art.

Ben Forester, pionnier du land art, compagnon de Michael Heizer, de Hamish Fulton, de Markus Lang. Présent lors de l'exposition fondatrice à la Dawn Gallery de New York de 1968. Fait partie des artistes ayant participé à l'exposition Earth Art, organisée par Willoughy Sharp à l'Andrew Dickson White Museum, État de New York, en 1969. Habitué du Max's Kansas City, célèbre bar de Manhattan où se rencontraient les artistes nord-américains les plus importants. Créateur d'un courant de travail sur les lieux invisibles, sur le vide, l'absence et les ruines. Utilise la photographie pour conserver la mémoire d'œuvres résolument éphémères. A contribué à repenser totalement la place et le rôle du spectateur en l'intégrant à l'œuvre elle-même, par des contraintes corporelles ou de déplacement. A conduit des recherches avancées sur le seuil de lisibilité de ses interventions dans la nature, limite à partir de laquelle il n'est plus possible de distinguer la réalisation de l'homme du milieu lui-même. A mené parallèlement, sans jamais l'abandonner, une œuvre de sculpteur et de peintre. A vécu un an parmi les Indiens Chippewa, le chamanisme inspirant depuis une œuvre construite sur un rapport de connivence avec la nature qui rejoint certains courants écologiques à l'exception de tout mouvement politiquement organisé. Proche des mouvements du land art allemand depuis la grande exposition au Stadische Künsthalle à Düsseldorf. Travaille sur le recours aux matériaux naturels, herbes, feuilles tombées des arbres, branches, plumes... Les changements climatiques et de saison participent de ses recherches les plus récentes.

Estelle poursuit. Le temps et la fatigue ne comptent plus. Les insomniaques, au village, doivent songer que la maîtresse d'école travaille bien tard pour préparer ses cours. Internet charrie son flot d'images, de commentaires savants, d'articles dans toutes les langues. Des centaines de photographies de performances, d'œuvres en Allemagne, au Japon, en Grande-Bretagne et pour l'essentiel aux États-Unis. Des interventions en milieu naturel mais aussi des toiles exposées dans les plus grandes galeries du monde, les plus grands musées, comme l'exposition en 2002 au Salomon R. Guggenheim Museum de New York.

Estelle éteint l'écran. Elle est sonnée. Son reflet dans la lucarne grise renvoie les traits de la fille crayonnée par Ben Forester sur son invitation. Celle qui se rendra au dîner de Provenchère.

5.

Depuis, ils n'en ont jamais parlé. Au début, Jean était irrité et enfin il a admis. Il croyait pouvoir tirer parti de cette diversion, il se trompait. Que dire, d'ailleurs, de ce qu'il a trouvé au pied du rocher des Bruges ? Maintenant, c'est comme si un coin de silence entre eux les arrimait. Les apaisait. Voilà qu'ils partagent un nouveau secret. Les dissimulations unissent bien davantage que les serments.

Jean est déconcerté, il ne comprend pas. Ces bordures de trottoir qui émergent partiellement de la masse brute de la pierre, c'est en tout cas l'image que la sculpture lui a inspirée, l'intriguent et le fascinent. Par l'économie de moyens. L'attention qu'il faut pour les découvrir. L'enfouissement qui ne manquera pas de se produire, sous l'humus, les feuilles mortes, les herbes et les fougères qui repousseront nécessairement. Cette manière de suggérer la ville en pleine campagne.

À y regarder de près, les bordures sont inclinées, leurs proportions légèrement déformées. Depuis que ce type est intervenu, plus rien n'est comme avant aux Bruges. Et pourtant rien n'a changé, ou si peu. Ce lieu, qui en était à peine un auparavant, qui ne figurait sur aucune carte, désormais porte un signe. Les rochers sculptés s'inscrivent dans une mémoire, même si celle-ci n'existe pour l'instant que pour quelques-uns.

Le matin où Elma lui a dit que c'était fini, Jean est allé aux Bruges, sans se cacher. Il savait qu'Elma le regardait par une fenêtre de la maison. Non. Il l'espérait seulement. Il a poussé la barrière qui ouvre sur la prairie. Son cœur battait à l'idée de ce qu'il allait trouver. Les rares fois où il est entré dans un musée, lorsque son instituteur y conduisait la classe à Paris, il n'a jamais ressenti pareille émotion. Il ne sait pas pourquoi, d'emblée, il a songé à un musée.

Aujourd'hui, il pleut. La neige fond. Jean est sous l'auvent où il gare ses tracteurs. Il vidange la boîte du gros John Deere. Jean aime ces travaux de mécanique qui lui rappellent, par certains aspects, son ancien métier. Malgré le froid et l'humidité, il prend son temps. Depuis quelques jours, Elma paraît moins accablée. Elle grignote de nouveau et, le soir, elle reste un peu avec lui avant de regagner sa chambre du rez-de-chaussée. Il est évident qu'une idée l'accapare. Jean n'a pas osé forcer son désir de se taire. Il fait confiance au temps qui finit toujours par dissoudre les mutismes.

Le suivi de l'outillage dans une ferme comme Blessac est un aspect important de la vie d'agriculteur. Jean n'en avait pas conscience avant. Aussi s'est-il aménagé un atelier dans l'ancienne soue. Un établi, des outils bien rangés. Il a percé une ouverture pour disposer d'un éclairage naturel qui ouvre sur les vallonnements tournés vers le sud. Un tour, des machines à fraiser, à dégauchir, une scie à ruban, tout un matériel élémentaire d'homme qui connaît les bases du travail du fer et investit celui du bois. Un poêle, pour les jours de froid. Il est heureux, là, dans ce lieu qui n'existait pas avant qu'il arrive. Il y flotte un petit air de Paris à des détails que lui seul peut voir, une façon d'organiser son travail, de disposer ses outils, quelques affiches aux murs. Lorsque Elma s'éloigne de lui, aspirée loin d'elle-même, il se réfugie ici. Il est chez lui.

Jean lève les yeux du moteur éclairé par sa baladeuse. Là-bas, au bout du chemin, il aperçoit Barthélémy. Depuis une semaine, le vieux célibataire vient régulièrement à Blessac. Jean repère de loin sa démarche flottante et incertaine qui paraît chercher son inspiration et dépendre des pensées qui le traversent.

Parmi tous ses enseignements, Barthélémy lui a appris une manière d'aborder le temps. L'exaspération que Jean éprouvait au début, lorsque Barthélémy s'incrustait sans savoir prendre congé, cette impatience-là a disparu. Ici, dans un espace immense et presque vide, Jean a compris qu'il fallait adopter un autre rythme. L'activisme, l'emballement forcené et systématique, l'enthousiasme, la frénésie n'ont aucun sens.

Barthélémy est dans la cour. Il s'approche d'Elma qui se dirige vers le chenil. Chaque jour, Elma promène les chiens. Une demi-heure de marche dans les prairies, en lisière des Bruges ou à l'opposé, en direction de l'étang. Parfois, Jean se propose de l'accompagner. Elle accepte, fait mine de se réjouir, mais Jean sait qu'elle préfère être seule. Les chiens l'ont vue arriver, ils savent que c'est l'heure. Ils sautent derrière leurs grillages, jappent. Leurs cris résonnent contre les façades.

Jean repose sa clef dans la masse noirâtre du moteur. Dissimulé derrière le tracteur, il observe Elma et Barthélémy qui se font face. Il aime regarder sa femme, retrouver dans sa gestuelle des attitudes anodines pour les autres mais dont il connaît la source intime. Elma tend la main à Barthélémy. Jean imagine un mouvement du visage, des yeux. Pourquoi ne l'embrasse-t-elle pas ? Jean ne sait pas. Barthélémy a l'âge qu'aurait Françoise si elle vivait encore. Un reste de déférence peut-être, une question de génération. Les vestiges, pourquoi pas ? d'une distance dont Elma n'a pas vraiment conscience, celle de la propriétaire de Blessac vis-à-vis d'un petit fermier. Jean n'y croit pas vraiment, Elma n'est pas ainsi. Bien qu'elle ait une claire conscience, non pas de son importance, mais de celle de sa ferme. Ils sont si peu nombreux, ces jeunes agriculteurs, à demeurer au pays. Cela peut créer le sentiment d'appartenir à une aristocratie. Et de l'humiliation aussi. Toutes ces contradictions qui font le monde.

Elma s'est reculée d'un demi-pas. Jean sourit. Sa femme est précautionneuse. Distante et pourtant chaleureuse. Barthélémy indique la route départementale. Elma regarde, la main en visière. Opine. Jean perçoit l'éphémère douceur de cette scène. Ils se comprennent, ces deux-là. Ils n'ont pas besoin de voir pour savoir. Ils sont chez eux. Et le sentiment bref d'un retranchement.

Elma indique le chenil. Barthélémy hoche la tête. Il la voit depuis toujours promener ses chiens. Il pourrait même dire par où elle va passer aujourd'hui, avant qu'elle décide elle-même de son chemin.

Elle s'éloigne. Elle n'a pas serré la main du vieux célibataire. Cela signifie je te reverrai peut-être, Barthélémy, sûrement, je l'espère, à mon retour. Je te ferai un café. Tu ne seras pas parti. Tu es ici chez toi. Merci de veiller sur Jean. Il sera content de te voir. Tu le sais, toi, comme ce n'est pas facile pour lui. À tout à l'heure. Elle dirait la même chose, Elma, si elle partait pour toujours. Et peut-être est-ce le cas. Aucun des deux n'est dupe. La jeune femme se tourne vers le hangar et tend le bras en direction de Jean.

Jean sort de l'ombre et s'avance. Il tient un chiffon dont il ne se sépare jamais quand il travaille. Barthélémy approche. Jean sait ce qu'il pense. Il ne le dira pas directement, ou alors il faudra chercher le sens détourné d'une phrase. Mais il a trouvé Elma plutôt mieux, moins abattue. Cela lui fait plaisir de savoir qu'elle reprend le dessus. C'est une expression à lui, reprendre le dessus. Comme si la vie était un combat qui oppose deux lutteurs.

Les deux hommes regardent les chiens qui encerclent Elma en sautant. La jeune femme les repousse sans les gronder. Le manège cesse dès qu'elle avance résolument dans une direction. Alors les chiens s'élancent, la truffe au ras du sol, le fouet dressé. Ce matin, Elma part vers l'étang de la Foulière.

D'habitude, elle va vers les Bruges. Jean et Barthélémy sont secrètement soulagés de la voir marcher à l'opposé des *bordures de trottoir*. Ils voient là un signe.

Leurs pensées vont vers le propriétaire de Provenchère. Un jour, Barthélémy a dit qu'il s'agissait d'un sorcier. Barthélémy s'y connaît en sortilèges. Sa mère avait des pouvoirs sur le feu, les convulsions et les verrues. Et d'autres choses encore, plus obscures. Sur d'autres continents, on aurait dit qu'elle était chamane. Elle est morte sans transmettre à son fils unique des secrets qu'elle tenait de sa mère qui les avait appris d'une grand-tante. C'est une plaie ouverte chez Barthélémy que de n'avoir pas été jugé digne de continuer à soigner les autres. L'idée que sa mère a préféré laisser disparaître avec elle ce savoir précieux venu de la nuit des temps, une connaissance au service du bien, plutôt que de la lui remettre.

On venait de loin la consulter, dès que les médecins avaient montré leur impuissance. Et même souvent bien avant. On n'avait pas besoin de poteaux indicateurs pour trouver la ferme-d'en-haut, à cette époque. Lorsque Thérèse, âgée de quatre ans, avait ouvert le robinet de la réserve d'eau chaude de la cuisinière en fonte, c'était la mère de Barthélémy qui avait arrêté le mal. La petite ne pleurait même plus alors que quelques minutes auparavant, elle hurlait. Et elle n'avait conservé aucune vilaine cicatrice sur ses deux avant-bras. Cela ne s'oublie pas. La patience de Thérèse vis-à-vis de Barthélémy vient certainement de là. Soixante ans après.

— Il a commandé des poutres à Roger, sans lui dire pour quoi faire, dit Barthélémy.

— Des travaux à Provenchère ?

Barthélémy hausse les épaules. Il est obsédé par la présence du sculpteur. C'est ainsi que Jean nomme Ben. Au regard de ce qu'il a fait aux Bruges, Jean considère que ce mot renvoie à un fait objectif. Dans son métier, il en a rencontré plusieurs, des artistes, des peintres. Généralement, il s'agissait de travaux de lithographies dont ils venaient surveiller l'exécution.

Des hommes souvent fantasques, de vrais professionnels qu'on ne trompait pas sur les nuanciers de couleurs, la finesse d'un trait, la qualité d'une encre ou le grammage d'un papier. Exigeants. C'est pour cela que Jean pense que l'homme qui a opéré sur le rocher des Bruges ne peut être que de cette espèce-là.

— Roger lui a livré le tilleul. Bien sec. Il croyait pouvoir entrer au château pour voir ce que l'autre trafique...

Là, Barthélémy s'interrompt. Il regarde Jean dans les yeux comme s'il y cherchait la fin de sa phrase ou espérait que Jean la termine. Il poursuit :

— C'est la Denise qui lui a dit où déposer les poutres. Dans la remise qui servait d'écurie du temps où il y avait deux chevaux à Provenchère. Tu n'as pas connu, mais moi je me souviens que les propriétaires allaient à l'église en voiture à cheval. Fin des années quarante, tout début cinquante. C'est pas si vieux. La Denise lui donne l'argent. Et c'est tout, pas un mot. Terminé. Elle tourne les talons et plante ce pauvre Roger.

Jean opine.

— Crois-moi. L'autre était là. Il y avait sa voiture. Roger a vu une ombre derrière un carreau.

Les deux hommes restent silencieux. Une pluie fine s'est remise à tomber et leurs pensées vont vers Elma et ses chiens.

— Elle m'a dit qu'elle allait chercher des joncs en queue d'étang, murmure Barthélémy.

Le cœur de Jean se met à cogner.

— Le froid revient, poursuit le vieux garçon. Il va geler serré cette nuit.

*

De la fenêtre, Ben voit Roger repartir à regret. Les deux poutres de tilleul sont livrées, posées sur des madriers dans les anciennes écuries. En montant au volant de son camion, l'autre l'a aperçu. Il faut voir comme Denise lui a tourné le dos, dès l'argent remis. Denise toujours en rose. C'est elle qui le veut. Il semble parfois à Ben que Provenchère vit davantage par elle que par sa propre présence.

Depuis l'achèvement de l'œuvre sur le rocher des Bruges, Ben ressent un grand vide. Voilà qu'il doute de l'intérêt de sa démarche, du sens même de ce qu'il a entrepris ici. Tout lui paraît soudain difficile, si peu maîtrisable. Il croule sous tant d'autres sollicitations combien plus valorisantes. Hier, il s'est engueulé avec son agent américain au sujet d'une invitation à New York pour inaugurer une rétrospective qui lui est consacrée. Il a décliné, sans raison valable. Le sentiment de brûler ses vaisseaux. Certes, ses décisions irresponsables participent de sa légende. Malgré tout, peu à peu l'impression d'une fin qui se dessine. Un enroulement fœtal sur lui-même.

Ben connaît bien cette vacuité qui accable après chaque création, ce vertige provoqué par la sensation d'être passé à côté. L'intuition d'un ratage d'autant plus cruel qu'il paraît invisible aux autres. Tant de complaisance l'entoure. Ben est de plus en plus seul. Son œuvre l'isole. Toujours ce sentiment d'inachevé, d'insatisfaction. Les rares fois où une de ses créations trouve grâce à ses yeux, c'est comme si un autre l'avait réalisée. Ce dédoublement l'a toujours accompagné. La question lancinante, enfouie, de sa légitimité. Au fil des années, le doute n'a fait que gagner en force.

La certitude une fois encore d'avoir oublié l'essentiel. Quel essentiel ? Ben sait que chaque œuvre débute dans l'innocence bien davantage que dans les savoirs accumulés. Il a admis cette vérité. C'est l'ignorance qui est à la source. L'ignorance interrogée.

Ce matin, il est mal. L'alcool brûle sa gorge. Après trois heures de sommeil, il s'est levé avant l'aurore. L'aube était grise, indistincte. Une toile humide jetée au visage. Pourtant, l'allongement infinitésimal des jours est perceptible. Quelques poignées de minutes qui font la différence déposent dans le corps un soupçon d'énergie. Le lever de soleil lui a laissé l'impression davantage d'une fin que d'un commencement. Ben désespère de retrouver la lumière qu'il est venu chercher. A-t-on jamais vu la chance frapper deux fois à la même porte ?

En cet instant, il est un homme vieillissant, fatigué par ses propres inventions. Il ne voit plus avec la même clairvoyance ce qu'il désire entreprendre ici. Toutes les notes accumulées, les schémas, les esquisses sont brutalement privés de sens. Ce qui lui apparaissait, il y a quelques jours encore, avec une force merveilleuse, a fait place au scepticisme, à l'incertitude. Il s'en faudrait de peu qu'il renonce, remonte dans sa voiture et file pour toujours loin de Provenchère. Qu'il abandonne tout, plaque tout. Sans un mot à personne. Disparaître comme il est venu. En secret. Fuir.

Les points de chute ne manquent pas à Ben Forester.

Quelle idée l'a pris de revenir au pays de son enfance ? Lui qui s'est longtemps considéré comme un habitant du monde. Le village planétaire, la mondialisation, je suis partout à la maison... N'en a-t-il pas usé et abusé, de ce mensonge ? Et si tout ce qu'il avait vécu n'était qu'une imposture ? Si, à force de sillonner le ciel et les routes, de s'attacher nulle part, à personne hormis à Sarah à jamais happée dans une autre galaxie, il s'était dilué lui-même ? Perdu de vue ? Au fil des années, un resserrement l'a étreint. L'univers s'est rétréci au point de n'y voir plus que de terribles ressemblances. Il aurait tant besoin de savoir qu'existent encore des terres inconnues.

Ben porte la bouteille à ses lèvres. Il ne quitte pas des yeux les tourbières. Le souvenir de son maître chamane le visite. L'âme du vieux Chippewa doit avoir rejoint depuis longtemps le monde autre. Pourtant, Ben la sent toujours présente.

Maintenant qu'elles sont là, il ne sait pas ce qu'il va faire des deux poutres livrées. C'est en les découvrant là-bas, à la scierie, comme deux animaux enchaînés, qu'il a désiré les délivrer. Une impulsion. Ben a toujours cédé à ses tentations. Mais ses mains qui devraient déjà frémir à l'idée de les caresser sont inertes. Ses yeux ne voient rien, son esprit est ailleurs.

Il retourne vers ses ordinateurs qui veillent jour et nuit. Avant de se poster à la fenêtre à l'arrivée de Roger, il consultait des cartes météorologiques. Le temps va brusquement se refroidir, après un bref redoux. Moins dix, moins douze, un anticyclone puissant. Un froid venu de l'est, prévu à deux jours. Ben réfléchit. Il intègre les variations climatiques dans ses interventions sur les sites naturels. C'est une contrainte qui ajoute à son travail, qui l'enrichit, complexifiant la dimension transitoire de certaines installations qui peuvent dépendre de la neige ou du vent.

Il déplie une carte, approche une loupe, note des points, consulte des documents archivés sur un portable, des tableaux de chiffres. Le travail a ce pouvoir de ralentir l'écoulement du temps. Le travail est un garrot. Une sorte d'immortalité accordée pour quelques heures. Ben ne parvient pas à s'imaginer mourant alors qu'il peint ou qu'il sculpte. Cela lui est impossible. Ou alors, il y aurait des signes. Il les comprendrait.

Penché sur la carte d'état-major, il concentre son attention sur le cimetière. C'est un petit cimetière, à l'écart du bourg, ceint d'un mur surmonté de tuiles romaines, contigu à une chapelle. Un portail noir ouvre sur le monument aux morts. Quelques tombes avec des verrières pour protéger de la pluie les notables qui reposent sous de lourdes dalles de granit. Des caveaux plus modestes. Malgré le peu de place, il reste encore des rectangles de terre herbeuse. Ben a repoussé le moment d'en franchir le seuil. Il sait pourtant qu'il devra s'y rendre.

Il se lève brusquement et marche dans l'atelier. En songeant au cimetière, une évidence vient de le frapper. S'il a toujours inclus dans ses œuvres l'idée de la disparition, de l'absence, du vide, intégrant le rôle dissolvant du temps, des saisons, de la végétation, il vient de prendre conscience que la mort qui le hantait n'était jamais la sienne.

Cet hiver est-il mon dernier hiver ? se demande Ben Forester. Pour la première fois de sa vie.

Il va vers la fenêtre. Et si c'était cela qui le troublait ? L'idée qu'il est revenu au point de départ à la recherche des origines qui se confondent naturellement avec les accomplissements. Sinon, pourquoi être retourné aussi inexplicablement, avec autant d'inconséquence, au pays où il est né ? Ben sent le souffle d'une grande terreur passer sur lui. Cela a beau faire des années qu'il l'attend, ce souffle, qu'il se prépare à en supporter l'haleine fétide, il ne le croyait pas si effrayant. Il ne bouge plus, tétanisé.

Il tend la main vers les carreaux. Le tracé de sa manche lui apparaît moins net, les contours du tissu se dissolvent. Ses doigts ne sont plus qu'en partie visibles. Il manque des phalanges. Son corps s'efface. Ben enfouit précipitamment le bras dans l'épaisseur de son pardessus. Soudain une pensée de son ami Andy Goldsworthy revient le visiter, « je travaille avec une feuille sous l'arbre sous lequel elle est tombée ». Cet arbre est celui à l'ombre duquel Benjamin Laforêt a fait ses premiers pas. Il le voit distinctement dans la cour de l'école.

Un cri le tire hors du centre douloureux où tout son être s'est enroulé. Un cri un peu rauque, certains le trouveraient vulgaire, mais justement plein de gaieté. Ben abaisse le regard vers la pelouse. Denise, parmi les statues, lui fait signe. Elle l'a vu. Alors qu'elle ne se risque jamais à le déranger, ne l'interpelle jamais à haute voix, elle vient contre toute habitude de le héler. Il y a de la joie dans sa manière d'agiter le bras. Mais ce n'est pas cette allégresse toute simple qui a sorti Ben de son effroi. C'est le fond d'inquiétude qu'il y a perçu. Quelqu'un se préoccupe de lui. Et cette personne, c'est Denise.

Il ouvre la fenêtre, se penche et lui adresse un signe amical. La jeune fille sourit. Avec ses lunettes à la Abba, elle a l'air surnaturel d'une rock-star tournant un clip dans les années 1970. Elle se dirige vers son vélomoteur. Au rez-de-chaussée, Ben sait que tout est en ordre, rangé, astiqué. C'est si simple entre eux. Brutalement, l'impression d'une délivrance. D'un brusque appel à la vie. Un retour. Ben regarde la jeune fille pédaler sur sa Mobylette placée sur la béquille. Si elle savait conduire, il lui achèterait une berline allemande. En cet instant, elle perd un peu de prestance, mais lui ne le voit pas ainsi. Il voit autre chose qui l'émeut.

Dès que la pétarade du vélomoteur a cessé, Ben descend au rez-de-chaussée. Il enjambe le fil noir. Denise, lorsqu'elle est seule à Provenchère, ne s'est jamais permis de franchir cette frontière symbolique. Ben se demande même si elle monterait l'escalier pour venir dans son atelier au cas où il réclamerait son secours. Cette retenue lui plaît.

Les deux poutres sont là, posées sur leurs supports dans l'ancienne écurie. Ben sort un mètre de sa poche et constate que Roger a respecté scrupuleusement les dimensions, ce qui en dit long sur son désir de savoir ce qui se passe ici. Ben fait le tour d'une des poutres, la plus belle, marche sur le côté en laissant ses mains frôler le bois comme s'il découvrait une nouvelle peau. Au contact, une force le gagne lentement. Un désir. Des fourmillements passent dans ses bras. Il entrevoit quelque chose qu'il portait en lui au long de ces jours de crise, lorsqu'il ne percevait justement plus rien. C'est encore confus, indistinct, mais bien là. Il repart au château et grimpe quatre à quatre les escaliers. Ne pas perdre un instant. Il redescend avec ses outils de sculpture, les pose sur un établi qui servait aux travaux d'entretien des harnais.

La mémoire de ce qu'il avait égaré redescend dans ses mains. Elles obéiront, peut-être à un autre lui-même, pendant les heures et les jours de travail qui seront nécessaires. Mais elles accompliront. En accord avec ce bois. Car il suffit de poser les yeux sur cette poutre pour discerner clairement ce qu'elle aspire à devenir. À redevenir.

Le premier coup de ciseau résonne comme une libération. Ben sait que son trait sera définitif. Il est tiré hors de lui-même, loin de son enveloppe usée. Ce bois n'attendait que lui. Ce tilleul vieux d'un demi-siècle, sage et sans vice, ne désirait qu'une chose. Que Ben Forester lui apporte la délivrance.

Mais si Ben n'était qu'un embaumeur de bois mort, il ne serait rien. Il est un accoucheur, un éventreur d'apparences. Il se livre à un enfantement. Il va faire sortir des poutres sciées par Roger une intime vérité. Les copeaux volent. Le maillet frappe la tête sertie de fer du ciseau à bois. Ben a une silhouette de vingt ans, ses mains la précision infernale des gestes qui savent. Pour quelque temps encore, Ben Forester est immortel. Cela durera bien assez pour parvenir au terme de son entreprise.

Car Ben voit parfaitement ce qu'il va advenir de cette poutre. Laisser en l'état la section carrée sur une quarantaine de centimètres à chaque extrémité. Travailler à l'éventration de toute la longueur restante. Lentement, la poutre paraîtra s'entrouvrir comme un fruit, se déchirer et se tordre. Deux lèvres qui s'écartent. Et à l'intérieur de cette cicatrice longue de près de deux mètres, un jeune arbre apparaîtra, son tronc, la naissance de ses rameaux, son écorce. Comme si la poutre de Roger contenait, enfermée en elle et délivrée par Ben, l'arbre dont elle est issue et qu'elle redeviendra un jour.

*

— Donnez-vous la main ! Un grand, un petit. Un grand, un...

Estelle inspecte une dernière fois les rangs. Elle sait que, sitôt les premiers mètres franchis, sa petite armée se débandera, les enfants se regrouperont par niveau, par affinité. Qu'importe. Ils sont tous là, à peu près chaudement vêtus, bottés. Une planchette sous le bras sur laquelle est épinglée une feuille de papier pour prendre des notes, avec un crayon attaché à un bout de ficelle. Karim est responsable du groupe qui doit prendre les photographies. Jason donne la main à Betty. Bruno est devant et chahute avec les deux autres cours moyen. Estelle les a à l'œil, ces trois-là. Sans oublier Franck qui vient d'arriver de la Région parisienne, placé en famille d'accueil, et qui vit sa vie comme s'il débarquait d'une autre planète. Au moment de franchir le portail, Estelle les recompte. Quinze, seize. Le compte y est.

Il a gelé fort cette nuit et le sol craque sous les bottes. Estelle a posté l'employée municipale en serre-file avec pour mission de ne pas perdre de vue les rangs arrière. Quant à elle, sa place est aux avant-postes, du côté gauche, celui des voitures. Elle vérifie avoir pris son téléphone portable. De toute façon, là où ils vont les communications ne passent pas. Dans l'air glacé, l'haleine des gosses s'entortille au nœud de leurs écharpes. En collant, sous sa parka de ski, Estelle a déjà chaud. Elle est tendue, se retourne continuellement, surveille le passage éventuel d'une automobile. Faites qu'il n'arrive rien tant qu'ils sont sur la route ! Et même après ! Par les fenêtres, des visages gris regardent passer la troupe. Des mains esquissent des signes derrière les carreaux, auxquels les gosses répondent.

La sortie pédagogique a été préparée avec soin. Chaque groupe d'élèves sait ce qui lui incombe. Étude des arbres en hiver et comparaison avec les observations conduites à la fin de l'été et à l'automne : structuration du temps. Recherche des traces éventuelles d'animaux, photographie et schéma des empreintes avec émission d'hypothèses sur les habitudes alimentaires des espèces : sciences de la vie et de la terre. Déplacement, pour les plus grands, à l'aide d'une boussole et d'une carte d'état-major dans la perspective de la grande course d'orientation qui aura lieu aux beaux jours. Croquis du village sous différents points de vue et comparaison des dessins avec la carte afin de mieux se repérer dans l'espace. Tout en marchant, Estelle consulte ses notes, ses préparations. Elle aurait très peur d'oublier quelque chose, de revenir déçue de la sortie pédagogique.

Les enfants ont dépassé les dernières maisons du bourg sur la route du cimetière. Devant la chapelle, Estelle fait une première halte, histoire de moucher les nez, de remonter les chaussettes au fond des bottes, de vérifier l'état général de la troupe.

Estelle demande aux élèves de se placer en arc de cercle devant la chapelle. Elle entame une leçon d'histoire sur l'art roman, la voûte en plein cintre, le clocher mur typique des régions montagneuses. Elle glisse un peu de vocabulaire architectural. Les filles prennent des notes. Il faudra revoir l'orthographe une fois rentrés en classe. Les garçons se lancent des coups de pied. Un mouvement se fait dans le groupe, une vague parcourt les gosses, risquant de grossir si Estelle n'agit pas promptement. Alors, lâchement, elle donne le signal du départ. Un souffle de satisfaction court, qui anime les bonnets à pompon et les cagoules. L'employée municipale, au visage maussade, paraît soulagée.

Ils suivent la route sur quelques centaines de mètres. De part et d'autre, des prairies séparées par des haies. Le ruisseau serpente dans le fond de la vallée. Estelle, après s'être assurée qu'aucune bête ne pacage, quitte la départementale et s'engage dans un pré qui mène à un petit pont. Elle a déjà préparé la halte. Une fois que les gosses sont regroupés sur la rive couverte d'ajoncs, un silence se fait. Les yeux sont happés par le courant qui dérive entre deux lèvres de glace soudées au tuf des berges. Le bruissement de l'eau éteint les rumeurs enfantines. Estelle ne dit rien. Elle ne désire rien transmettre, que cette soudaine impression de paix devant un simple cours d'eau à demi gelé.

La leçon sur le pont à tablier de pierre peut commencer. Le cintre... L'agencement des pierres ne vous rappelle-t-il rien ? Elles sont comment, les pierres ? Dures, madame. Bruno, ça suffit ! Silence. Une voix fluette qui finit par dire c'est comme à la chapelle, maîtresse. Très bien, Victoria. Précise ta pensée. C'est rond. Le soulagement d'Estelle, un peu honteux. Un sentiment d'impuissance aussi. Vite des explications pour consolider les maigres réponses, étayer à tout prix. Des consignes. Karim et tes camarades, vous photographiez le petit pont. Attention, quatre photos seulement et on doit voir le maximum de choses, le maximum de renseignements. Les autres, vous dessinez. On comparera, une fois en classe.

Les gosses se mettent au travail. Estelle s'écarte du

groupe. Et tout à coup comme un apitoiement pour cette quinzaine d'enfants au bord d'un ruisseau, ne sachant pas trop ce qu'ils font là, heureux malgré tout de n'être pas assis en classe à écrire et à compter. Au milieu d'eux, l'employée municipale, dans son tablier à fleurs qui dépasse de son manteau trop court, avec un bonnet de laine bleue. Ses mollets serrés dans des bottes en caoutchouc et son air contrit de devoir arpenter une campagne qu'elle connaît depuis toujours, qu'elle n'aime pas. Sa présence qui rassure les gosses.

Les plus appliqués se sont carrément assis sur les touffes d'herbe gelées. Ils vont avoir les fesses au frais et à midi des mères ne manqueront pas d'en faire le constat avec aigreur. D'autres dessinent debout. Karim patauge sur les berges des méandres pour choisir le meilleur angle sous lequel photographier le pont. C'est un perfectionniste, cet enfant. Un silence d'une grande profondeur règne sur la campagne. Très loin, la stridulation d'une tronçonneuse. Un pâle soleil s'est levé ce matin, colorant l'horizon d'ocres et de nacre. Au réveil, de la fenêtre de sa chambre, Estelle a regardé le ciel, intriguée par sa beauté. C'est peut-être ce moment-là, et seulement celui-là, dont elle se souviendra plus tard, car elle imagine qu'il y aura un après à cette période de sa vie. Cet instant si simple, son regard jeté un matin sur le ciel clair d'une aube d'hiver. Le reste, oublié. Comme ces gosses, qui ont achevé leurs dessins et qui se tournent vers elle avec une interrogation dans les yeux, conserveront peut-être de cette journée, de la semaine qui les attend, la seule image de leur maîtresse qui s'est éloignée d'eux, un peu ailleurs, rêveuse. Si jolie dans ses vêtements neufs. Une maîtresse pour laquelle on a envie d'apprendre. Malgré le doute que cela serve jamais.

Estelle tape dans ses mains.

— Vous rangez vos feuilles. Maintenant ce sont les grands qui vont nous guider à la prochaine étape. Ils ont la carte. On se tait. On attend d'eux qu'ils ne se trompent pas.

Bruno, Karim, Victoria et Stéphanie sortent les plans, les boussoles. On se tourne vers le soleil. On cherche le nord. Pendant ce temps, Estelle attend. L'employée municipale tient un gosse à chaque bras. Résignée. Elle ne comprend pas pourquoi faire si compliqué. Il serait si simple de dire, maintenant on va dans la forêt de Grande-Combe, celle qui est contre la grande sapinière qui vient d'être vendue à on ne sait qui. Voilà quelque chose qui aurait du sens. Qui intéresserait les gamins. Ce n'est pas difficile, pourtant. Qu'est-ce qu'on leur apprend donc à l'université, à ces jeunes professeurs ?

Le groupe des guides indique une première direction. À l'opposé de celle qui est marquée sur la carte. Estelle se contient. Toutes ces heures à expliquer, le nord, le sud. Elle organise un cercle autour d'un agrandissement du plan qu'elle a apporté au cas où il faudrait des explications complémentaires. Elle a tout prévu. Elle contrôle. Les gosses sont regroupés autour de la feuille posée sur le sol, orientée grâce à la boussole. Les regards sont un peu vides, comme lassés par tant d'insistance. Qu'elle le dise, la maîtresse, où on doit aller. Et on ira. Pour lui faire plaisir. C'est cela que pensent les élèves. Malgré tout, ils comprennent qu'elle est obligée d'organiser toutes ces manigances.

Elle est là pour ça, c'est son métier. Tout comme être élève est le leur.

Karim sauve la situation, une fois encore. Il tend l'index sur la carte et dit qu'il reconnaît l'endroit. Il ajoute qu'on doit suivre le ruisseau et aller droit sur la colline là-bas. Estelle lui sourit. C'est un sourire de reconnaissance. Au moins l'un de ses élèves a compris quelque chose. Quant aux autres... On ne sait jamais. On peut espérer que la solution de Karim va diffuser, lentement. Il faut de l'espérance dans le métier.

Estelle se redresse. Elle a repris courage. Le ciel est gris, percé d'un soleil pâle. Il gèle toujours mais la lumière est belle. Le groupe franchit le pont et s'engage sur l'étroit chemin de pêcheurs. Estelle avance en tête. L'employée de la mairie ferme la marche. Pendant quelques minutes, les enfants sont silencieux. Avant de reprendre leur babil inlassable qui possède la force usante des émotions et des joies neuves.

Tout à coup, un garçon crie. Le chien ! Estelle ne l'a pas vu arriver. Elle n'est pas à l'aise dans la campagne, ses cartes, ses boussoles, tout son matériel, n'y font rien. Mettez-la dans une rue commerçante, dans un centre-ville piétonnier, et vous verrez ce dont elle est capable. Mais ici... Son cœur s'affole. Un grand chien hirsute est à vingt mètres et fait face au groupe. Elle passe en revue tous les cas de figure, songe à la rage qui n'a pas encore atteint le département, s'apprête à s'interposer pour protéger les gosses.

— C'est Rex, celui de mon oncle Alain, remarque Nicolas. Il l'a perdu à la chasse hier.

Et d'appeler Rex ! Rex ! avant qu'Estelle n'ait le temps de lui demander de se taire. L'animal ne se fait pas prier. En quelques bonds le voilà au milieu du groupe. Les petits hurlent de peur et de joie, les grands caressent les moustaches du griffon. Ils sont tous accrochés à Rex. Et même les deux CP que l'employée municipale tenait par la main se sont élancés vers lui. Estelle a beau protester, crier, rien n'y fait. Tout ce qu'elle avait prévu, ce pour quoi elle avait veillé, cherché, travaillé, se trouve réduit à néant par la seule présence de Rex. Alors elle hausse vraiment la voix. Elle n'aime pas, mais elle est obligée.

Les enfants se calment. Estelle commande la reprise de la marche. Tout étourdi par tant de caresses, réjoui que certains gosses lui aient remis des restes de goûters qui traînaient dans les poches, Rex s'intègre au groupe. Il sait que pour lui il est temps de rentrer au chenil. Simplement, il choisit le chemin des écoliers. À présent, ils sont dix-sept à suivre les leçons d'Estelle.

Le groupe longe le ruisseau. De nouveau la paix s'est installée. Peut-être le froid y est-il pour quelque chose. Malgré le soleil qui s'élève à l'horizon, il gèle encore très fort. Pour peu qu'un ou deux élèves s'enrhument, cette sortie sera reprochée à Estelle. Avant, elle se faisait une autre idée des gamins des champs. Elle les voyait plus... rustiques. Plus aguerris. Au fond, ils ne connaissent guère mieux la nature que ceux des villes.

Un éclat attire son attention. Plus grande que les élèves, en tête de colonne, elle est la première à voir. Ses yeux balaient une brillance arrondie en arc au-dessus de l'eau. L'impression d'avoir vu quelque chose de trop extraordinaire pour s'y fixer immédiatement. Et le cerveau qui analyse ce qu'il vient de découvrir, cet objet qui ne ressemble à rien de ce qu'il connaît. Le regard qui revient sur l'éblouissement. Un va-et-vient qui ne dure que quelques fractions de secondes mais suffit à figer Estelle. Elle rêve. Dans son dos, les gamins se poussent, en profitent pour se chamailler. Elle n'entend rien. Elle est prise par l'image de cette chose transparente et immatérielle qui brille sous le soleil à quelques mètres. En arrêt. Rien, pas même les cris des gosses, ne peut la sortir de son émerveillement.

Estelle voudrait encore quelques instants être la seule à voir l'arche. Arche est le terme le plus approprié, lui semble-t-il, pour décrire ce qu'elle observe, bien que le mot renvoie à quelque chose de bien plus grand que la réalité qu'elle découvre. Une voûte constituée d'éclats de glace, décomposant la lumière, enjambe le ruisseau, suspendue dans le ciel comme par miracle. Happée dans un silence intérieur, Estelle est projetée loin de sa classe, transportée. Éblouie. Il y a un enchantement dans la tension de l'arche de cristal. Une beauté maléfique.

Un CM s'écrie :

— Regardez !

Les gosses dépassent Estelle à la course, Rex sur les talons. Et même l'employée municipale la bouscule pour aller se planter au milieu des élèves massés sur la berge.

— Surtout, ne vous approchez pas !

C'est le métier qui parle. Estelle s'est reprise. Mais autre chose la préoccupe déjà, qui ajoute de l'angoisse à son sentiment d'émerveillement. Estelle songe à la disparition de l'arche. Au soleil qui finira par réchauffer la campagne.

— Qu'est-ce que c'est, maîtresse ?

Des voix, fluettes, inquiètes, bouleversées. Des mots. C'est beau, c'est incroyable, comment ça tient ? C'est du verre ? Du plastique ? Estelle se tait. Elle voudrait que cela dure. Elle voudrait être seule.

Des morceaux de glace pris sur les berges. Gros comme du verre épais qu'on aurait brisé en plaques irrégulières collées entre elles grâce à la soudure du gel et de la neige. Tenant en arc de cercle au-dessus de l'eau, plein cintre. Reliant chacune des deux rives du ruisseau. Défiant les lois de la pesanteur, aérien, filtrant la lumière comme des vitraux de Soulages. Si différent de l'assemblage sage et régulier du petit pont en amont.

— Maîtresse, j'ai trouvé quelque chose !

Karim brandit plusieurs branches fourchues. Estelle comprend que le créateur de l'arche de cristal s'est servi de ces supports pour soutenir les éléments le temps que la neige et la glace fassent leur prise. Ensuite, il a dispersé les branches comme autant d'échafaudages inutiles.

— On va photographier.

Les enfants sont d'accord. Certains ont déjà fait remarquer que dès que la température s'élèverait tout s'écroulerait et retournerait aux eaux rapides du ruisseau. Estelle prononce le mot « éphémère ». C'est un mot plein de gravité. Les enfants qui n'en connaissent pas le sens le comprennent.

L'appareil photo numérique passe entre plusieurs mains. Les élèves veulent voir quelle apparence prend sur l'écran cette construction étrange. Les questions fusent. C'est quoi, madame, ça sert à quoi, ça ressemble à quoi ? Est-ce que cela s'est produit tout seul ? Nadia précise même : est-ce que c'est un phénomène naturel ? Qui a fait ça, alors ? Est-ce qu'on pourrait faire la même chose, en classe ? Ça nous plairait tellement ! Certains se taisent. C'est vers eux que les pensées d'Estelle vont avec le plus d'attention.

Ils sont tous là, à observer l'arche. Presque tous. Là-bas, en retrait, Nicolas et Franck jouent avec Rex. Comme tous les enfants du monde s'amusant avec un chien, ils lancent un morceau de bois que le griffon part chercher et rapporte. À plusieurs reprises, Nicolas a jeté l'appât en bordure de l'eau, simplement pour voir le chien patauger, éclabousser les autres. Le bâton tombe tout près d'une des bases de l'arche. Rex s'élance, dérape dans la boue, glisse les deux pattes en avant.

Sous le choc, la construction éclate. Un grand cri. Les deux garçons, paralysés à l'idée des conséquences de leur acte, jettent un coup d'œil sur Estelle. Il y a de la provocation dans les yeux de Nicolas, le fils aîné de Roger, qui murmure :

— C'est bien fait, c'était un truc de l'Américain.

*

Parle-lui, Elma. Ne le laisse pas ainsi, sans explications, sans autre issue que d'imaginer. Regarde comme il est défait. L'autre matin encore, lorsque Barthélémy est venu, il croyait que tu allais mieux. Et voilà que tu agis de nouveau de manière inexplicable. Ne comprends-tu pas, à souffler ainsi le chaud et le froid, comme tu le détruis ? Il est fragile, Elma. Ce n'est qu'un homme. Explique-lui pourquoi, depuis trois jours, tu consacres ton temps à tresser des joncs. Pourquoi tu t'assombris. Sans parvenir à obtenir autre chose que des emmêlements informes, des structures mortes, écrasées, sans architecture, flasques, alors que tu as en tête les jolies boules de jonc que tu tenais par leur poignée guipée.

Dis-lui pourquoi tu cherches à te souvenir comment s'y prendre pour renouveler ce miracle de patience enfantine. Car tu es bien obligée de l'admettre, Elma, et cela te dérange. Tu as oublié ce que ta mère t'avait appris. Tu ne sais plus comment tresser des hochets de bergère. Un type te demande de lui en apporter, comme s'il connaissait ce moment minuscule de ta vie. Et tu désires lui obéir. Mais tu n'y parviens pas. D'un seul coup, tu comprends que de tout ce que ta mère t'avait enseigné, c'était le plus important. Et tu l'as perdu.

Elma ne peut se résigner à cette mémoire qui la fuit, à cette connaissance perdue. Cette nuit, elle a une idée. Chercher sur Internet. Elle s'est levée sans bruit, s'est rendue dans son bureau. Cela fait des semaines qu'elle n'y a pas travaillé. Jean a été contraint de se mettre à la paperasserie. Avant, elle lui disait pour plaisanter, si je disparais avant toi, tu seras incapable de t'occuper des affaires de la ferme et de la maison. Tu ne sais même pas où sont nos cotisations à la mutuelle agricole. Il faisait mine de chercher. Tendait le doigt vers un rayonnage, disait là. Elle répondait c'est froid. Il s'approchait d'un tiroir près de ses genoux. Elle disait c'est chaud. Cela se terminait toujours en rires. C'était avant. La première fois qu'elle l'a vu assis à sa place, penché sur le dossier vétérinaire des veaux nés au cours du dernier trimestre, elle a pensé que sa prophétie s'était réalisée. Qu'elle était morte. Peut-être était-ce une mort provisoire, comme elle avait compris maintenant que chacun pouvait en connaître au cours de son existence. Une sorte de répétition. Peut-être serait-ce pour toujours.

La maison est endormie. Le grand froid de l'hiver a gagné les sols carrelés du rez-de-chaussée, les murs de pierre. Elma allume sa lampe de bureau, met sous tension son ordinateur. Ses yeux redécouvrent l'univers étrange de l'écran, du clavier. Tout cela lui paraît relever d'une autre vie qui n'est plus tout à fait la sienne. Des bizarreries se produisent. Jean a mal refermé quelques programmes, des dossiers sont restés ouverts, le système d'exploitation peine à s'y retrouver. Il faut à Elma un peu de patience pour remettre de l'ordre dans ce capharnaüm. Elle fait le ménage. Les hommes sont aussi négligents en informatique que pour leurs tiroirs à chaussettes. Ils laissent les mêmes désordres derrière eux. Et toi, Elma, quel désordre laisses-tu sur tes pas ?

Elle lance la recherche sur « hochet de bergère ». Elle a conscience de jeter une bouteille à la mer. Dans l'immensité des connaissances humaines, des fantasmes universels, des idées folles, est-il possible que se trouve quelque part en ce monde une tribu, un individu, une secte, une religion, un fou, un universitaire, qui s'intéresse aux hochets de bergère ? L'ordinateur ne trouve aucune référence sur l'expression complète. « Hochet » lui convient mieux. Quant à « bergère », le mot l'inspire carrément. Elma n'est pas vraiment surprise, elle s'y attendait.

Elle recule son siège du bureau et réfléchit. Elle prend peu à peu conscience de ce qu'il y avait de truqué dans sa démarche. Elle a tenté de détourner le sens du problème que lui a posé Ben. Elle a essayé de le trahir, en quelque sorte. De se trahir aussi. Ce qu'il lui a demandé, n'est-ce pas de retrouver en elle-même les secrets de fabrication des hochets de bergère ? Elle est là, son épreuve. Tricher ne la servira pas.

En retournant à sa chambre, au pied des escaliers, elle songe au grenier. Chercher là-haut s'il ne reste pas des hochets de bergère dans les affaires de son enfance. Elle a dû en conserver, c'est sûr. C'est encore un peu déloyal de retrouver un modèle, mais moins que d'aller chasser sur Internet. Le grenier, après tout, c'est la mémoire de Blessac, la sienne. Sorte de grève dans le ciel où sont échouées les choses mortes ou en hibernation. Malgré son désir de monter fouiller les combles au cœur de la nuit, Elma attendra le jour. Elle ne veut pas inquiéter davantage Jean. C'est assez difficile pour lui de la savoir prise dans un cheminement intérieur dont il est exclu.

Elle avait cru, en tombant amoureuse de son mari, qu'il ne pourrait jamais rien leur arriver d'important qu'ils ne partageraient. L'idée était naïve, elle le comprend à présent. Une idée fausse. L'épreuve affrontée en ce moment, elle devra en triompher seule. Aller jusqu'à son terme. Cet éloignement entre eux est la seule manière de souder leurs existences devenues aussi transparentes que du verre.

Le lendemain matin, Jean a rendez-vous avec le vétérinaire. À neuf heures, celui-ci est déjà là, dans la cour, qui cherche à l'arrière de son break les étiquettes munies de codes-barres qui vont être agrafées aux oreilles des bêtes. La veille, Jean a ressemblé les animaux. Barthélémy est venu prêter la main. Elma s'est jointe à eux. Ils l'avaient postée à l'entrée de la sta-

215

bulation, derrière des barrières de contention. En
regardant courir Jean et Barthélémy, la démarche
alourdie par les bottes, brandissant leur bâton et criant
à tue-tête, Elma a pensé qu'il manquait des chiens de
berger à la ferme de Blessac.

Le dernier s'appelait... Elle ne sait plus. C'était une
chienne. Bichonne, voilà ! Elma se souvient des portées qu'il fallait noyer régulièrement. Son père prenait
les chiots et les mettait dans un sac qu'il jetait dans
l'étang de la Foulière. Elma avait longtemps refusé de
s'y baigner. Elle croyait les eaux hantées par des
chiens aux yeux encore fermés qui l'approcheraient
alors qu'elle nagerait. À force de persuasion, sa mère
l'y avait entraînée. Françoise adorait se baigner. Certains prétendent encore qu'il lui arrivait de se glisser
dans les eaux aussi nue qu'entre les draps de son lit.

Un jour, Bichonne n'a plus eu de chiots. Personne
n'a pris garde à l'infécondité de la chienne dont les
sourcils et le menton avaient grisé. Bichonne courait
moins vite derrière les bêtes, pinçait moins fort les
jarrets, évitait moins bien les coups de pied. Elle est
morte ainsi. Au travail. Le crâne fracassé par un sabot.
Vingt ans plus tard, Elma se souvient à quel point cet
accident l'avait peu touchée. Elle ne comprend plus
à présent cette insensibilité attachée à l'enfance.

Depuis, il n'y a plus de bouvier à Blessac. Des
chiens, oui. Mais un peu idiots, qui ne savent
qu'aboyer ou sauter après les visiteurs. Incapables de
deviner les intentions du fermier au moment de rentrer ses bêtes, de développer des manœuvres d'encerclement, de punir les vaches rétives pour
impressionner le reste du troupeau. Des chiens imbéciles parce qu'aucun chien plus âgé ne leur a enseigné
ce travail. Et aujourd'hui, en voyant Barthélémy

courir en gesticulant avec une maladresse qui lui arrache un sourire, Elma pense à cette rupture des générations. Ce coup de ciseau dans une histoire millénaire. La disparition de quelque chose de dérisoire et qui accompagnait pourtant l'humanité depuis la nuit des temps.

Les hommes sont partis vers les étables. Elma monte les escaliers qui accèdent au grenier. Sur le palier, elle ouvre la porte de chêne derrière laquelle bat une pénombre glacée et sombre. Jamais elle ne peut pénétrer là sans être chavirée. Les combles de Blessac sont une sorte d'église posée sur la maison. Elma retient son souffle. Des frimas se sont infiltrés et ont blanchi les poutres. Une lumière tombée des lucarnes haut perchées ménage une obscurité de temple. Les yeux d'Elma s'accoutument. Ils discernent des cartons, des caisses, des portants, des désordres qu'elle pensait avoir oubliés. Peu à peu, elle est gagnée par cette gravité qu'inspirent les lieux de transition, entre l'abri douillet des chambres et le vide du ciel, la chaleur du premier étage et un froid de plein vent.

Moins d'un quart d'heure plus tard, elle trouve un hochet de bergère dans un grand coffre où s'entasse un pêle-mêle de jouets. Pressé, écrasé contre la joue d'une poupée, sans vie. Elma s'en saisit, le cœur battant. Elle lui redonne aisément sa forme ronde et tout à coup Françoise lui apparaît. Son rire, sa liberté. Cette liberté qui assombrissait parfois le père sans qu'Elma comprenne pourquoi. Cette liberté malgré laquelle l'un et l'autre restaient ensemble, prisonniers à Blessac, pour Elma, comme les trois petits cailloux encore retenus dans la nasse de jonc.

Dès le début de l'après-midi, Elma est prête. Sur la table de la salle à manger, après quelques essais, elle a tressé deux hochets, deux petites cages en jonc bien rondes. Elle a placé dans chacun d'eux des cailloux pris dans la cour et qui grelottent lorsqu'on secoue. Elle contemple son travail et comprend la différence entre les bordures de trottoir du rocher des Bruges et ce qu'elle vient de réaliser. Ce qui est là-haut est véritablement une sculpture, une œuvre. Ces hochets ne sont que l'expression d'un savoir-faire sorti de l'oubli. Par comparaison, il demeure aux abords de la ferme d'Albert une bordure de trottoir, à demi enfoncée par le temps dans l'herbe et la terre. Rien d'autre au fond qu'un bloc de pierre taillée, témoignage d'une époque, du travail d'Albert, de son habileté. Ce qui est déjà beaucoup. Mais cela n'a rien à voir avec ce que Ben a produit. Cette idée dérange Elma. Elle heurte beaucoup de ses certitudes.

Jean est reparti avec le vétérinaire. Dans la maison vide, Elma est impatiente. Elle ne résistera pas longtemps à l'envie de se rendre à Provenchère. Son empressement est une marque de faiblesse. Elle en est consciente mais cela ne change rien. Elle pourrait encore se dire, je n'ai rien promis, je suis libre. S'il veut des hochets de bergère, il n'a qu'à se les fabriquer.

Elle endosse son loden, enfile ses bottes, met des gants. Griffonne sur un papier *Je reviens, Elma*. Avec trois croix sous le prénom. Une habitude ancienne. Elle sait que Jean aime la lire, que cela participe à la séduction qu'elle exerce sur lui.

Lorsqu'elle franchit les clôtures, entre les chênes têtards qui séparent Blessac des prés du château, une bruine s'abat sur la campagne. Elma relève sa

capuche. Le temps est au redoux. L'espoir de renouer
avec les beaux jours se glisse dans les corps et les
esprits.

Provenchère est là-bas, noyé dans la pluie fine. C'est
la première fois qu'elle se rend au château depuis des
années. Il était arrivé aux anciens propriétaires de
l'inviter pour une collation. Elma traînait les pieds.
Son père la pressait d'accepter.

De près, les murailles lui paraissent plus impression-
nantes. En particulier, les deux tours carrées qui possèdent la puissance des fortifications des premiers
temps. La Chevrolet blanche est stationnée sur la
pelouse devant l'entrée principale. La présence des
statues ajoute à l'insolite. Là-bas, contre le mur de
façade, une Mobylette tient en équilibre sur sa
béquille. Denise est là. Cette idée est désagréable à
Elma.

La porte est entrouverte. Dans la pénombre, Elma
découvre la pierre de seuil du grand escalier qui
menait, dans son souvenir, à un vaste premier étage
servant de grenier à blé. En travers de cette marche,
un fil noir.

— Qu'est-ce que vous voulez ?
C'est Denise, ceinte d'un tablier rose, un torchon à
la main.
— Bonjour, Denise. Je suis venue voir...
Elma s'interrompt. D'abord un sentiment de honte
à se retrouver ici, devant Denise. Elle ne sait pas pourquoi. Ou plutôt, si. Aucune femme ne peut se rendre
à Provenchère sans admettre être tentée par une rencontre avec le diable. Mais surtout, sa phrase s'est
interrompue net parce qu'elle ne connaît pas le nom

de l'hôte de Provenchère. Elle ne peut tout de même pas dire l'homme en noir.

Denise se tait. Attend. Avec cette science innée qui permet avec simplicité d'embarrasser énormément. Elma se reprend.

— Est-ce que ton patron est là ?

Elle n'a trouvé que cela. Le mot est blessant. Il y a quelque chose de déplacé, d'inapproprié, dans l'expression qui lui est venue à l'esprit.

— M. Forester ? reprend Denise en remontant ses lunettes d'un geste du majeur appliqué entre les deux verres.

— Oui. M. Forester, répète Elma, qui fait un effort pour mémoriser le nom tant est grande son émotion.

Denise tend le cou vers les communs, à l'autre bout de la pelouse.

— Il travaille là-bas...

Elma est soulagée. Denise jette un coup d'œil dans le sac en plastique où Elma a placé les deux hochets. Du bout des doigts, Elma en resserre l'ouverture.

— Merci, Denise.

Elle recule pour se diriger vers les anciennes écuries.

— Il est interdit de le déranger lorsqu'il travaille ! Formellement.

Elma s'immobilise entre deux statues. « Formellement » l'a figée. Dans la bouche de Denise, ce mot prend une gravité qui dépasse son sens usuel. Elma n'imaginait pas que formellement appartenait à son vocabulaire. La bruine fait luire la pierre de l'une des statues comme une peau ondée de sueur. Elle ne sait plus quoi faire, quoi répondre. Denise est plantée sur le seuil comme une tache rose incrustée dans la pénombre du vestibule. Son regard de myope fixe Elma.

Elle n'a jamais eu de rapports conflictuels avec Denise. En tant qu'élue, Elma a toujours veillé à ce que sa famille bénéficie des aides que justifie sa situation. Un père violent et tyrannique, une mère terrorisée. Et cette rumeur ancienne, jamais vérifiée, d'abus sur la gamine... Il avait même été envisagé, avant qu'elle ne trouve cet emploi à Provenchère, de l'employer à la cantine.

Elma hésite. Elle pose la main sur la femme d'Albert Aebly. Elle se sent ridicule, prise en défaut. La colère l'envahit. Elle se redresse et, d'un pas de randonneur, file droit vers les communs. Son attitude est ridicule, mais elle n'aurait pas supporté d'entendre quelque remarque que ce soit venant de cette gamine attardée qui porte les lunettes de Polnareff et les chaussures de Peggy la Cochonne. Au passage, elle pense qu'il faut être sacrément pervers pour habiller ainsi une pauvre fille.

Le silence de Denise la suit, se colle dans son dos, s'incruste en elle. Elma n'est pas fière de forcer ainsi son destin sous les yeux d'un être dont elle n'aurait jamais cru que le jugement pourrait un jour lui importer.

Derrière la grande porte entrouverte, elle entend les coups. Une odeur de copeaux, de bois sec, cet arôme si particulier et si doux du tilleul. D'un geste vif, Elma repousse sa capuche et s'avance.

Il est là, tournant autour d'une poutre. Un maillet, un ciseau à bois dans les mains. Un air à ne s'intéresser à rien d'autre qu'à cette grosse masse de bois. Elma fait un pas. Il ne l'a pas entendue. De profil, le visage de Ben possède la concentration qui avait fasciné Elma au pied du rocher des Bruges. Elle attend. N'en pouvant plus de son invisibilité, elle tousse. Histoire de se signaler, de dire j'existe, il faut vous intéresser à moi, je vous apporte ce que vous m'avez demandé, souvenez-vous... Il n'écoute pas. Cela dure. Alors, Elma dit je suis là. D'une voix enrouée. Elle répète Je suis là. Il se retourne et jette sur elle un regard dur.

— Je vous ai apporté des hochets de bergère. Deux.

Elma lève le bras, tend sa poche en plastique comme si cette pauvre chose pouvait la protéger. Elle fait mine d'en montrer le contenu.

— Pose ça là, sur l'établi.

Malgré sa déception, sa colère, elle obéit. Il donne quelques coups de ciseau dans l'éventration qu'il fait subir à la poutre. Se tourne vers elle.

— Suis-moi.

*

Estelle quitte la départementale et s'engage sur le chemin étroit. Elle est tendue. Et cet espoir plein d'ambiguïté de n'être pas la seule conviée ce soir à Provenchère. Se fondre aux invités, rester sur la défensive, voir sans être vue. Repartir indemne.

Elle rêve.

Provenchère, qu'elle n'a jamais observé que de loin, lui apparaît soudain. Sa voiture franchit le portail et se gare contre la Chevrolet, en position de départ. Parce qu'elle a besoin de se rassurer, Estelle se souvient que ce n'est pas sous un jour grossier que Ben Forester lui est apparu. Il s'est même comporté avec tact. À bien y réfléchir, essaie-t-elle de se convaincre, l'artiste qui a réalisé l'arche de cristal ne peut être que d'une grande délicatesse.

Pourtant, pas un seul instant elle ne peut croire que Ben Forester est un homme d'un commerce facile. Sa notoriété, tout d'abord, est inquiétante. Estelle s'est informée sur son œuvre. Elle y a employé toute son attention comme si elle révisait un examen. Sous les formules convenues, les commentaires et les notices biographiques, l'odeur du soufre. Si l'artiste s'est accommodé au fil du temps des circuits commerciaux, des galeristes et des musées, ses premières performances ont été marquées par une véhémence qui n'échappa à personne. Les spécialistes s'accordent à dire que le land art à ses débuts, période à laquelle Ben Forester prit une si grande part, fut profondément machiste.

Estelle descend de voiture. Elle porte une jupe noire qu'elle juge trop courte à présent qu'elle a compris être la seule invitée. Un corsage de soie blanche, sous un manteau sombre. Des escarpins italiens qu'elle n'a jamais eu l'occasion de mettre ici. Un maquillage discret. Elle s'est voulue stricte. Elle se penche et prend sur le siège arrière un dossier, le serre contre elle comme un bouclier. Un talisman de format A 4.

Elle approche de l'entrée lorsque Ben apparaît. Elle reconnaît à peine l'homme défait qui avait frappé à la porte de sa classe. Un costume noir, un col roulé gris, Ben Forester avance vers elle de sa démarche souple. À cet instant, Estelle songe violemment à Éric envers qui elle se sent toujours engagée. Sa présence à Provenchère est le début d'une trahison. Avant qu'elle ne se retrouve là, loin de Bordeaux, ils étaient si bien ensemble. Leurs amis en convenaient, Éric et Estelle, quel beau couple. Éric, qui gagne bien sa vie dans un cabinet fiduciaire, l'avait suppliée de ne pas partir. Cela ne vaut pas la peine de nous séparer pour un métier que tu pourrais exercer en ville, dans l'enseignement privé par exemple. Tu n'as pas besoin de travailler. Elle s'était braquée, convaincue que de cette décision dépendrait sa dignité dans leur relation future.

Ben est à quelques pas, face à elle. Estelle a brusquement l'impression qu'elle n'arrive pas à un bon moment. Cela ne dure pas et très vite il se compose un sourire.

— Vous êtes venue...

Comme s'il avait jamais douté.

Estelle penche la tête avec raideur, le dossier serré contre la poitrine, comme une étudiante sur ses gardes.

— Je vous en prie.

Il s'efface. Elle avance dans le vestibule. À droite elle entrevoit la cuisine au fond de laquelle s'agite une silhouette rose. À gauche, un salon XVIIIe prolongé par une salle à manger. Un grand désordre laisse suggérer que les deux pièces servent de débarras.

— Venez, nous allons passer au salon...

Estelle pénètre dans la grande salle lambrissée. Elle aperçoit le fil noir tendu sur la marche palière de l'escalier central. Immédiatement, la tentation de franchir cette ligne interdite. Quoi qu'il lui en coûte. Justement. En raison même de ce qu'il peut lui en coûter.

À peine est-elle installée dans une bergère que Ben s'absente. Estelle attend. Elle se raccroche à des règles simples de civilité car rien ne se présente comme elle l'avait imaginé. Qu'avait-elle imaginé, d'ailleurs ? Elle entend des chuchotements dans la cuisine, la voix de Ben qui paraît s'impatienter. Au bout de quelques minutes, son hôte revient lui expliquer qu'il doit reconduire Denise chez elle pour des raisons liées à l'éclairage défectueux de son vélomoteur. Estelle se lève, propose de raccompagner Denise. Ben n'écoute pas. Excédé, il a déjà tourné les talons. Il maugrée à l'encontre de Denise qui ronchonne, il s'en voudrait de la savoir sur la route, de nuit, sans lumière. Il serait bien temps qu'elle passe son permis. Il ne sera pas toujours là pour lui dire ce qui est bien pour elle. Estelle est abasourdie par l'écho de cette dispute domestique. Elle se tait.

Sur le seuil du salon, Ben s'écrie :

— Attendez-moi là ! J'en ai pour vingt minutes tout au plus.

Des pas dans le vestibule, la voix de Denise qui proteste sourdement et la Chevrolet qui démarre.

Voici Estelle seule. Une pendule sonne vingt et une heures. La jeune femme regarde sa montre. Une heure d'écart. Elle se lève, fait quelques pas dans le salon. Du linge à repasser est posé sur un guéridon. Des chemises sèchent sur des cintres accrochés aux appliques de bronze. Un aspirateur est abandonné entre les pieds d'une méridienne. Derrière un quart de queue couvert de poussière, des cartons de vin, de whisky et de champagne sont empilés dans un angle de la pièce. Estelle ressort, s'approche de l'entrée de la cuisine, aperçoit un tablier rose suspendu à la porte d'un placard. Elle revient dans le grand vestibule et se plante devant le fil noir tendu au travers de la marche.

Comment a-t-elle eu la témérité d'enjamber le fil ? Où a-t-elle trouvé l'inconscience d'agir ainsi ? L'inconvenance. La voilà dans l'escalier. À ce moment, elle pense ne jeter qu'un coup d'œil et vite redescendre. La curiosité l'a emporté, certes, mais elle ne poussera pas l'indiscrétion au-delà les limites de l'acceptable. Elle dira qu'elle cherchait la salle de bains. Elle n'aura pas à se justifier car elle va vite retourner s'asseoir sur la bergère du salon, comme une poupée de porcelaine, bien avant d'entendre la voiture. Lui ne lira rien sur son visage. Il sera surpris de la retrouver si sage. Et ils en resteront là. C'est ce qu'elle se dit en cet instant. Son cœur bat à se rompre.

Si ce n'était le dossier qu'elle serre toujours contre sa poitrine, elle aurait le sentiment d'être en danger. Davantage proie guidée vers sa perte que visiteur indiscret.

Depuis le palier, il est impossible d'embrasser d'un regard l'immense pièce labyrinthique. Estelle se retourne vers les marches, guette le bruit d'un pas. Et si quelqu'un d'autre que Ben vivait à Provenchère ? N'entendant rien, elle avance entre des coffres qu'elle suppose contenir des toiles. Des étiquettes indiquent des adresses aux États-Unis, en Espagne, à Londres... Elle poursuit, tiraillée entre le désir de redescendre au rez-de-chaussée et de poursuivre. Des ordinateurs en veille sur un bureau attirent son attention. La tentation d'effleurer les claviers pour faire apparaître les images sur lesquelles Ben Forester travaille. Elle cède. Des cartes, des photographies apparaissent.

Estelle recule vivement. Des poutres à l'étage ont craqué. Si elle laisse filer son imagination, elle peut se

convaincre que quelqu'un marche sur le plancher au-
dessus. Elle retient son souffle. Le sang cogne à ses
tempes. Elle a honte d'agir ainsi. C'est si peu conforme
à sa personnalité. Si contradictoire. Si agréable.
Les bruits cessent. Estelle se dirige vers une grande
toile abstraite placée sur un chevalet. Des pots, des
pinceaux, la palette de Ben, tout est là. Sur les murs,
des tableaux. D'autres encore, simplement posés sur
le plancher. Estelle approche, décrypte les signatures,
en reconnaît quelques-unes. Elle fait demi-tour. Dans
un angle de rayonnages remplis de revues et de livres,
se dissimule un lit de camp. Estelle juge cette couche
bien dérisoire au regard de la taille de Ben.

Un bruissement d'ailes. Elle en est certaine. Non
qu'elle se fasse une idée très précise du froissement
des plumes les unes contre les autres, mais cette idée
s'est imposée. Juste dans son dos. Un souffle léger
tombé du ciel, porté par le vent. Là, tout près. Sa
nuque frissonne. Elle n'a rien entendu venir et pourtant quelque chose se trouve derrière elle. Elle ferme
les yeux. Elle n'a pas vraiment peur de ce qui va se
produire. En fait, elle le sait.
Estelle se retourne lentement. Dans la pénombre,
une grande silhouette noire l'observe. Tellement plus
grande qu'elle et d'une immobilité intense. C'est cela
qui la frappe d'abord, la fixité de cette statue, comme
si plus rien d'autre ne vivait en cette masse qui la
contemple. Un regard troue l'ombre, posé sur elle.
Estelle est prise. Elle lève le menton, avec un air de
défi dérisoire et séduisant.
Elle n'attend pas de rémission, pas de pitié. Elle ne
protestera pas, elle n'en a aucun désir. Elle a rejoué
l'histoire de la dernière épouse de Barbe-Bleue, et

n'ignore pas comment elle s'achève. Une onde de chaleur franchit ses vêtements, atteint sa peau. Ben avance, elle ne recule pas. À peine si ses épaules et ses reins se cambrent imperceptiblement, si sa nuque se tend. Deux grands bras l'enserrent au point qu'elle disparaît sous leurs ailes déployées. Estelle s'immerge à l'intérieur de ce grand corps d'homme qui l'accueille entièrement. Les deux silhouettes glissent sur la couche minuscule. Les mots sont si loin, Estelle en a perdu la mémoire. Elle ferme les yeux. Elle est là où secrètement elle désirait être depuis le début, depuis que cet homme a franchi le seuil de sa classe.

Sur le lit minuscule, les mains de Ben sculptent des émotions qu'elle ne connaissait pas. Et Ben Forester s'enfonce en elle jusqu'à ce que leurs pensées se rejoignent comme un cri en plein ciel.

Estelle ouvre les yeux. À l'aube, Ben s'est absenté sans qu'elle en ait conscience. Envolé. Elle est seule, abandonnée pour la seconde fois depuis qu'elle a franchi le seuil de Provenchère. La jeune femme remonte la couverture rêche qui sert de couvre-lit. Une torpeur anéantit langoureusement son corps, dénoue les fibres de ses cuisses, de ses bras, de son ventre. Apaise son esprit. Elle n'est pourtant pas une fille qui s'offre au premier venu. Elle ne l'a jamais été. Même Éric a dû attendre. Une phrase de Gabriel García Márquez, « Le sexe c'est la consolation quand l'amour ne suffit pas », lui revient en mémoire. Elle pense que la dignité n'est pas étrangère aux questions de l'amour. Ou plutôt, elle le pensait avant ce soir. Avant de se jeter dans les bras de Ben Forester. Car il lui faut bien admettre son intrépidité. Elle sourit. Étreindre Ben Forester, c'est comme serrer dans ses bras un tronc immense, rugueux et d'une force qui prend racine dans le cosmos.

Elle se lève. Au pied du lit, sous ses vêtements pêle-mêle, le dossier qui ne l'a guère protégée. Elle enfile son manteau à même la peau. Elle voudrait retrouver Ben, savoir dans quelles dispositions d'esprit il est à présent. S'il va la chasser, la garder encore un peu auprès de lui. Elle ne se fait aucune illusion. Rien ne la distingue de toutes celles qu'il a connues. Qu'a-t-elle de plus ? La jeunesse, la fraîcheur. Ce n'est pas cela qui compte vraiment avec un homme tel que Ben. Quoi donc alors ?

Face à la fenêtre, il est tourné vers la tourbière. Elle le connaît si peu et cependant elle devine que cet homme occupe l'essentiel de son attention à regarder l'invisible. Elle se plaque contre son dos. Il ne bouge pas. Et puis, Ben l'attire contre lui. Estelle pose la tempe contre sa poitrine. Elle écoute le cœur, pense à toutes les batailles auxquelles ce cœur a participé, à tous les combats dont il a triomphé pour survivre dans le corps d'un tel homme. Une main passe dans ses cheveux, presse son visage, saisit sa nuque. Estelle ferme les yeux. Elle ne sait pas si elle est heureuse et elle est prête à admettre que la question n'a pas de sens.

Les pans du manteau d'Estelle s'entrouvrent. Ils sont loin tous les autres qui ont précédé cet homme.

— Tu sens la maîtresse d'école.

Elle ferme les yeux.

— Ça sent quoi, une maîtresse d'école ?

— Pour moi, c'est sucré, une odeur de craie, de lait. Quelque chose de très doux qui n'est pas exactement la vie mais qui donne l'illusion que vivre sera intéressant.

6.

Ils montent côte à côte en direction de la ferme-d'en-haut. Barthélémy a juste le temps de se plaquer contre un mur. Tout de suite, il imagine qu'elle vient demander du secours. Non pas pour elle. Et c'est absurde, car il la sait si souffrante, si proche de l'abîme. Mais pour Jean. Oui, Barthélémy pense à Jean en ce court instant qui échappe à la raison et à l'analyse.

Dans l'entrée de la vieille soue à cochon, il attend, le souffle retenu, qu'ils passent à hauteur de la cour. Il n'aime pas les voir ensemble. Il ne comprend pas ce qui la pousse vers lui. Cela lui fait mal.

Et brusquement, une vision fugace à laquelle il ne peut donner un sens. Venue de très profond en lui. Pourtant, il devine que ses yeux ont vu une partie de la vérité. S'il se montre tenace, la prise remontera en surface de sa conscience. Alors, il comprendra.

Il sort sur le seuil de l'écurie. L'odeur de suie et de saleté, cette odeur rance attachée à la marmite dans laquelle cuisait la soupe des porcs et qui imprègne toujours les murs, il ne la perçoit pas. Il est concentré. Il va les suivre, naturellement. Il ne voudrait pas qu'il arrive malheur à Elma. Un sortilège l'attire vers cet homme, de ce genre d'enchantement que les femmes ressentent si fort et auquel elles ne savent pas résister. Sinon, comment expliquer les nuits passées à le regarder tailler les rochers des Bruges ? Barthélémy sait, il les a vus.

Barthélémy craint pour le couple d'Elma. C'est si commun, les divorces à la première épreuve, pour une passade. Barthélémy hait ce genre de désordre. Il l'aime tant, la petite Elma. Pour lui, qui a connu sa mère, c'est comme si Françoise vivait encore. Françoise réincarnée.

Subitement, l'idée qui s'était constituée au fond de lui crève la surface. Cet homme et cette femme qui montent au long du chemin conduisant à la ferme d'Albert, pressés comme par le désir, c'est à un autre couple qu'ils lui font songer. Un couple de deux adolescents dans les années 1950. Françoise à la place d'Elma. Et Benjamin à la place du type.

C'était il y a un demi-siècle.

Barthélémy est interloqué. Cette pensée change tout. Certes, elle a toutes les raisons d'être fausse. Il l'espère. Elle supposerait que Benjamin, son ami d'enfance, réapparaisse, réincarné en propriétaire de Provenchère. Et se taise, ne vienne pas le voir, ne lui serre pas la main, ne le prenne pas dans ses bras. Fasse semblant d'être un autre. Pire. Que lui, Barthélémy, ne le reconnaisse pas.

Des images de l'enfance lui reviennent par vagues, avec l'imprécision des souvenirs qui à force d'avoir été sollicités se sont usés et ne laissent plus apparaître que des ombres et des taches de couleur sur un fond gris. Benjamin... Le seul ami de Barthélémy jusqu'à son départ en sixième pour le lycée. Son unique compagnon de jeu. Leur complicité, mêlée d'admiration, celle du jeune paysan pour le fils de ses instituteurs, qui illumine sa triste enfance. Dès que Benjamin avait fini ses devoirs et que ses parents l'autorisaient à battre la campagne, ils étaient inséparables. Pour la première fois de sa vie, Barthélémy s'était senti choisi, respecté.

Grâce à Benjamin, il avait entrevu une manière de penser, d'aborder ses émotions, d'analyser les situations, qui l'avait accompagné pour toujours, le retranchant un peu plus de ceux parmi lesquels il vivait. Il avait fait peu de progrès en orthographe ou en calcul malgré l'aide de son camarade. En retour, que de leçons lui avait-il dispensées, comme un contre-don à celles reçues de ses parents. Tailler les fourches de lance-pierres, fabriquer des sifflets de sureau, déchiffrer les voies, piéger, pêcher, dénicher. Monter dans les arbres. Toujours plus haut jusqu'à devoir fermer les yeux dans le lent balancement des cimes.

Barthélémy est en vue de la ferme d'Albert. Là-haut, Elma et Ben regardent la façade. Brusquement, les deux silhouettes disparaissent à l'intérieur de la grange. L'esprit de Barthélémy tourne autour de l'idée nouvelle. Rien ne rappelle en cet homme mystérieux le compagnon de jeu qu'il a connu. Benjamin était fluet, mince, d'une nature fragile. Chaque fois qu'une maladie infantile sévissait dans la classe, il manquait l'école. Mais était-ce vraiment manquer l'école que rester couché à l'aplomb de la classe et recevoir, à la récréation, les soins de la maîtresse ? Benjamin portait des cheveux longs qui efféminaient son visage. Tout oppose ce garçonnet à l'homme de Provenchère, dominateur, sûr de lui. Sombre. D'une puissance ténébreuse dont Barthélémy a pu éprouver la force dans le café de Thérèse. En cinquante ans, change-t-on à ce point ?

Un demi-siècle. Un demi-siècle que son camarade ne lui a plus donné signe de vie. La dernière fois, c'était sur la place du village lorsqu'il remontait dans le car qui le ramenait chez ses parents après une semaine de vacances. Barthélémy avait peu profité de son compagnon. Sa déception, tant d'années après, il s'en souvient encore. La passion avait emporté Benjamin vers Françoise, abandonnant Barthélémy sur le bord du chemin. Lui assignant l'emploi de témoin d'un premier amour. Le condamnant pour toujours au rôle de celui qui est réduit à voir.

Barthélémy met un genou en terre dans le sous-bois qui longe le sentier. Il est un homme usé et chancelant. Depuis que son dentier s'est brisé, ses joues sont creusées. Jean lui a proposé de le conduire en ville, chez le dentiste. Il a refusé. Il s'en moque. Pour ce qui me reste de temps, s'est-il contenté de dire, ça suffira bien. Protégé derrière des arbres, il est à l'affût. Ses yeux bleus sont posés sur Elma et Ben qui ressortent de la masure. Une fois encore, il est exclu. La gorge nouée, il attend. Toute sa vie est une longue attente, un regard perdu. Un cri sans écho.

Il n'est de matin où Barthélémy ne songe à mettre fin à ses jours. Le fusil est prêt. Deux cartouches dans le canon. Chevrotine. Ne pas se manquer, surtout, ne pas causer d'ennui, ne dépendre de personne. Choisir l'heure du départ, au moins une fois dans sa vie. De préférence dans un bois pour ne pas mourir dans la pièce où il est né. Par respect pour sa mère.

Accéder à la dignité des bêtes.

Mais depuis que l'autre est arrivé, Barthélémy a décidé de surseoir. Quelque chose a changé. Barthélémy ne peut expliquer la nature de ce glissement et, là encore, il s'agit davantage d'une impression que d'un réseau d'idées claires avec des mots pour les exprimer.

Ce sursis ne change rien à son projet mûrement réfléchi. Il partira ainsi, il en a décidé. Il s'est entraîné. Il peut à présent placer dans sa bouche le canon dont il redoutait tant le baiser froid sur ses lèvres. Chaque fois qu'un homme seul se suicide au pays, il lit l'article dans le journal. Il s'imprègne des détails afin d'améliorer sa technique. Il s'est discrètement renseigné auprès d'un pompier volontaire. Agir enfin sans trembler. Garder la main pour le dernier coup. Tout rafler, même s'il s'agit d'une pauvre mise. Il en était si près, la nuit où Ben est arrivé. Probablement même que, sans cela, il serait passé à l'acte au petit matin. Au pays, on aurait dit c'est normal, ça ne pouvait pas finir autrement. Il était si seul.

Un temps, Barthélémy a cru que la compagnie de Jean le détournerait de son projet. Plusieurs fois, il a été sur le point de lui parler de sa peine, de sa solitude. Mais jamais les mots auxquels il pensait n'ont franchi ses lèvres. Ici, on ne se confie pas. Il aurait voulu dire Jean aide-moi, Elma et toi prenez-moi chez vous. Je vous prêterai la main à la ferme. Je ne dérangerai pas. Je dormirai dans l'atelier de Jean. J'ai besoin de parler, de me savoir utile. Le vieux, il tiendra bien tout seul là-haut, ne vous faites pas de souci pour lui. Il nous enterrera tous. Je vais flancher, Jean. Je le sens. Et puis il parlait de la pluie, du blé, de la politique agricole commune. C'était avant la mort de la petite qui, à Blessac, a tout fait passer en arrière-plan.

Barthélémy revient à la trahison de Benjamin. Il ne peut considérer autrement le silence qui a suivi les vacances de l'été 55. Il se souvient des quelques lettres écrites sur un coin de la table dans la salle commune, les seules lettres qu'il ait jamais rédigées, tellement maladroites et restées sans réponse. L'affreux mutisme en retour. Un vide est demeuré en lui, toute sa vie. Un creux. Tout ce qu'ils avaient vécu ensemble se trouvait nié. Comme si cela ne s'était jamais produit. Son enfance, effacée.

Il était prêt à tout admettre, la différence de niveau social, l'attrait de la ville, les destins qui se séparent. Tout. Sauf ce silence. Peut-être l'espoir que Benjamin, où qu'il soit, l'entraînerait dans son sillage. Lui dise évade-toi mon vieux, enfuis-toi. Le monde est si vaste. Fais comme moi. S'il avait entendu cette voix, Barthélémy pense qu'il serait parti.

Le couple a repris sa marche. Barthélémy hésite à le suivre, bouleversé par l'intuition qui le taraude. Il redescend à la ferme de sa démarche flottante que la perplexité rend plus incertaine encore. Quand il pousse la porte de la salle commune, son père est devant la cheminée éteinte. Les deux hommes n'échangent pas un mot tandis que Barthélémy fouille dans le tiroir d'une vieille commode à la recherche d'une photographie.

Lorsqu'il l'a enfin trouvée, il s'assoit, débarrasse d'un revers de manche la table maculée et pose la photo de classe devant lui. Une soixantaine de gosses en noir et blanc, devant l'ancien préau. Quatre rangées. Les tout-petits assis en tailleur à même le sol, les autres debout ou grimpés sur des bancs. Une ardoise où figure l'année, 1950, est posée sur le sol, au centre. C'était un jour de soleil, peut-être juin. De part et d'autre M. et Mme Laforêt posent avec leur sérieux naturel. Barthélémy s'attarde sur le visage de la mère de Benjamin. Il revient aux gamins, retarde le moment de se centrer sur celui qu'il cherche à démasquer. Son regard court sur certaines physionomies, va aux disparus, sept déjà. Peut-être davantage si l'on songe aux autres partis vivre loin d'ici et dont on est sans nouvelles. Il songe à ces morts avec le sentiment ambigu d'avoir survécu, de les avoir dépassés dans la seule compétition qui vaille.

Il s'arrête sur Thérèse. Elle a changé, Thérèse. Cinquante ans plus tôt, on pouvait pourtant imaginer ce qu'elle est aujourd'hui, sa tête un peu ronde, la sensualité de ses traits. Un regard à l'innocence déjà brouillée par ce qu'elle entend chaque soir dans le café de ses parents en faisant ses devoirs sur une table près du poêle. Et puis Françoise. À dix ans, les yeux comme des fusains percés d'une goutte d'émail. Françoise, à côté de Mme Laforêt. Son sarrau court qui dévoile des jambes fines et halées, l'une en appui, l'autre de profil. Déjà une grâce dans les épaules, le menton relevé, un sourire. D'où ça vient, la beauté ? se demande Barthélémy.

Ses yeux glissent vers lui, trois rangs à droite. Avec appréhension. Maigre, sombre, un air vicieux alors qu'il se souvient de sa pureté d'alors. Il ne s'aime pas, Barthélémy, il se trouve laid dans sa blouse grise. Sale. Ses cheveux en bataille, son air en dessous. On ne les distingue pas sur la photographie, mais il revoit les brodequins qu'il portait. Des godillots usés, éventrés sur les côtés. La honte attachée à tant de misère. Pas étonnant qu'aucune femme ne l'ait aimé plus tard.

Tout était inscrit là, sur cette image. Tout était dit. Aucune rémission possible. À chacun son sort, malgré toutes les gesticulations.

Et pour finir, Benjamin Laforêt. Un visage à être aimé des femmes. Des yeux clairs à guetter les nuages. Benjamin sur un banc, à hauteur de sa mère, juste derrière Françoise. Il pourrait poser les mains sur les épaules de la jeune fille, dire elle est à moi, celle-là. C'est inutile, tant est visible le lien qui unit les deux élèves de Pierre et Anne Laforêt en ces années d'après-guerre.

Brusquement Barthélémy se relève. Il veut mieux voir encore. Alors, il fouille dans des tiroirs, passe la main sur l'étagère haute où sont rangés le dictionnaire *Larousse* et quelques revues agricoles anciennes. Maugrée. Il ne trouve pas ce qu'il cherche.

— Où est la loupe ?

Il est trop excédé pour voir sourire son père, qui ne répond pas.

*

Elma et Ben s'enfoncent dans une châtaigneraie quelques centaines de mètres au-delà de la ferme d'Albert. Devant une souche sertie de rejets, Ben s'arrête.

— C'est là.

Elma cherche à comprendre. Non, ce n'est même pas ça. Elma ne pense à rien d'autre qu'à rester au côté de cet homme et à se réchauffer au feu qui le consume. Cette chaleur peut la guérir. Depuis qu'ils sont sortis des écuries où elle l'a trouvé en train de sculpter, il lui a abandonné des bribes de vérité. Elle sait qu'il n'a pas dit l'essentiel. Ce sont justement ses

silences, ses mystères qui la retiennent captive. Il
s'appelle Ben Forester. Il est peintre, sculpteur. Un
jour, elle montera dans son atelier, installé au premier
étage de Provenchère. Il a promis.

En passant devant la ferme-d'en-haut, ils ont aperçu
Barthélémy qui se cachait. Elma n'avait rien vu. C'est
Ben qui a dit Barthélémy est caché dans la porcherie.
Depuis, elle se demande comment il connaît son nom.
Mais ça n'a pas d'importance. Ce qui compte est
autre.

— Tu vois ces rejets...

Il saisit l'un d'eux et le tord.

— Ils sont souples. Flexibles.

Il la regarde. Elma ne baisse pas les yeux. Elle n'a
pas peur de Ben Forester. Elle sait qu'il ne la convoite
pas. Elle veut dire que charnellement il n'attend rien
d'elle. Mais peut-être se trompe-t-elle. Elle voit cependant que c'est un homme de désirs. Chacun de ses
mouvements, chaque regard, chaque inflexion de sa
voix pénètre l'intimité, caresse, fouille. Des centaines
de femmes ont modelé ce qu'il est à présent. On les
devine en lui. Il est entouré de leurs présences invisibles, de leurs frôlements. Il ne s'est pas fait tout seul.
Il est leur œuvre. Il leur doit tant.

Cet homme attend quelque chose d'elle, pourtant
si mal en point, si misérable. Tout d'abord, il l'a
voulue près de lui. Les bordures de trottoir au pied
du rocher des Bruges, elle n'est pas loin de croire qu'il
s'agissait d'un piège. Une manière de l'attirer, de
l'arracher à Blessac. Un rapt. Peut-être une main
tendue.

Avec lui, elle va jouer un rôle qu'elle n'a jamais
tenu pour personne, qu'on ne lui a jamais demandé
d'interpréter. Des relations entre homme et femme

elle ne connaît que quelques déclinaisons. Là, ce sera autre chose. Elle ne sait pas encore de quoi il peut s'agir. Mais la manière dont il est venu à bout de sa colère, par son simple silence et l'étrange pouvoir de ce qu'il a réalisé aux Bruges, l'a convaincue. Forester est un guérisseur.

— J'ai procédé à des études préliminaires.

Ben sort de sa poche un calepin sur lequel il a peint une sorte de corbeille obtenue par l'entrelacs des tiges de châtaignier.

— J'ai repéré les rejets qui vont nous servir.

— On va devoir les couper ?

— Certainement pas. Nous allons plier les jeunes pousses pour leur donner la forme que tu vois là. Nous les lierons en utilisant des lanières d'écorce de châtaignier. Comme faisaient les anciens.

Il désigne l'esquisse posée sur les feuilles mortes et poursuit :

— Ce sera une forme qui évoque un nid, une protection, deux mains qui se joignent en conque, un endroit où tu aurais envie de te cacher avec ton amant une fois le feuillage poussé. Un creux très doux.

Elma acquiesce.

— Il y aura une porte ?

— Il y en a toujours une. Pas forcément visible.

— Et après ?

— Le temps poursuivra notre intervention.

— Le temps ?

— Les rejets grandiront. Le tissage vivant évoluera. Nous n'y pourrons rien.

Il voit de l'étonnement dans le regard d'Elma. Alors, il ajoute :

— Rien n'est jamais achevé. Ce genre d'œuvre n'est pas comme un tableau auquel le peintre décide un jour de mettre un terme en le signant. Notre création évoluera. Le temps, les saisons, le vent... Nous ne disposons pas un objet dans le paysage. Nous fabriquons du paysage. Et là, il n'y a jamais de fin.

Elma hoche la tête. En cet instant, elle ne pense pas à Jean et au vétérinaire qui se coltinent les bêtes dans les couloirs de contention. Elle ne pense pas à Blessac. Ni même à son malheur. Pas plus qu'au grand vide qui l'habite toujours. Elle regarde l'aquarelle posée sur le sol. Et cette vannerie de jeunes châtaigniers, ronde et protectrice comme un ventre de femme.

*

Peu à peu, Elma comprend l'esprit de l'invention à laquelle Ben l'associe. En l'aidant à maintenir en place les rejets, en les courbant, en délignant des écorces qui servent de liens, en suggérant des assemblages, elle participe à la réalisation de cette chose étrange au milieu du bois. Le nid d'un animal qui n'existe pas. Non pas exactement un nid, fait de branches mortes, mais plutôt un enroulement de troncs minces et vivants qui vont devoir se construire au fil des saisons dans l'enchevêtrement de leurs pousses.

Plusieurs fois, elle a trouvé une solution à des courbures, à des emmêlements compliqués qui ne fonctionnaient pas tels qu'il les avait initialement conçus. Elle l'a même jugé alors désemparé pour résoudre certains problèmes pratiques. Cela lui a fait plaisir de le voir ainsi. Il a admis ses conseils le plus simplement du monde. Sans lui, rien de tout cela n'aurait de sens. Il reste l'inventeur. Il est facile de s'entendre avec Ben

Forester, songe Elma. Si on accepte de lui abandonner l'essentiel.

Jusqu'à ce jour, elle pensait que des choix étaient toujours possibles à chaque étape de la réalisation d'une œuvre. Elle le lui a dit, spontanément :

— À partir de ce nœud, on peut faire comme cela ou comme cela. C'est à vous de choisir.

Il s'est arrêté et l'a regardée bizarrement. Il lui a répondu avec une pointe d'exaspération. Comme un type fatigué qui veut transmettre quelque chose d'important mais attention il ne le répétera plus. Elle a compris que là où il désire aller, et peut-être l'entraîner, c'est justement en ce point où les décisions personnelles ne sont plus possibles.

— Je me situe là où il n'y a plus de choix. Là où l'on obéit à la seule nécessité. Suivre la logique d'un système pensé au départ avec assez de cohérence pour qu'à partir d'un certain moment il n'y ait plus aucune alternative possible. Atteindre ce point où je ne décide plus.

Plus tard, il ajoute :

— Obéir.

Elle s'est tue. Cet homme est plein de contradictions. Elle aime cette idée. Ils sont restés longtemps silencieux. D'ailleurs, ils ne parlent pratiquement pas.

C'est la fin de l'après-midi. Après la période des grands froids, le redoux cingle la nature. Un frémissement annonce des jours meilleurs. Les mains sur les reins, Elma se redresse. Elle ne s'était pas rendu compte de sa lassitude. Il va être cinq heures, Ben est reparti un peu plus tôt à Provenchère, sans explications. Jean est sans nouvelles d'elle depuis ce matin.

Pour la première fois depuis longtemps, une journée s'est écoulée dans une forme de légèreté.

Elma songe intensément à Blessac. Que fait-elle ici ? Sa place est là-bas. Elle pense à Jean. Le souvenir d'un désir ancien la traverse. Elle croit le reconnaître dans cette vibration de la chair, du ventre qui se noue. Le simple contact de ses doigts sur sa tempe pour remonter une mèche l'a troublée. Elle aimerait se frotter contre lui, le serrer dans ses bras. Pourtant, elle ne veut pas encore y croire. Elle aurait honte d'être heureuse.

Elma jette un regard autour d'elle, dans ce bosquet où elle est passée si souvent à la recherche de champignons, avec sa mère. Ici, tout est bouleversé. La même impression qu'aux rochers des Bruges. À présent, le lieu flotte, incertain, disponible. Prêt à une réinvention. Fouiller dans sa mémoire pour lui trouver une assignation ne sert à rien. Cette chose au milieu des arbres perturbe et contraint à observer réellement ce qu'on a sous les yeux. Pour l'apprivoiser de nouveau et s'en emparer.

Vue du sentier, l'esquisse de la corbeille, au milieu du jaillissement des troncs de châtaigniers, prend un caractère encore plus étrange, provoque un malaise. Sa présence, Elma pense que le mot existence conviendrait mieux, est si compliquée et si simple. Si visible et si discrète. Ben Forester a-t-il voulu signifier que ce nid symbolique avait à voir avec son histoire ? Sa mémoire à elle ? Elma ne discerne pas en quoi. Bien qu'à présent elle soit sur ses gardes. Du coup, la réalité lui paraît moins stable, les parois du monde moins dures, plus indéfinies. Ce qui était mort, minéral et vide s'anime peu à peu.

Dans la descente, des senteurs âcres lui parviennent des talus couverts de bruyère et de thym. Là-bas, les ardoises des toitures de la ferme-d'en-haut brillent d'une clarté de fer-blanc. Elma est soudain pressée de rentrer à Blessac. Elle a hâte de retrouver Jean. En passant devant la cour, elle aperçoit Barthélémy qui sort du bûcher, une brassée de bois sec dans les bras, son fusil à l'épaule. Elle lui fait signe, hésite, va à sa rencontre.

Ils détournent leurs regards. Comment vas-tu ? demande Elma. Il va bien. Gênés, ils ne trouvent rien à dire. Elle sait qu'il a tout vu. Rien n'échappe à Barthélémy. Il suffit de l'admettre et tout se simplifie. Finalement, le vieux célibataire s'inquiète de Jean. Elma entend parfaitement le reproche à peine voilé. Elle répond. N'importe quoi. Ce n'est pas grave. C'est ce qu'elle partage avec l'autre qui est grave.

Elle n'a rien à faire avec Ben Forester. Cet homme est un sorcier. Qu'il s'agisse d'un inconnu tombé du ciel dans sa voiture américaine ou de Benjamin Laforêt, dans les deux cas Barthélémy réprouve les heures qu'elle passe avec lui. À quoi rime cette forme ronde tissée avec des rejets de châtaigniers ? Cela n'a pas de sens. Jamais les anciens n'auraient accepté que l'on souille ainsi la forêt avec des choses inutiles et dangereuses. C'est contraire à une mémoire millénaire. C'est un déshéritage. Il n'a pas trouvé d'autre mot, Barthélémy. Mais déshéritage correspond bien à l'idée qui est la sienne, peut-être parce qu'il songe au détricotage d'une grosse pelote d'usages et de savoirs ancestraux. Il ne dira rien. En cet instant, il a de la peine pour Jean. Il est frappé de constater à quel point Elma paraît innocente, limpide. Apaisée.

— On dit que ça a été vendu, là-haut, lâche-t-il.

Il faut être Elma pour comprendre qu'il parle de la propriété d'Albert. Elle n'a pas l'intention de dire ce qu'elle sait, que Ben est le propriétaire des quelques hectares qui composaient la petite ferme et qui comptaient le bois de châtaigniers. Barthélémy l'épie. Il n'a pas son pareil pour deviner les secrets sur un visage muré. Sa petite Elma chérie lui dissimule la vérité. Cela l'attriste. Il mesure l'influence négative de Ben Forester.

Les yeux d'Elma se posent sur le canon du fusil. Elle sait que Barthélémy tire les rapaces. C'est interdit, les espèces sont protégées, il s'en moque. Elma a déjà essayé de le lui faire comprendre. Elle y a renoncé.

Lorsqu'elle pousse la porte de Blessac, la maison est plongée dans l'obscurité.

— Jean ! Tu es là ? Je suis revenue...

Personne. Elma jette un regard dans la cuisine. Passe dans sa chambre, monte à l'étage. Cela fait longtemps qu'elle n'est pas allée au premier. L'autre jour, pour accéder au grenier, elle est passée très vite sur le palier, retenant son souffle, sans un regard pour le couloir où les portes des chambres se font vis-à-vis. Elle appelle.

— Jean !

Le nom résonne dans la grande maison. Personne. Elma n'ose pas s'aventurer plus loin, contrainte qu'elle serait de passer devant la porte close de la chambre rose. Elle redescend dans la grande salle commune. La cheminée est éteinte. Confusément, Elma ressent un désordre. Quelque chose a changé. Elle pose la main sur un radiateur. De très loin lui parvient la rumeur de la chaudière. Elle songe à regarder la patère. La grosse veste de Jean n'est pas accrochée. Il est certainement encore dans les étables, bien qu'elle n'ait pas vu de lumière en arrivant. Ce ne peut-être que ça. Comment a-t-elle pu croire autre chose ?

Elle ressort. Elle a froid. Et faim. Les jeunes veaux traités par le vétérinaire ont été regroupés dans leurs boxes. Une vingtaine de têtes interrogatives se tournent vers elle. Elma remarque les étiquettes qui brillent à leurs oreilles. Les bêtes se reculent au fond de l'enclos, se tassent contre les barrières. Apeurées. Elma fait quelques pas en retrait.

— Jean !

Personne. Blessac est vide. Plus vide encore qu'elle ne pensait que cela fût possible.

Elma s'avance. Les lampes halogènes à détecteur infrarouge, qui quadrillent l'espace depuis le sycomore jusqu'aux bâtiments de stabulations, se déclenchent. Les faisceaux blancs découpent la nuit. À l'intersection des projecteurs, aux pieds d'Elma, convergent des ombres en étoiles. Les façades grises des bâtiments dressent leurs murailles. Les chiens vont et viennent derrière leurs enclos grillagés.

— Jean, murmure-t-elle avant de s'élancer vers le hangar où sont stationnées les voitures.

Il n'en manque aucune. Étourdie, Elma s'appuie contre la 2 CV. Un moment, elle a cru qu'il était parti, comme ça, sans un mot. Sans rien prendre, elle le connaît. C'est ainsi qu'il est arrivé à Blessac. Dépossédé. C'est elle qui lui a acheté ses sous-vêtements, ses chaussettes, un pantalon. Elle se souvient de sa gêne à être habillé de pied en cap. Il n'avait plus rien, Jean. Elle n'aurait pas supporté de le présenter en guenilles à ses parents. Elma ferme les yeux. Ce sauvetage portait en lui une blessure qu'elle n'avait pas imaginée. Que sait-elle de l'orgueil des hommes ?

Les lampes se sont éteintes. Elma reste immobile au milieu de la nuit profonde. Ses pensées s'égarent de nouveau vers Provenchère. Elle songe à ses deux hochets de bergère abandonnés là-bas, sur l'établi près de la sculpture de la poutre. À tout le chemin accompli aujourd'hui, loin de son chagrin, sur des voies qu'elle n'imaginait jamais emprunter. Et l'image de Ben lui revient sans qu'elle sache où naît cette impression de familiarité.

Elle distingue alors un peu de lumière, là-bas, dans l'atelier que Jean s'est aménagé dans les anciennes écuries. Elle s'élance, traverse la cour, arrive devant la porte. Elle va pour l'ouvrir lorsqu'une hésitation la retient.

Elle frappe contre le vieux chêne. Trois coups retenus, sans réponse. Elle entre.

Il est là, assis au pied de son établi, tournant le dos à l'éclairage indirect d'une lampe à l'abat-jour dirigé contre le mur chaulé. Au milieu de ses outils, dans ce lieu qu'il s'est aménagé sans qu'elle ait jamais eu la curiosité d'y venir. Le seul endroit peut-être de Blessac où la présence d'Elma n'est pas évidente, où sa marque n'est pas visible. Il est face à un vieux poêle à bois installé récemment. Elma est intimidée. Elle referme la porte sur le froid et avance. Jean n'a pas tourné la tête, les yeux posés sur les flammes derrière la petite fenêtre de mica qui perce la façade du mirus. C'est un homme inaccessible, retranché, le corps pesant en avant sur les coudes qui reposent sur les cuisses. Un homme qui ne ressemble pas tout à fait à Jean. Elle le découvre comme si elle n'avait jamais vu de lui que l'idée qu'elle s'en était faite, une fois pour toutes. Un homme frappé d'impuissance depuis que sa femme se détourne et cherche son salut auprès d'un autre.

Elma hésite. Elle serait incapable de le frôler. Derrière, dans l'ombre de la machine à bois, le petit lit-cage aperçu l'autre jour au grenier. Il a dû le descendre aujourd'hui et l'installer pendant son absence. Sur une vieille chaise, un poste de radio. Une montre.

Toute la force qu'elle croyait avoir accumulée au contact de Ben soudain se liquéfie.

Elma s'agenouille sur le ciment nu, devant le poêle, aux pieds de Jean. Elle aussi se met à contempler les flammes. Elle retombe très loin en arrière, comme si elle chutait d'une falaise, à la renverse, les bras battant l'air. Aura-t-elle le temps d'apprendre à voler ? Et le bloc de glace qui occupait son ventre, ce froid venu du plus profond de sa réalité de femme, de nouveau la paralyse.

Ils se taisent. Jean ne l'a pas regardée. Ne pas croiser son regard est une façon de la nier qui la bouleverse. Ils sont là, tous les deux, engloutis sous le chagrin, incapables de dire, trop anéantis pour avoir la force de se déchirer. Une fois de plus, les mots se dérobent. En cet instant, tous deux détesteraient user de phrases. Leurs émotions se refusent à supporter des règles d'accord. Aucun sujet-verbe-complément ne peut exprimer ce qui les mutile, les estropie, les démembre. Les fait douter d'eux-mêmes, de leur réalité. Les gestes, au moins, obéissent à des grammaires plus insaisissables. Mais ils n'ont plus la force de les accomplir. La certitude, comme si cela ne suffisait pas, que ces instants les marqueront pour toujours. Nouvelles balafres sur leurs vieilles blessures.

Elma ose. C'est dans sa culture, oser, prendre l'initiative. Elle pose la main sur le genou de Jean. Consciente de s'agripper tout autant que de retenir.

C'est un premier geste tant ils sont loin, oubliés, les autres. Une première intention d'un ordre indéterminé, aux limites de la fraternité. Sa main, comme une aile légère sur la toile du pantalon. Sous le tissu elle sent des muscles durs. Ses doigts sont morts, la paume n'irradie pas de chaleur intime. Ses phalanges sont des osselets. Le poignet est long et frêle. Cela ressemble à peine à une main. Elma attend. Elle pourrait attendre ainsi toute la nuit, sans bouger.

Elle est abîmée dans la vue des flammes qui lèchent la fenêtre du poêle. Elle s'efforce de ne pas lever le visage vers Jean. Donner l'impression qu'elle le supplie serait déloyal. À lui de décider.

Elle est désemparée. Avant de rencontrer Jean, elle se faisait une autre idée des hommes. Jean n'exprime jamais les choses dans la crudité de leur vérité. Comme si dire, expliquer, c'était déjà reconnaître une forme de défaite. Parler, mais seulement en dernier recours. Elma ne l'a entendu énoncer sa pensée avec précision que dans des situations d'urgence. L'allusion est son mode préféré. Une manière de contraindre l'autre à demeurer attentif, à deviner. Au début, Elma croyait qu'il agissait ainsi par timidité. À présent, elle en doute.

— J'ai décidé de m'installer ici. Pour un temps.

En même temps qu'il a parlé, Jean a posé la main sur celle d'Elma. Le chaud et le froid. Une déchirure et son baume. *Pour un temps.* Elma n'entend que cette limite donnée à leur épreuve. Ce temps, aucun des deux n'a idée de sa durée. Ils n'en sont pas maîtres.

Leur histoire existe, mais ils n'ont plus prise sur son cours. Alors, ils sont prudents. Ce temps s'interrompra, d'une façon ou d'une autre, ouvrant sur une durée plus longue, sans bornage comme celles attachées à l'amour ou à la séparation. Elma prend conscience du « j'ai décidé » par lequel Jean a débuté sa phrase. C'est la première fois qu'elle entend Jean employer cette formule. Il a déjà utilisé le verbe décider. Mais ce n'était jamais à la première personne du singulier. Ma femme et moi, nous avons décidé... Toujours, nous. La dernière fois, c'était pour l'achat du tracteur, au cours des négociations avec le concessionnaire John Deere. Comme si Jean, depuis qu'ils vivent ensemble, avait perdu le pouvoir d'être au singulier. D'être singulier.

Elma sent seulement maintenant la main de son mari posée sur la sienne.

— J'aimerais tellement te savoir là-bas, murmure-t-elle. Près de moi.

Il secoue la tête.

— Non. Cela vaut mieux. Le temps que...

Il s'est interrompu. Décidément, le temps le préoccupe. Voilà qu'il la contraint de nouveau à imaginer. Il ne l'épargne pas. Mais là, c'est elle qui ne voit plus où il veut en venir. Alors elle questionne.

— Le temps de quoi ?

Il cherche. Il hésite. Ses pensées sont dangereuses, il les manipule avec précision. Blesser le moins profondément possible.

— Je ne sais pas. Ici, je suis bien.

Elle traduit. Ici, je suis chez moi. Cela lui fait mal. Elle est trop brutale, parfois, Elma. Lui a-t-elle jamais demandé s'il était bien à Blessac, là-bas, dans la grande maison de maître ? S'il désirait changer la disposition d'une pièce, une organisation domestique ? Repeindre la cage d'escalier, tourner leur lit de sens, percer une fenêtre, aménager les combles... Elle est déstabilisée par toutes les précautions qu'il faut prendre avec cet homme qu'elle sait pourtant courageux et droit. Elle les croyait plus simples, les hommes, moins fragiles. Plus rudimentaires. Elle découvre du même coup qu'il y a une brutalité en elle, attachée à sa jeunesse, au triomphe de sa féminité. Encouragée par l'air du temps qui gomme la singularité d'être au masculin.

Ainsi, Jean s'est éloigné d'elle. Quand cette dérive a-t-elle commencé ? Elle cherche des signes qui lui auraient échappé. Le silence, ce silence qui a gagné son mari davantage que leur couple, ce mutisme qu'elle prenait pour une manière d'être alors qu'il s'agissait peut-être du sentiment de vivre une irréalité. Bien avant la grossesse.

Et cet atelier. Elle n'a rien vu de ce qu'il voulait lui dire au travers de ses aménagements. Elle a cru qu'il s'agissait de bricolage, une affaire qui ne la concernait pas. Elle a pris cela de haut comme s'il importait à Jean simplement de disposer d'un coin à lui. Pour être tranquille. Elle a traité cela avec condescendance. Lui a-t-elle jamais demandé pourquoi il installait un poêle à bois ? À bien regarder, on se croirait ailleurs qu'à Blessac. Les outils alignés sur des planches avec leurs empreintes dessinées au feutre, les casiers à vis, les écrous méticuleusement classés. On imagine le petit atelier d'un artisan, au fond d'une venelle d'un centre-ville ancien. Mais elle, pressée, active, toujours à courir entre la mairie et la chambre d'agriculture, les travaux domestiques et ses responsabilités à la mutuelle, elle n'a rien vu venir. Elle n'a pas compris que Jean se construisait une île, là, dans les anciennes écuries. Une île avec tout ce qu'il faut pour survivre retranché du monde. Des outils, un lit, un feu. Et même de quoi se faire chauffer de l'eau sur un camping-gaz et une casserole. Avec l'espoir aussi, peut-être, d'être délivré de cette réclusion.

Alors elle dit, je comprends.

Ils se taisent. La main de Jean reste posée sur celle d'Elma. La neutralité du contact de leurs peaux est douloureuse.

— Pour Ben, ce n'est pas ce que tu penses...

La main se retire. La maladresse d'Elma a blessé Jean. Elle l'a sous-estimé. Il se redresse, se lève de sa chaise et recule jusqu'à son établi. Ce soir, ils n'iront pas plus loin. Cela leur est impossible.

— Ne t'inquiète pas pour la ferme. Je m'en occupe, dit-il, les paumes posées sur le plateau poli par l'usure de son établi de frêne.

*

Les premières lueurs du jour. Devant la fenêtre, Estelle frissonne dans les bras de Ben. Elle ne sait pas à quoi il pense. Se souvient-il seulement de son prénom ? Elle en doute. Toute la nuit, cet homme infatigable l'a aimée. Et ce matin, elle craint qu'il ne lui demande de partir.

La main de Ben caresse ses cheveux, sa nuque.

— Sais-tu qui j'attendais par la fenêtre ?

Elle secoue la tête. Ben laisse passer un temps.

— Depuis que je suis là, je guette le jour.

— L'aube ?

— Ce n'est jamais le jour espéré qui se lève.

Elle a envie de dire, même avec moi ? Elle se tait.
Le marivaudage n'est pas le bon registre avec cet
homme. Elle lève le visage. Une moue un peu lascive
et de la fatigue aussi dénouent ses lèvres.

Estelle se dégage. Elle referme les pans de son manteau. Le froid la pénètre. Brusquement, l'envie de rentrer à l'école. Se préparer. Remettre de l'ordre dans
ses idées, dans son corps.

— Hier soir tu tenais contre toi un dossier. Comme
un bouclier.

— C'est vrai.

— Je peux voir ?

Le timbre de la voix est presque dur. Estelle hésite.
Ce dossier est du genre à être consulté le soir. Elle
saisit la chemise restée au pied du lit et s'assoit.

Ben s'installe à côté d'elle. Elle ouvre les pans du
classeur avec des gestes qu'il observe attentivement. Il
aime sa fausse fragilité. Sa mère était ainsi. D'une
énergie qui démentait son allure gracile. C'est le mot
qui vient à l'esprit de Ben lorsqu'il songe à sa mère.
Gracile. Toute sa vie, il a travaillé avec des modèles
aux articulations délicates, aux chevilles au bord de
la rupture, aux genoux d'enfant.

Le classeur est ouvert sur les cuisses nues d'Estelle.
Avec Ben elle est libre. Elle sait qu'il voit, qu'il
apprécie.

— Lorsque j'ai compris que tu avais été élève dans
cette école, je me suis dit qu'il restait peut-être des
cahiers, des bulletins de notes, des archives.

Il écoute. La façon de cette petite maîtresse d'école
de se défendre pied à pied lui plaît. Chaque femme a
sa manière de mener ses batailles.

— J'ai trouvé...

Elle se tourne vers lui. Son visage est espiègle, enfantin. Ben sourit. En ce moment il est très proche d'elle.

— Montre.

Elle referme brutalement le rabat. On ne résiste pas à l'idée de jeter un regard sur son enfance. Un regard volé, voilé. Que cherches-tu, Ben, dans ces cahiers qui sentent l'humidité d'un grenier ? Que cherches-tu, que tu n'as pas trouvé au long de tes pérégrinations ?

— Voilà...

Elle pose les mains à plat sur la couverture bleu marine d'un cahier.

— Cahier de compositions... Cours moyen.

Estelle l'ouvre lentement. Sur la première page, à l'encre rouge pour en marquer la solennité, d'une écriture ronde et régulière, *Benjamin Laforêt*. Écrit en anglaises. Ben se tait. Estelle tourne la page de garde. Rédaction : « Raconter une promenade en famille ». Elle lui tend le cahier en l'embrassant sur la joue. Pour l'encourager.

Ben tourne les pages, une à une. Ses yeux se posent sur les annotations en marge. Rouges.

— Mon père avait les grands. Il ne me mettait jamais « Très bien » dans la marge. Il n'aurait pas voulu que l'on puisse penser que j'étais favorisé. Il me l'avait expliqué. J'avais eu du mal à admettre.

Estelle sort un autre cahier, écriture, cours préparatoire, des lignes d'arabesques, des frises de ronds difficilement bouclés, des pointes émoussées, des barres aux *t* qui penchent... Elle sourit. Elle est heureuse.

Le temps passe. Ben est absorbé par ses décou-
vertes. Il s'arrête sur une poésie de Rimbaud et la
récite en même temps qu'il la lit. Estelle se félicite de
sa ténacité à fouiller le grenier de l'école. Elle a bien
fait, un boîtier électrique entre les dents, de se glisser
sous les tuiles, de braver les toiles d'araignées et les
déjections de chauves-souris. Ses efforts sont récom-
pensés.

— J'ai mieux. La première œuvre de Ben Forester.
Cours préparatoire. Nature morte. Crayons Caran
d'Ache. Et gomme, à en juger par les plis de la feuille.

Ben n'avait jamais revu des dessins de cette époque.
Il avait cinq ans et passait des heures à crayonner.

— Prometteur, commente Estelle. Peut mieux
faire. A fait beaucoup mieux depuis. Pas seulement
en dessin.

Il suffirait d'un rien pour qu'elle se montre gaie-
ment cruelle. Ben ne l'écoute pas. Il est absorbé par
la naïveté du trait sans toutefois pouvoir le trouver
totalement enfantin. L'essentiel est déjà là. Il ne
manque, pour faire de cet enfant un peintre, que quelques décennies de travail, des années d'errance. Une
vie, en somme. Mais le désir est présent, la fringale
visible.

— J'ai encore mieux.

Estelle a refermé le dossier. Elle veut ménager son
effet.

— Tes parents ont dû l'oublier là. À moins qu'ils
ne l'aient volontairement laissée. Je ne sais pas ce
qu'un maître ressent lorsqu'il quitte son école après y
avoir passé dix années.

Elle ouvre lentement le classeur.

— Une photographie de classe. Une photographie

en noir et blanc, année 1950, un peu moisie, un peu cornée. Je crois avoir deviné qui tu es.

Le papier tremble entre les doigts de Ben. Estelle cesse de sourire et pose la tête sur son épaule. Ils sont soudain deux amants penchés sur le mystère de leur rencontre.

— Elle te ressemble, murmure Ben. Vous vous ressemblez toutes.

*

Il fait tout à fait jour lorsque la voiture d'Estelle franchit le pont et s'engage sur la départementale. Des larmes miroitent dans les yeux de la jeune femme. Elle a beau avoir tenté de se convaincre dès le départ qu'elle n'attendait rien, que cette histoire était sans lendemain. Elle ne s'attendait pas à ce qu'il la laisse partir ainsi. C'est lui qui reprendra contact. Il n'est pas disponible en ce moment. Il doit s'absenter. Elle a accepté, ne pas faire d'histoire, prouver qu'elle tenait le coup, encaisser. D'ailleurs, ce matin, Ben Forester avait changé. Le jour l'avait transformé. Une sorte d'impatience à la voir s'en aller. Presque de la brusquerie.

Estelle passe la paume de sa main sur ses joues. Un rapide coup d'œil à son rétroviseur, se convaincre qu'elle est horrible. C'est faux.

Elle franchit le portail de l'école. Dans la cour, elle croise l'employée municipale qui lui lance un regard ironique chargé de mépris. Sur le mode, ça y est, avec tes airs d'intouchable, tu y es passée toi aussi. Tu es bien finalement comme les autres. La femme a deviné qu'elle avait pleuré. Cela l'indiffère. Et tout en même temps, Estelle se sent misérable, abandonnée. Désarmée devant cette inimitié qu'elle n'a pas souhaitée.

Elle passe sans saluer. Les talons de ses chaussures italiennes claquent sur les pierres du perron. Le froid, l'isolement, l'absence de théâtre, de soleil, d'océan, de magasins, de musées, ne seraient rien à côté de la surveillance archaïque dont chacun est ici tout à la fois la victime et l'auteur. Estelle pousse la porte de son appartement. Sur le comptoir de la cuisine le répondeur clignote. Ses parents ont appelé. Trois fois. Ceux-là ! Ils ne la laisseront jamais en paix. Éric, six fois, jusqu'à minuit. Elle écoute. Un voile couvre sa voix, trahissant une inquiétude dont elle doute de l'absolue sincérité. Ne s'y mêle-t-il pas aussi la satisfaction contenue d'avoir triomphé d'elle. Où es-tu ? Il est si tard, je suis inquiet. Appelle-moi dès ton retour. Quelle que soit l'heure. J'attends. Ponctué d'un je t'aime pincé, qui s'effiloche sur la fin. Elle n'y croit pas, à cette angoisse. Elle entend autre chose : tu vois, Estelle, j'avais raison. Tu t'es perdue corps et âme dans ce pays improbable. Pour des gosses qui auront oublié jusqu'à ton nom dans un an. Tu les as préférés à nous, à notre bonheur. Par orgueil, Estelle. Et voilà que tu découches. Tu me trompes, Estelle. Tu te trompes.

Estelle est mal. Autour d'elle s'écroulent les empilements de certitudes qu'elle s'était évertuée à maintenir en équilibre. Toutes ses pensées de porcelaine se brisent sous ses yeux.

Elle est debout devant le répondeur. Avec la tentation de le briser pour rompre le lien qui la retient à tous ceux qui ne s'adressent plus à elle que par son intermédiaire. Plus soucieux de se rassurer eux-mêmes que de l'aimer. Plus appliqués à la quitter ou à l'évincer de leur vie qu'à lui venir en aide. L'image d'Éric ne la quitte pas. Ne comprend-il pas, cet imbécile, à quel point ce qu'elle vit pourrait enrichir leur vie ? Pour peu qu'il la laisse agir à sa guise. Ne perçoit-il pas que la femme à côté de laquelle il passerait ses jours serait plus accomplie, plus sûre, plus forte, après avoir triomphé de sa guerre amoureuse avec Ben Forester ? Combien ces combats sont de ceux qui édifient ? N'a-t-il pas deviné que l'amour est très au-delà de la chair, qu'il la dépasse totalement ? Mais il ne comprend rien, ce pauvre petit monsieur qui ne songe qu'à lui, à son honneur bafoué. Il ignore qu'il n'y a rien de plus beau qu'une femme de guerre s'en revenant vivre auprès de celui qu'elle a choisi.

Un cri, déclencheur d'autres cris, la fait sursauter. Les cars de ramassage s'arrêtent devant la grille. Des enfants en descendent en piaillant. Des mères de famille embrassent leurs gosses, relèvent les cache-nez, serrent les écharpes. L'employée municipale est seule à les accueillir, déversant déjà ses sous-entendus fielleux. Le monde tourne. Il est moche mais il tourne. Estelle se rue dans sa chambre. Elle a cinq minutes pour se métamorphoser en maîtresse d'école.

*

Le 4 × 4 ralentit et monte sur le talus. Ce matin, le soleil joue dans la rosée qui recouvre les prés. À quelques centaines de mètres, les eaux du ruisseau cascadent sous le tablier du petit pont de pierre. Le ciel est d'un bleu absolu. Un frémissement annonce la fin de l'hiver.

Alain et Roger, en tenue kaki, descendent du véhicule. Alain ouvre le hayon et extrait du coffre deux grosses tronçonneuses. Ils n'emporteront rien d'autre. Ce qu'ils ont à faire ne leur prendra guère de temps. Roger s'approche. Il fouille dans les poches de sa veste de chasse et tire un paquet de cigarettes. Ses gestes sont ronds et paisibles. Empreints de la plénitude des plaisirs simples, mille fois vécus. Il est heureux d'être là, chez lui, dans son territoire. Sous son ciel.

Les deux hommes traversent la route et s'engagent dans un sentier à flanc de colline. La tronçonneuse à la main, ils ne parlent pas. Le chemin, bordé d'un mur de pierres sèches, longe une futaie de hêtres et de chênes. Hier, au crépuscule, Roger a entendu passer un vol de grues. Il s'est arrêté de travailler pour écouter cette déchirure du ciel qui le remue d'une façon qu'il ne comprend pas. Les grands oiseaux ont tourné au-dessus des bois de Haute-Faye. Puis ils se sont posés en même temps que la nuit.

Le sentier débouche dans une forêt de sapins plongée dans un demi-jour. Les deux frères s'enfoncent en sous-bois. Leurs rangers foulent le sol cotonneux. La forêt de Grande-Combe ne fait pas partie de ces plantations récentes, alignées et serrées, à l'architecture industrielle, de celles que la dernière tempête a ravagées. Il s'agit d'une des plus belles parcelles de la région. Soixante-dix hectares d'un seul tenant, magnifiquement exposés. Des arbres hauts, ébranchés sur plusieurs mètres depuis la base, droits. Lorsque Alain et Roger ont appris que le lot avait été acheté par une société basée à Paris, peut-être un fonds de placement, un groupe agissant au nom d'une vedette de la télévision désireuse de diversifier ses investissements ou encore la Caisse des dépôts, ils ont été déçus. Les arbres de Grande-Combe, plantés après-guerre, sont parvenus à maturité. Grâce à des éclaircies régulières qui ont stabilisé la densité du boisement, les sapins sont d'une qualité exceptionnelle.

Ils vont ainsi lorsque Roger, qui marche en tête, pose la tronçonneuse à ses pieds. Alain le rejoint.

— Bon Dieu, c'est pourtant vrai, murmure Roger.

Le gamin avait raison.

Devant eux, dans une partie accidentée de la forêt, un arbre porte sur son tronc quelque chose qui évoque une silhouette. Une dépouille, songe tout d'abord Roger. Les deux hommes s'avancent. Ce qu'ils découvrent les dérange. Une forme réalisée avec des branchages entrelacés de lierre. On pourrait passer à côté sans voir.

— C'est une femme, dit Alain.

Roger hoche la tête. Lui aussi pense qu'il s'agit d'une représentation féminine. Il est troublé. C'est fait avec rien et ça ressemble quand même à une femme. La courbure des hanches, peut-être, la grâce des deux mains exagérément longues et fines aux poignets, des branchages secs repliés sur le ventre un peu rond. Ces brindilles qui évoquent les plis sous les seins. Les deux hommes tournent autour de l'arbre. Ils s'approchent, observent la ligature des tiges. Des branches, châtaignier, chêne et hêtre, qui structurent le lierre gorgé d'humidité. C'est à la fois macabre et vivant. Malgré eux, leur regard se pose à l'endroit de la poitrine, du bas-ventre. Ils sont captifs. Ce n'est pourtant qu'une chose éphémère qui va vite se transformer en bois sec.

Et pour qui donc cette installation, ici, où il ne passe que des chevreuils et des blaireaux ? Tout ce travail avec rien d'autre que du bois et des feuillages accrochés à un tronc.

— Regarde ! Là aussi.

C'est Alain qui a parlé. Sa corpulence, sa force paisible dissimulent un fond d'inquiétude. Une fragilité. La vie en forêt à couper et à débarder tous les jours l'a rendu taciturne. Parfois, lorsqu'il a trop bu, il suggère qu'il se passe des choses terribles au fond des bois. Son frère et Thérèse l'ont souvent questionné sans être jamais parvenus à lui faire dire ce qu'il entendait par « choses terribles ».

Alain s'est approché d'un autre arbre, à une dizaine de mètres. Il tend le bras. Une deuxième silhouette est accrochée au tronc.

— C'est quand même drôlement bien fait, lâche-t-il.

Roger l'a entendu. Il dit saloperie, tu veux dire que c'est une belle saloperie. On n'en veut pas, ici, des sorciers qui mettent leurs signes sur nos arbres. Barthélémy a raison. Une belle saloperie.

On ne sait pas s'il évoque Ben ou les travaux de Ben. Mais il est probable qu'il les confond tous les deux. L'auteur et sa création. Roger fulmine.

— Ça ressemble mais c'est différent, remarque Alain.

— Quoi ?

— C'est pareil mais pas tout à fait.

— Qu'est-ce que tu veux dire ?

Quand il est en colère, Roger rabroue son frère. Il est l'aîné et il considère l'autre comme un simple qui a besoin de ses conseils. Il est vrai qu'Alain n'aurait pas été capable de tenir la scierie. Lui, c'est le bois, la coupe, le débardage. Et encore, dans les endroits pentus et inaccessibles, là où ne peuvent s'aventurer les machines hydrauliques qui font tout, se saisissent du tronc entre leurs mâchoires, ébarbent les branches comme on épluche un poireau, débitent le tout en longueurs régulières avec l'inhumanité d'un dispositif d'abattoir industriel. Alain est un bûcheron. Un vrai. Plein de cicatrices parce que la chaîne aime le bois mais préfère encore la chair.

— Elle se tourne.

La remarque d'Alain exaspère Roger. Dire qu'elle se tourne, c'est déjà reconnaître qu'il y a un sens. Lui, il ne veut pas en entendre parler. Pas d'interprétation. C'est une saloperie de branchages accrochés à un tronc. Un point c'est tout. Quant à la ressemblance, il faudrait être idiot pour ne pas la voir. Ce n'est pas une raison pour l'admettre.

Les deux hommes n'avaient pas imaginé l'ampleur de la découverte. L'ampleur du mal, pense Roger. Nicolas, son fils, l'avait prévenu. Un de ses camarades s'entraînait au trial dimanche lorsqu'il a découvert les pantins. C'est le mot qu'il a utilisé. Des pantins. Cela lui est venu à l'esprit spontanément. N'allez pas lui demander pourquoi. Peut-être parce que la manière dont les silhouettes sont accrochées aux troncs donne l'impression qu'elles sont soutenues par des fils qui pendent de la cime. On ne les voit pas, ces fils, naturellement, mais on devine leur trace invisible.

Cependant, Roger n'est pas d'accord. Il ne le dira pas à Alain parce que son frère est un simple d'esprit qui voit déjà des choses terribles au fond des bois, le pauvre halluciné. Lui, Roger, il discerne une scène érotique. Une femme qui se frotte contre le tronc. Maintenant que la pensée l'a traversé, il ne voit plus que cela. Rien d'autre. Plus de branches, de lierre, de brindilles, de tiges. Seulement une femme nue et lascive qui se frotte, se tourne sur le côté au fond d'un lit ou bien comme ces strip-teaseuses qui dansent agrippées à une barre. Il est là, le sortilège. Roger se tait.

Il comprend alors qu'Alain voit la même chose. Car la pose des deux pantins n'est pas la même. Là-bas, sur le premier arbre, la femme est le dos contre l'écorce. On voit son ventre, ses seins, l'ouverture de ses jambes, ses mains. Sur le deuxième tronc, elle a passé la jambe droite sur l'autre cuisse. Son dos reste plaqué à l'écorce comme à des draps, mais son visage est de profil dans le sens de la rotation de ses hanches. Il y a l'idée d'un mouvement, tout en lenteur. Une femme entreprenante qui voudrait prendre l'initiative. Rien que des branches mortes et un ruissellement de lierre. Une horreur, si on considère les matériaux. Un truc bandant, pense Roger, si on se laisse aller.

Ils sont là, pétrifiés et silencieux. C'est plus grave que Roger n'avait pensé. Cette découverte n'améliore pas la santé mentale de son frère, figé comme s'il matait une playmate. Les deux hommes se tournent en même temps. Ils viennent de comprendre que le mouvement de cette femme n'était pas achevé. Ils ont seulement découvert les deux premiers chapitres d'une histoire qui se poursuit. Elle ne va pas rester dans cette position, cette garce, pense Roger. Aucune femme ne resterait ainsi, tournée sur le côté, sans que dans l'instant qui suit ne survienne quelque chose d'intéressant.

En voyant Alain s'avancer au-delà de ce deuxième tronc, Roger perçoit à quel point ils sont manipulés. Son frère n'a pas résisté longtemps. C'est un gars qu'on mènerait au bout du monde de cette manière. Il a la vocation des chemins de croix. C'est presque un enfant qui lit encore des bandes dessinées. Affligeant, a toujours pensé Roger. Lui, au moins, il ne lit pas. Il est adulte. Pourtant, en cet instant, Roger doit prendre sur lui pour ne pas emboîter le pas à Alain. Car l'autre a compris. Cette compréhension est un poison que Roger sent entrer en lui. Il aimerait se désintéresser de ce qui va suivre. Mais déjà, il ne le peut plus.

La colère le gagne. Ce foutu Ben Forester vient de saccager l'idée bucolique qu'il se faisait de cette forêt, des forêts en général. Une idée simple mais sur laquelle il pouvait fonder sa vie. Des arbres, de la tranquillité, des copains de chasse, des bêtes tuées de temps en temps, de l'argent une fois les arbres réduits en planches et en madriers, le temps qui fait repousser d'autres arbres qui finiront sur le banc de sciage. Un monde, tout simplement. L'autre a saccagé cette certitude. Ben Forester, il s'appelle. Son fils le lui a rapporté à la suite d'une sortie scolaire mémorable. Les gosses sont tombés sur une *arche de cristal* qui enjambait le ruisseau. Une arche de cristal... Roger ne parvient pas à se représenter la chose. Quand il est allé voir il était trop tard, tout avait fondu depuis longtemps. Un vrai conte de fées que cette histoire. La première fois, il a fait semblant de ne pas entendre. L'envie de filer une paire de gifles à son fils. Il s'est retenu car il était déjà en froid avec la mère et ne voulait pas se compliquer la vie. Mais un pont de cristal au-dessus de l'eau... Le chien de Roger a tout fichu par terre, paraît-il. Un bon chien, celui-là. La maîtresse d'école qui en rajoute. Retour en classe, exaltation pédagogique, recherche sur Internet. À quoi ça sert, l'école, si tout est sur Internet ? Pourquoi on y envoie encore ses gosses, s'ils peuvent rester chez eux et apprendre quand même ? Ben Forester. Le nom, il l'a retenu, Roger. Il n'est pas près de l'oublier. Forêt et terre, pour se souvenir.

Roger a pris sur lui et il a demandé calmement à son fils qui était ce type avec un drôle de nom. Le gosse a été un peu surpris mais il a fini par lui donner des informations trouvées avec l'aide de l'institutrice, une sacrée traînée, celle-là. Il a été étonné de tout ce que pouvait avoir retenu son gamin dont on dit qu'il est mauvais élève.

— Roger ! Viens !

Roger est tiré de ses pensées. Là-bas, à une trentaine de mètres, Alain l'appelle. Inutile qu'il en dise davantage, Roger a compris. L'histoire se poursuit sur un autre tronc. Il parierait que la femme se tourne doucement. Il y avait dans la voix d'Alain ce léger tremblement du désir, un appel. Voilà que cet abruti se met à lorgner sur les branches mortes et le lierre. Il va mal finir, pense Roger. Mal finir.

— J'arrive ! dit Roger pour ne pas laisser l'autre seul.

Donner à son frère le temps de se recomposer une apparence. Mais Alain est drôlement excité. Quand il aperçoit Roger, il lui crie de se dépêcher. Comme si la chose allait disparaître, se fondre dans l'écorce, se dissoudre sous ses yeux. Ou sauter de l'arbre et s'enfuir, nue. Une apparition. Roger grimpe le petit raidillon qui mène au douglas. Il se souvient avoir tué un sanglier ici. Il y a longtemps. Jamais il ne pouvait passer là sans revivre les circonstances exactes de son tir. Sans revoir le cochon, l'arc de sa silhouette noire, sentir le cœur battre à l'approche de l'animal de guerre. Et aujourd'hui, pour la première fois depuis ce haut fait, il y pense avec un détachement qui signifie que les branchages accrochés aux arbres ont relégué très loin en arrière sa geste cynégétique. Roger ne pourra plus jamais passer là sans songer d'abord aux pantins. Peut-être même un jour oubliera-t-il qu'il a lâché sa meilleure décharge de chevrotine ici, au défaut de l'épaule. Il chasse toujours à la chevrotine, Roger.

— Elle se tourne un peu plus ! clame Alain.

Roger s'inquiète. L'autre simple crie. Il lui dit de se calmer. Tout cela n'est rien. Il va lui montrer comment les branches mortes se tortillent. Cela ne va pas traîner.

— Tais-toi, Alain.

Il a parlé d'une voix de frère aîné. Alain obéit.

— N'empêche qu'elle se tourne un peu plus.

Roger aimerait se trouver à la place du tronc. Avoir cette femme sur lui qui roule doucement pour lui faire face. Qui va bientôt le tenir en cisaille dans l'étau doux de ses cuisses et prendre l'initiative de l'amour. Roger pense à sa femme. Elle n'a jamais deviné que ce qu'il espérait parfois, c'était simplement qu'elle prenne l'initiative. C'est une attente très longue, très ancienne, chez Roger. Il n'a jamais pu le lui dire, il aurait honte, et en plus elle ne comprendrait pas. Quelque chose d'âcre et de terrible comme un empoisonnement de tout le corps pétrifie Roger. Cela doit ressembler à l'effet ressenti lorsqu'on a avalé de la ciguë, ne lui demandez pas pourquoi de la ciguë. Alors que ce n'est peut-être que la sensation d'être passé à côté d'un bonheur élémentaire. Mais le simple fait d'être privé de cette petite chose qui ne coûte rien le précipite du mauvais côté de la vie. Il jette un coup d'œil sur Alain, qui comprend tout ce qui traverse son frère et s'en trouve gêné. Alain n'a pas le même problème avec les femmes. Il n'en a jamais manqué. Thérèse est en ce moment la maîtresse attitrée. Les femmes sont faibles avec lui. Peut-être parce qu'il est fort comme un bœuf et que malgré cela il a besoin d'être protégé. Elles ne résistent pas à cette sorte de faiblesse. Roger s'en est rendu compte plusieurs fois. Avec lui, c'est le contraire. Elles se trompent, mais c'est comme ça.

Roger voit son frère qui s'approche et caresse la jambe qui s'est engagée sur l'autre. Ce grand type caresse du lierre et des branches mortes. Et Roger le laisse agir comme s'il s'agissait d'une chose normale, d'une vraie femme. Tel un voyeur.

— Arrête, Alain...

Alain continue. En cet instant, il n'est pas le frère cadet un peu simple qui admire l'aîné. Mais un homme sensible et libre.

— Arrête !

Alain se recule.

— Je te parie que ça continue, dit-il.

— Qu'est-ce qui continue ? Quoi ?

Roger est nerveux. Il observe les autres troncs. Il vient de comprendre. Il ne dit rien, parce qu'Alain est bien assez énervé comme ça, mais il en mettrait la main au feu. Il contourne l'arbre, scrute l'arrière-plan. C'est bien ça. Les trois arbres sont étrangement alignés dans cette forêt où les plantations ont été justement faites avec irrégularité. Roger évalue la droite que suivent les trois premiers troncs. Là-bas, à vingt mètres, un autre arbre est dans sa ligne de mire. Il ne dit rien. Alain est occupé à chercher, au hasard. Roger le regarde quêter comme un chien courant. Un sentiment de supériorité, tout de suite écorné par l'agacement.

Elle est bien là, dans le prolongement des trois premières, la chose sortie du néant et pourtant si vivante. Sa chevelure ruisselle dans la nuque, ses reins sont creusés, ses cuisses enserrent le tronc qui doit geindre de plaisir. Ses bras encerclent l'arbre, son visage a disparu. De chaque côté, des arceaux de branches mortes évoquent ses seins écrasés contre la poitrine de l'amant. Roger divague. Ce ne sont pas des seins, c'est du châtaignier. Ce n'est pas un homme, c'est un arbre. Il est fasciné. Le type capable de réaliser cette chose convoque les esprits. Il n'est pourtant pas superstitieux, Roger. Pas comme les vieux ou tant d'autres au pays. Il ne faut tout de même pas tenter le diable. Ces quatre pantins le touchent trop brutalement pour qu'il n'y ait pas une part de magie en eux. Si Barthélémy voyait ça, il comprendrait tout de suite. C'est un simple, Barthélémy, mais justement. Il est en rapport direct avec des vérités vieilles comme le monde et qui gouvernent encore les campagnes et même les villes dans leurs replis secrets.

Roger est planté devant le sapin. Le souffle court. Il a perdu toute notion du temps. Soudain, il sent une présence dans son dos. Il n'a pas la force de se retourner, de se montrer à celui qui est derrière lui tant son visage est chaviré. Un souffle passe sur son épaule.

— Elle est belle, hein ?

Roger ne répond pas. Son frère s'avance, pose sa grosse main sur les fesses de la forme, un entrelacs de lierre et de brindilles savamment tenues entre elles. On la croirait qui vit, qui bouge. Alain a parlé doucement. Roger le comprend, uniquement parce qu'il est son frère. Et parce qu'il éprouve la même certitude.

— Recule-toi !

Roger a crié. Il n'a trouvé que cet ordre pour rompre le sortilège qui les encercle.

— Recule-toi, on va lui montrer, à l'autre qui empoisonne nos forêts, ce qu'on en fait de ses mannequins.

Et il repart en courant en direction du premier arbre. Il grogne empoisonneur, salaud d'empoisonneur ! Empoisonneur de forêt et de souvenirs ! Alain le suit. Il fait confiance à son frère. Roger sait ce qui est bien pour lui, pour eux deux. Et lorsque la tronçonneuse démarre dans un nuage de fumée bleue qui dérive dans les rais de lumière obliques, il ne proteste pas.

Roger est à genoux au pied de l'arbre. Sa lame s'est engagée dans la chair du sapin d'où s'écoule un sang ocre.

— Fais attention, dit Alain.

Son frère n'entend pas. Très vite, une entaille profonde ajoure le bois. Roger contourne le tronc. Il sait précisément où celui-ci va tomber. C'est un professionnel. En s'abattant, l'arbre écrasera la maîtresse d'école. Estelle. Car Roger a compris que la femme

dont le lierre et les branches sèches dessinent la silhouette, c'est elle. Et l'idée même d'avoir compris
cela, de s'être engagé si intensément dans une
réflexion pour en arriver à ce constat, le met hors de
lui. Il se sent manipulé, sali. Sorti de ses routines de
pensée. Bousculé. Si son frère n'était pas là, tant de
beauté le ferait hurler.

7.

Ben l'a repéré depuis longtemps. Le pré n'a guère changé en toutes ces années. Entre deux bois, l'un de châtaigniers, l'autre de hêtres bordé de genêts. Au loin, en contrebas, le bourg. Quiconque connaît son existence devine le chemin sous sa voûte de noisetiers, qui part derrière l'école, longe le mur de la cour de récréation, contourne la vieille fontaine et serpente jusqu'à cette avancée de terre que les gens d'ici appellent le plateau. Peut-être pour la beauté du mot, son amplitude. Un besoin d'ordre dans toute cette incertitude de vallonnements, de sillons, d'alvéoles et de puys. Ce matin encore, le ciel a la pureté du vide. Les beaux jours à venir déposent un frémissement dans les feuillages naissants. Ben était là, à l'aube. Il guettait, tourné vers l'est. Il a vu passer Barthélémy, le fusil à l'épaule, s'en retournant vers la ferme-d'en-haut, soliloquant après une nuit de braconne et d'errance. L'autre n'a pas deviné sa présence.

Cette nuit, Ben a dormi trois heures. Un aigle a visité ses songes, l'enveloppant dans l'étreinte de ses ailes, le fixant de son regard minéral, les plumes relevées sur sa nuque arquée. L'apparition lui a laissé une impression douloureuse. À n'en pas douter, l'oiseau reviendra.

Ce matin, lorsque le soleil est apparu, émergeant de l'horizon tourné vers l'Auvergne tellurique, Ben a cru revivre l'émotion qu'il guette depuis son arrivée à Provenchère. En quelques minutes, la lumière s'est lissée, brossée. Ben a éprouvé un bouleversement fugace. Il était Benjamin, gamin en culottes courtes battant la campagne. Oui, il s'en est fallu de peu en cet instant que l'énergie qui s'était jadis engouffrée en lui ne le touche de nouveau. Puis, tout s'est dilué dans un lavis de teintes claires aux tons de miel. Ben a compris à quel point il avait égaré sa force, combien il l'avait dispersée. Sans compter.

Qu'elle lui est nécessaire, pourtant, cette force pour mener à son terme ce qu'il a entrepris ! Voilà des semaines qu'il travaille à cette œuvre dont personne encore n'a deviné l'importance. Sans l'attention discrète de Denise, l'ordre paradoxal qu'elle est parvenue à créer à Provenchère, Ben ne tiendrait pas. Il s'est habitué à la présence de la jeune fille, à son silence, à ses plats dont la répétition participe à la sensation de vivre une expérience singulière. La placidité avec laquelle elle admet ses sautes d'humeur est une bénédiction. Ben a besoin de cette paix domestique pour se concentrer sur l'essentiel. Il s'appuie sur les quelques repères qu'elle aménage au long de la journée, le café, qu'elle prépare à heure fixe, déposé sur la première marche de l'escalier, sous le fil noir. Et qu'il descend chercher comme s'il s'agissait d'un rituel chargé de sens.

C'est si difficile, ce qu'il fait. Ce qu'il voit est si fugitif. Il est un peintre se glissant dans sa toile aux proportions immenses. Un sculpteur intégré à l'objet qu'il façonne et qui se déforme en même temps qu'il agit. Il est dehors et dedans.

Hier, son agent nord-américain l'a de nouveau appelé, le menaçant de venir en France, le suppliant de faire face à ses engagements. Il a énoncé des chiffres vertigineux relatifs aux contrats que Ben n'aurait pas honorés. Ben a écouté, sans se mettre en colère. Il sait que la colère est un état qui l'éloigne de ce qu'il a entrepris, le distrait de sa tâche. La colère est une diversion dont il ne veut pas. Il est prêt à toutes les fuites pour y échapper. Il vit dans la crainte que la force de poursuivre ne le déserte. Que ne lui restent plus que ses routines, ses habiletés, pour faire face.

Ben a interrompu la communication avec New York. Sans un mot, sans protestation, au milieu d'une phrase. Une simple pression d'une touche sur le clavier. L'autre a raison dans un monde dont Ben connaît l'absolue rigueur. Le contredire n'avait aucun sens. Mais ce n'est plus cela dont il s'agit. Ben est sur d'autres pistes. Ailleurs. Si loin du Ben Forester que chacun connaît. Il est de retour.

Ben est accroupi au milieu des genêts, les yeux à hauteur du regard d'un enfant. Les pans de son manteau noir font un socle sombre et massif au pied duquel brille l'écran d'un ordinateur minuscule. Il se tient en équilibre, les doigts croisés sur les genoux, dans une position contemplative. Ce matin, Ben Forester regarde devant lui avec une application d'enfant. Il observe ce qu'il a strictement sous les yeux et en même temps ce qu'il a conservé dans son cœur. Le pré est nappé de rosée. Ici, les aubes ont toujours quelque chose de glacé, de saisissant, comme un dernier ébrouement de la nuit. Et rares, très rares sont les crépuscules d'été qui s'achèvent sans un instant de froid pincé. L'humidité tend le grain d'une infinité de gouttelettes qui étincellent. Çà et là, accrochées à la mâture d'herbes plus hautes, des toiles d'araignées accrochent la lumière à pleines voiles.

La question du point de vue a longtemps préoccupé Ben. Faut-il prendre un parti, choisir un angle, ou bien tout au contraire décider que quel que soit l'endroit où l'on s'établit le paysage présente un intérêt ? Que c'est justement là, le propre de la beauté et de la nature, que d'être captivante sous tous les angles. Le visage de Sarah n'était-il pas ainsi ? Depuis qu'il est à Provenchère, Ben a choisi de ne pas choisir. Les lieux de ses implantations obéissent à une logique formelle dont il a eu la révélation très tôt. À partir du moment où quelques principes sont admis, aucune errance n'est plus possible. Depuis sa position, Ben voit les repères discrètement installés la veille dans le pré sur environ quatre-vingts mètres. Un alignement de branchettes cassées, posées sur le sol.

Autant de brisées sur la voie de ses souvenirs.

Lorsqu'il se lève, Ben sait exactement ce qu'il va accomplir. L'idée s'est imposée comme remontée d'un abîme. Tel un grain de matière, lesté d'enfance, jadis entraîné par le fond et qui met des années à regagner la lumière. Il lui a fallu revenir sur ses pas pour que Benjamin Laforêt passe devant le regard de Ben Forester, marchant en psalmodiant dans les prés et les bois, dessinant dans le ciel à grands moulinets des bras. Il a fallu que Ben le revoie, ce gamin, dans sa démesure d'enfant déjà dévoré par la passion, allant en s'exaltant, portant douloureusement sa différence. Ses yeux ont alors quitté la silhouette du gosse aux jambes égratignées par les ronces et se sont posés sur ses pas. Ils ont vu ses sandales de cuir abandonner dans l'herbe la trace d'un passage. Ce n'est qu'une sente éphémère, une ligne dérisoire qui se dissout en quelques jours d'absence. Mais il l'intéresse, Ben, ce sillon étroit et minuscule depuis longtemps invisible.

Ben se relève et s'engage dans le pré en suivant une ligne imaginaire qui suit le piquetage des branches brisées. À l'extrémité, en lisière du bois de hêtres, il se retourne. Ses santiag ont laissé dans la rosée la trace grisâtre de son passage. Il considère cette ligne d'herbes froissées, la juge satisfaisante. Et repart, par le même chemin, dans la direction d'où il vient.

*

Ce sont les enfants qui lui ont appris. La rumeur, comme un bourdonnement qui se heurte aux murs et rebondit. Ici, tout finit par se savoir. Des sourires, des regards, des murmures, des coudes poussés, Estelle n'a pas tardé à être intriguée. Stéphanie et Victoria ont fini par lâcher le morceau. Discrètement à la récréation de l'après-midi, en accompagnant Estelle dans son va-et-vient rituel sous les tilleuls de la cour.

Les deux fillettes tiennent l'information de Karim, à qui Nicolas, le fils de Roger, a fait la confidence. Lorsqu'elle a compris ce qui s'était passé, Estelle a blêmi. Les gamines ont perçu à quel point leur maîtresse était affectée. Elles n'ont que dix ans, mais ces choses-là ne leur échappent pas. Confusément, elles ont déjà saisi que l'essentiel de leur vie se jouera sur l'apprentissage d'une grammaire des silences, d'une conjugaison des regards.

Le dernier car de ramassage démarre. Estelle monte dans son appartement. Elle quitte sa jupe, enfile un jean, lace ses chaussures de marche. Hésite à prendre un gilet et finalement jette sur ses épaules un tricot de grosse laine. À ses yeux, l'arche de cristal constitue le premier pas d'un mouvement d'encerclement des imaginaires. Elle ne peut à ce moment développer davantage sa pensée, mais elle devine, pour l'avoir étudiée depuis, combien l'histoire du land art a souvent suscité des mouvements de rejet passionnels. Il suffit de songer à Christo emballant les falaises de Little Bay pour s'en convaincre.

Elle dévale l'escalier. Dans le couloir, elle se ravise, retourne dans sa classe et prend l'appareil photo numérique. Elle traverse la cour. Là-bas, dans la garderie, l'employée municipale est assise et surveille trois enfants qui jouent sur un tapis. Derrière la porte-fenêtre, la femme la regarde passer. Estelle se sent brutalement dévoilée. Comme s'il ne lui était plus possible de dissimuler son désir de participer à la vie de Ben Forester.

Estelle abandonne sa voiture au bord de la route et s'engage dans le sentier qui conduit à la forêt de Grande-Combe. Un sentiment d'isolement se saisit d'elle. Il est près de dix-huit heures et le soleil s'infiltre par des trouées, amassant çà et là des crépons de lumière. Estelle avance dans l'air chargé de résine.

Ce matin, elle a posté une lettre de rupture. Sobre, pesée, sans effets, sans volonté de blesser ni de se justifier. Elle n'aurait pas voulu annoncer sa décision à

Éric au téléphone. Ce qu'ils ont vécu mérite mieux. Dès l'enveloppe disparue dans la boîte, Estelle s'est sentie libérée. C'est elle qui a fait le premier pas. Aux conséquences de son acte, il est trop tôt pour y songer. Éric lui téléphonant, Éric venant la rapter comme aux temps antiques. Éric allant pleurnicher dans le giron de ses parents. Éric acceptant lâchement une décision qui le libère.

Soudain, elle les aperçoit, couchés comme les quilles d'un jeu gigantesque. Les arbres ont été tous abattus parallèlement. Travail de professionnel, songe Estelle, la rage au cœur. Elle s'approche. Les billots rougis de résine font dans la pénombre quatre taches amarante. En s'agenouillant, elle devine, écrasées sous la masse des troncs, des formes végétales. Sans savoir pourquoi, elle se sent concernée par ce gâchis. Quelque chose là s'adressait à elle, parlait d'elle. À hauteur du quatrième tronc, elle distingue deux bras sortis de la terre qui enserrent l'écorce. De longs doigts crispés écorchent la peau grise de l'arbre mort.

Une demi-heure plus tard, Estelle franchit le portail de Provenchère. Denise et Ben sont tous les deux, là-bas sur la pelouse. Ils ne l'ont pas entendue arriver. Que peuvent-ils se dire, se demande-t-elle, qu'ont-ils en commun ? Estelle est jalouse de cette proximité. De leur connivence. Elle se sent exclue. Ben ne l'a pas rappelée depuis leur nuit d'amour. Chaque soir, elle attend, exaspérée, au bord des larmes, espérant le voir surgir à tout instant. Se jurant de ne pas faire le premier pas.

Estelle se plaque contre le mur. La curiosité est un plaisir honteux. Elle voudrait savoir, percer leur intimité. Ils sont près du parapet qui ceint le gros mur au-dessus des tourbières. Sur l'herbe du parc, l'ombre des anciennes écuries découpe des trapèzes obscurs au pied des statues.

Ben est assis sur une petite chaise de cuisine. Droit, les jambes écartées dans la position d'un patriarche. Denise est penchée sur ses épaules, debout, le dos tourné vers Estelle qui ne peut voir ce qu'elle fait. Par moments, elle se recule, les bras ballants, et lève la tête comme si elle cherchait à distinguer ce que Ben lui indique de son bras tendu. Un objet brille dans sa main droite.

Estelle s'avance en silence. Elle est à quelques pas de Denise lorsque celle-ci se retourne. Sa main droite se lève. Estelle retient son souffle et saisit le manche du rasoir que lui tend la jeune fille.

Denise s'esquive vers le château. Estelle s'approche du crâne couvert de savon à barbe. Elle tremble un peu lorsque ses doigts pressent le front de Ben. Elle cale la nuque contre sa poitrine. La lame creuse dans la mousse un sillon de chair tendre.

Le crépuscule entre par les fenêtres de façade restées ouvertes. Estelle repose nue dans les bras de Ben. Il est étendu sur le dos, les yeux clos. Dans le lit étroit la jeune femme est allongée sur lui, posée sur ce grand corps blanc aux proportions de gisant. La poitrine de Ben soulève à peine le visage d'Estelle. Des effluves de diluant, des odeurs chimiques de peinture troublent l'odeur de leur peau. Un ordinateur ronronne dans un coin. Dehors, du fond de sa nuit, un chien hurle. Les yeux d'Estelle miroitent.

Ils se taisent. Ben sent sur lui cette présence légère, la douceur vertigineuse des épaules sur lesquelles repose sa main. Il ferme les yeux. La peau tendue par la jeunesse lui procure un plaisir mêlé de souffrance. Il est si vieux. Et si cette fille de vingt-cinq ans, abandonnée dans ses bras, était la dernière femme qu'il serre contre lui ?

Tout à l'heure, il l'avait entendue arriver. Sa longue attente à les épier, à l'angle du château. Ses pas sur la pelouse. Son parfum qui l'a trahie. Un simple lait de toilette qu'il aime parce qu'il lui rappelle une autre femme. Il est attaché à Estelle plus qu'il ne veut l'admettre. Il aime les blessures qu'elle s'inflige pour venir à lui. Il est sensible à ses reniements, à ses ruptures. Comme on peut s'éprendre des mutilations faites aux statues grecques qui ont traversé le temps pour venir jusqu'à nous, davantage encore que de leur perfection.

La première fois, posté derrière la fenêtre de la classe, il avait été frappé par son élégance au cœur de l'intimité. Cela l'avait touché. Sa mère était ainsi. Enfant, il était bouleversé en l'observant effectuer une tâche ménagère, le repassage ou la cuisine, par l'harmonie de ses gestes qui paraissait contredire l'obscure réalité de son travail.

Les doigts de Ben glissent sur les reins de la jeune femme. Estelle se détend. Elle est plus légère que les lois de la physique ne l'y autorisent. Elle flotte sur le corps de son amant. Elle est bien telle qu'il l'a représentée là-bas, dans la forêt de Grande-Combe. Jeune, magnifique, mobile. Téméraire.

— Ils ont scié les troncs.
Ben tressaille.
Elle relève la tête.
— J'en viens.

Elle n'ose pas dire qu'elle s'est rendue à Provenchère pour l'en informer. Il ne la croirait pas.

Ben dépose Estelle au creux du lit, se lève et jette sur ses épaules une robe de chambre de soie noire.

— Les quatre ?

Elle acquiesce.

Ben saisit une bouteille sur un rayonnage.

— Qui ?

Estelle garde le silence.

— Qui ?

— Des gens qui travaillent dans les bois, certainement...

— Barthélémy ?

— Je ne crois pas.

Ben va et vient. Estelle comprend qu'elle doit se rhabiller.

— Qui te l'a dit ?

Elle hésite. Elle n'aime pas la tournure que prend la conversation. Dès lors qu'il s'agit de ses élèves, elle n'est plus d'accord.

— Ici, tout se sait.

Elle ajoute :

— Je peux te demander quelque chose ?

Ben ne répond pas.

— Qu'est-ce qui était représenté sur les arbres ?

Ben s'approche. Il la prend contre lui. Instinctivement elle l'enserre de ses bras. Ils restent ainsi, immobiles, silencieux. Elle comprend.

Ben l'a laissée partir sans le moindre geste de tendresse, sans évoquer un autre rendez-vous. Bien sûr, elle comprend sa colère. Elle a tenté de le raisonner. Tu viens ici et tu réalises des œuvres qui déconcertent. Il faut expliquer, prendre le temps. Il y a une part de merveilleux, de magique dans ton travail. Lorsque j'ai vu l'arche de cristal, j'ai été bouleversée. Certaines personnes ne sont pas préparées à découvrir ces installations dans une campagne qu'ils connaissent depuis toujours.

Pour la première fois, elle l'a vu se laisser gagner par l'emportement. Elle en a été effrayée mais elle a tenu tête. Dans cette attitude réside son salut. De quel salut parle-t-elle ? Estelle agit comme si elle croyait que personne d'autre qu'elle ne pouvait dire la vérité à Ben Forester. Lui s'est cabré. Il lui a reproché sa vision pédagogique. Le monde n'est pas une grande école, madame la professeur ! Tout ne s'explique pas ! L'essentiel échappe à l'enseignement. Je n'ai pas l'intention de donner des modes d'emploi. Ils devront s'y faire, sans notice. Ils s'y feront. Je les connais.

Elle a répliqué sur le même ton. Ce n'est pas en partant un demi-siècle et en revenant comme ça, dans ta bagnole obscène, que tu peux prétendre connaître les gens. Les respecter. On n'agit pas ainsi, Ben. Tu dois l'admettre.

Sa voix était au bord de la rupture. Elle se sentait vivante, juste. Vibrante. Tenir tête à Ben Forester, ce n'est pas rien. Ils se sont tus. Ils savent qu'ils ont tous deux raison et tort. Que c'est plus compliqué que tout ce qu'ils peuvent en dire.

À l'entrée du village, Estelle ralentit. Elle ne peut se défaire de l'image de Ben. Ils avaient eu subitement faim. Estelle avait réchauffé les pâtes préparées par Denise et qui constituent, en alternance avec du riz, le menu du jour. Tous les deux en étaient là, dans la cuisine, à se surveiller, lorsque Ben est revenu à la charge.

— Je ne veux pas entrer dans ton jeu didactique, celui qui sait et qui explique à celui qui est censé ignorer. C'est un jeu sans issue.

Elle l'écoute en soutenant son regard. Elle est heureuse de faire front. Un moment, elle devine que l'idée de la mettre à la porte le traverse. Elle attend qu'il vide son sac pour glisser insidieusement que ceux qui avaient vu son œuvre dans la forêt de Grande-Combe avaient éprouvé un sentiment suffisamment fort pour désirer la détruire. Elle avait poussé son avantage.

— Toi qui prétends toujours que tes installations ne sont jamais achevées, leur destruction n'est-elle pas une forme d'évolution accélérée ? Au fond, tu es plus conservateur que tu ne veux bien l'affirmer.

L'argument avait paru toucher Ben et il s'était tu. Vaguement inquiète, Estelle avait levé les yeux vers lui.

— Tu as raison. J'intégrerai cet acte. C'est bien ainsi.

Et dans un sourire :

— Je connaissais quelqu'un qui était aussi têtue que toi. Lorsque cette femme était en colère, elle était encore plus belle. C'est très rare, tu sais. D'habitude la colère enlaidit.

Les lampadaires municipaux éclairent chichement la place. Stationnés devant le café de Thérèse, le 4 × 4 de Roger et, tout à côté, la voiturette de Barthélémy. Estelle s'apprête à s'engager dans la rue de l'école lorsqu'elle met son clignotant et se gare près des deux véhicules.

La jeune femme marche vers le café. Des voix fortes lui parviennent, incompréhensibles. Estelle hésite. Ses yeux affleurent le haut du rideau qui occulte la salle.

Elle aperçoit Barthélémy, Alain près du comptoir qui parle avec Thérèse, Roger, et le vieux Louis. Toujours les mêmes. Seule la mort les séparera. En ce sens, leur présence est un défi, une manière de résister.

À ce moment, Barthélémy se tourne vers la porte et ses yeux croisent le regard d'Estelle. Elle commet alors un geste imprévisible, qui n'a aucun sens, ne peut que la discréditer davantage. Qui sera répété et analysé dès le lendemain. Elle pose la main sur la poignée de la porte et pénètre dans le café.

*

Elma approche de l'étang de la Foulière. Une rose-lière étire sa traîne en queue de la retenue. À l'opposé, la digue ancienne creuse l'ombre de ses eaux dormantes où se reflètent de vieux chênes. Là-bas, c'est Provenchère. Des semaines ont passé, étranges, ouvertes sur un temps dont le cours ne ressemble à rien. Elma ne pensait pas un jour vivre ainsi dépossédée de toute intimité avec Blessac. En s'installant dans son atelier, Jean a emporté quelque chose qui lui manque atrocement et qu'elle ne pourrait nommer. De la maison de maître, il n'a laissé que les murs, les parquets, les tuiles.

Chaque jour, ils se croisent, se parlent, se protègent de silences. Se retrouver le matin les intimide. Ils ne savent pas quelle direction va prendre leurs vies. Les choix ne leur appartiennent plus. Ce temps ne peut durer infiniment, ils le savent. Ils agissent comme s'ils l'ignoraient. Les rumeurs sur leur prochaine séparation les confortent dans l'idée de tenir encore. Jean assume l'essentiel du travail de la ferme, avec une ténacité qui dit son attachement à cette terre. Cette fidélité émeut Elma. Elle redécouvre son mari avec étonnement. Le désir de l'apprivoiser lui revient par instants. Peut-être, un jour, reprendra-t-elle sa main pour le conduire dans sa chambre. Rien n'est sûr.

Hier, à la nuit tombée, elle a été sur le point de le rejoindre dans l'atelier. Sur le seuil, elle a hésité. Trop tôt. C'est à lui de venir. La conquérir, la prendre, la mériter en s'abaissant à la forcer. La sortir de sa folie de femme qui ne sait plus où elle en est. Elma a des désirs contradictoires. Des principes venus de très loin dictent sa conduite. Et la douleur toujours là, tapie comme un dégoût tenace.

Barthélémy prête régulièrement la main à Jean dans tous ces travaux de ferme pour lesquels il faut être deux. Le vieux célibataire s'est assombri. Elma le découvre distant. Fuyant. Elle a tenté de rétablir cette connivence respectueuse qui les unissait avant. Peine perdue. Barthélémy ne répond plus. Il détourne la tête. Il y a une condamnation dans sa fin de non-recevoir qui la blesse. Elma le trouve injuste, bien qu'elle puisse le comprendre. Les apparences sont contre elle. Barthélémy ne l'a plus soutenue dès lors qu'elle a cessé de ressembler à l'image qu'il s'était faite d'elle. Mais la rancœur du vieux célibataire remonte peut-être plus loin, à des temps inaccessibles. Comme si elle se montrait indigne d'une histoire qu'elle ignore. Tous deux ont touché à la limite des sentiments qu'ils se portent.

Jean ne dit rien. Elma lui en est reconnaissante même si sa discrétion la déroute. La juger lui serait si facile, la condamner si rapidement expédié. Il lui suffirait de la suivre une journée. Pire encore, de la voir se relever en pleine nuit et retourner à Provenchère simplement parce qu'elle sait que Ben, lui, ne se repose jamais. Quelle excuse pourrait-elle avancer, quelle explication ? Faire le chemin à pied, une lampe électrique à la main, franchir la clôture, plonger dans l'obscurité comme une amante, apercevoir de la lumière dans les anciennes écuries et sentir battre son cœur. Savoir qu'on restera là, assise sur l'établi, à le regarder tailler dans l'écorché de cette poutre qu'il éventre et d'où sort peu à peu un arbre si précisément sculpté qu'il paraît plus vivant qu'un baliveau ébranché.

En cas d'épuisement, monter s'allonger sur le petit lit de camp dans l'atelier dorénavant familier. Pour cela, enjamber le fil noir sur la première marche en feignant de se croire la seule autorisée à cette transgression. Sur le coup de trois ou quatre heures du matin, aller dans la cuisine, préparer du café. Veiller, pour le simple plaisir de ne pas dormir. Parler et tuer en soi quelque chose qui remue encore. Pendant qu'il travaille, dire des mots qu'on n'a jamais dits à personne. Évoquer des souvenirs qu'on croyait sans importance et, en les disant, comprendre qu'on essayait de les oublier. Prononcer le prénom de Françoise. Remarquer que les coups de maillet se font alors moins brutaux.

Attendre l'aube. Voir Ben reposer ses ciseaux à bois, se redresser, se tourner vers soi et nous dévisager comme s'il découvrait notre présence. L'observer en silence sortir sur le pas de la porte et s'avancer vers la proue de Provenchère. Rester à l'écart, observer sa longue silhouette qui parfois s'approche des statues et étreint l'une d'elles à pleins bras. Le voir gagner le parapet et, comme une cariatide de marbre noir, scruter l'horizon. Penser à Jean qui va se lever. L'imaginer qui allume son réchaud, prépare son petit déjeuner avec des gestes simples. Ressentir un goût de cendre dans la bouche.

Elma s'approche de la berge. Elle venait ici avec sa mère se baigner au cœur de l'été dans les eaux sombres de l'étang. Françoise aimait ces moments suspendus, volés au travail de la ferme. Elle offrait son corps au soleil avec une liberté qui choquait. Françoise était tout le contraire d'une femme empêchée. Ce n'est que bien plus tard qu'Elma a conçu que sa mère souffrait en secret. Françoise aux blessures radieuses.

Elles disposaient leurs serviettes de bain sur le talus herbeux qui descend vers l'eau. Là, un sable miroitant de grains dorés accueillait les pieds nus des baigneuses. Leurs cris couraient sur les eaux qui allaient en se refroidissant à mesure qu'elles gagnaient la part ombreuse du petit étang. Leurs éclats de rires résonnaient sous la voûte des arbres, sur l'autre rive. Françoise redevenait une adolescente espiègle, prenait un ton de grande sœur qui déplaisait secrètement à Elma. Elle la sentait si fragile, cette mère, toujours près de se briser. Une femme de cristal. Elle l'aurait voulue rassurante, plus autoritaire finalement. Un peu ce qu'elle est devenue à présent.

Enfant, Elma sentait combien sa mère était à son côté sans être là, veillait sur elle tout en regardant ailleurs. Elle devinait comme cette femme avait peu à voir avec ces terres de Blessac qui lui appartenaient pourtant. Avec sa condition d'agricultrice qui lui convenait mal. On la disait un peu folle, Françoise. Imprévisible. Légère. Elma a mis des années à découvrir le sens de ce mot. Des années pour l'oublier. Ce n'est qu'à présent, au contact de Ben, qu'elle commence à lui trouver d'autres significations, infiniment plus riches. Et, ce faisant, recommence à l'aimer.

Ce matin, le soleil étame les eaux dormantes. Des myriades d'insectes volent dans des voiles de lumière. Des nuages de pollen dérivent en surface, plaquant sur l'onde des tons de grès et d'acier. Là-bas, près des roseaux, des nénuphars ouvrent leurs feuilles immenses percées de fleurs. De temps en temps, de grosses carpes arrachent un éclat d'argent. Des cercles concentriques marquent le centre de leur retrait. La vieille barque aux flancs gris attend, à l'attache près de la berge.

Elma s'assoit sur l'herbe. À quelques centaines de mètres passe la route aussi déserte qu'un layon en forêt. C'est un moment de paix intense. L'herbe luisante est gorgée de vie, de fleurs et d'abeilles. Le sentiment d'être tout en même temps au cœur d'une fête et d'en être exclu est bouleversant. Devant elle, une jeune femme et sa fillette s'ébattent dans l'eau, s'éclaboussent de gerbes de gouttelettes qui les font hurler dès que posées sur leur peau.

Il arrive sans qu'elle l'ait entendu. Ben est l'homme des silences. Son corps, Elma l'a remarqué, se déplace sans écorcher l'air. Seule, son ombre le trahit. Ils ont travaillé plusieurs semaines dans le bois d'Albert à achever la vannerie des rejets de châtaigniers. Ce temps les a rapprochés. Elma ne comprend toujours pas pourquoi Ben la tolère et même l'implique dans son travail. Ce serait si simple de la renvoyer, de lui dire de retourner à son foyer, auprès de son mari. Ce serait si facile pour lui de ne pas se lester de son chagrin. Elle n'ose le lui demander par crainte de rompre l'enchantement.

Elma place la main en visière sur ses yeux. Ben est à contre-jour. Il tient dans ses bras ce que la jeune femme prend tout d'abord pour un cerf-volant d'environ un mètre cinquante d'envergure mais qui a la forme d'une grande croix rouge et blanc en plastique. Tandis qu'il pose l'objet sur l'herbe, elle observe sa chemise effroyablement fripée. Elle en conclut que c'est Denise qui l'a repassée. Même Jean ferait mieux, songe-t-elle. Elle a envie de rire.

Ben parle. Il dit le temps passé à la conception de cette croix. Ce projet qu'il avait déjà eu, voilà plusieurs années, et que faute de technologies assez avancées il avait été impossible de mener à terme. Elma apprend qu'une entreprise finlandaise a réalisé l'œuvre, en contact constant, grâce au Net.

Ce matin, elle devine qu'il est plein de patience, plein de douceur. Cela la trouble qu'un homme célèbre s'intéresse à elle. Mais s'intéresse-t-il vraiment à sa personne ? Peut-être est-ce autre chose qui le captive. Elle n'ose découvrir la vérité. Ce qu'elle vit lui suffit. Elle sait seulement que cet homme représente sa seule chance de salut. Même si auprès de lui elle n'oublie pas la détresse qui la chavire, car avec Ben il n'est jamais question d'autre chose que de la mort et de la vie.

— J'ai voulu que les bords blancs entourent une bande rouge qui souligne l'effet d'intersection des deux croisées. Il s'agit de néons.

Elma opine.

— Là, tu vois, des capteurs solaires. Ainsi qu'une cellule qui détecte l'intensité lumineuse. Le jour, les batteries se rechargent et la nuit les néons brillent.

Elma acquiesce. Avec Ben, il est nécessaire de se laisser emporter. Résister ne servirait à rien.
— Nous allons la placer.
— Où ?
— Là...
Ben tend le bras vers le centre de l'étang.

Sous son poids, l'embarcation oscille, se stabilise enfin.
— Passe-moi la croix.
Elma s'approche de la berge.
— Monte.
Ben tend le bras. Il est très rare qu'ils se touchent ou alors par inadvertance. Un jour qu'ils travaillaient à courber les ramures de châtaignier, la main de Ben a effleuré celle d'Elma. Avant qu'elle n'ait le temps de se retirer, les doigts de Ben se sont posés sur sa peau, comme pour s'excuser de ce contact. Avec vivacité.
— Assieds-toi.
Au fond, sur le plancher, deux rames. Et, tout à côté, un cordage de nylon ainsi qu'une masse de plomb. Ben pousse la barque qui échappe à la berge. Cela fait des années qu'Elma n'a pas canoté. Elle retrouve avec délice le bruit de l'eau qui s'égoutte, le clapotement contre la proue. Le point de vue sur les champs et les bois, sous un angle inhabituel qui dépayse. Ben la regarde. Ils se taisent. Elma le trouve tout à coup attendrissant, juvénile. Elle est heureuse.
— J'ai vécu chez les Indiens... Les Chippewa. Avec eux j'ai plus appris qu'en mille ans d'école.

Au milieu de l'étang, Elma repère un bouchon de pêcheur qui oscille en surface. Ben manœuvre l'embarcation et s'en approche. Il a repéré le lieu où il veut positionner la croix sur l'eau. Elma n'est pas étonnée. Ben a le souci des mesures, des proportions. À présent qu'elle participe d'une certaine manière à son travail, si l'on peut considérer que porter, aller chercher, regarder, tenir serré, parler de tout autre chose, c'est participer, elle comprend que rien ne doit jamais au hasard.

— Essaie de maintenir la barque près du flotteur. Le temps que je fixe l'ancre.

Il lui passe les rames. La barque tangue et Elma se cramponne. Son geste n'échappe pas à Ben. Il ne dit rien. Il prend la croix et la retourne. Sur la face destinée à être immergée, un anneau est prévu pour glisser le cordage de nylon qui va retenir l'objet flottant à son amarre de plomb. Les gestes de Ben sont précis, rapides. On devine qu'il a répété mentalement cette opération. Bientôt, à la verticale du bouchon de pêcheur, l'ancre rencontre le fond vaseux et se stabilise. La croix flotte, maintenue en place à la surface telle une mire au centre de l'étang.

Le soir, lorsque Elma revient à l'étang, Ben l'attend sur la berge. Elle aime l'idée que cet homme lui ait demandé de venir partager une émotion singulière. Elle a soudain envie de courir vers lui et de se jeter dans ses bras.

Ils sont côte à côte devant les eaux qui noircissent. Le crépuscule gagne la campagne. Elma est heureuse. Elle est une femme qui se répare, qui gagne jour après jour son combat contre le dégoût de vivre qui l'empoisonne. Soudain, une lumière rouge et blanche jaillit au long des deux grandes croisées. L'instant est étonnamment intense. Inepte et profond. Dans une autre vie, Elma se serait approchée de Ben et aurait posé la tête sur son épaule. Là, elle se contente de se taire. Ses yeux sont braqués sur cette lumière étrange qui atteint les feuillages des chênes penchés sur la berge. L'éclairage vibre jusqu'aux roseaux et, de l'autre côté, se perd contre la chaussée. Un émerveillement enfantin la gagne. Ben le ressent. Il est immobile. Parler serait une erreur. Se taire, la seule chance de s'intégrer à l'œuvre, de la constituer. C'est un soir de mai suffisamment doux pour rester assis dehors, dans l'herbe sous les étoiles.

Ben se dirige vers la rive, s'accroupit. Elma pense qu'il va plonger et rejoindre l'installation à la nage pour en modifier un réglage. Mais il se relève, une bouteille de champagne et deux coupes à la main.

Le bouchon part dans les ténèbres. L'écume coule sur le poignet de Ben. Ils font sonner leurs verres l'un contre l'autre. Ben regarde Elma porter la coupe à ses lèvres. Il est attendri comme un homme qui revit une scène qu'il croyait morte.

— Quand j'étais petite, mon père noyait les chiots dans cet étang. Pendant des années je n'ai pas voulu m'y baigner à cause de ça.

*

Thérèse a insisté. Alain, lui, il ne voulait pas. Mais il avait eu tort de promettre. Les promesses ont un terme. Thérèse n'a pas oublié et à présent il est obligé de s'exécuter. Ce qui a précipité la décision, c'est le soir où Estelle est entrée au café. Jamais encore elle n'en avait franchi le seuil. Lorsqu'elle a poussé la porte, tous ceux qui étaient là se sont tus. Thérèse l'a saluée. Les conversations ont repris, sur le ton du murmure. Estelle s'est assise et a commandé un thé sans quitter les autres des yeux. Roger et Alain ont dit plus tard qu'ils s'étaient sentis jugés.

Alain arrive en retard. Le dimanche il déjeune chez son frère et le repas s'est prolongé. Il a un peu bu mais Thérèse n'y prête pas attention. Elle ne le connaît guère autrement qu'avec cette légère fièvre propre à l'alcool. Les rares fois où il s'est présenté à jeun, elle lui a trouvé un air triste qui ne lui convenait finalement pas. Thérèse a le projet de conduire Alain vers la sobriété, doucement, comme on éclaircit une forêt, arbre après arbre. Gagner chaque jour un peu sur ses habitudes. En ce sens, Thérèse est infiniment plus forte que ce géant.

Thérèse s'est habillée pour la circonstance. Jean blanc et corsage. Il fait soleil. Elle sourit à Alain, qui est surpris de la voir en pantalon. Les autres doivent penser qu'elle est un peu enveloppée pour porter un jean. Alain n'ose lui dire qu'il est troublé par son ventre rebondi. Même s'il la préfère en jupe. Il n'empêche, on ne croirait jamais qu'elle a soixante ans. On dirait, c'est une théorie d'Alain, que son veuvage a réussi à Thérèse. Après avoir connu une période difficile, elle a remonté la pente. Alain trouve que c'est très beau, une femme qui remonte le temps.

Thérèse pose ses lunettes de soleil en équilibre sur les cheveux. Elle sourit. Elle est si différente de la Thérèse qui sert des repas ouvriers et chaque soir écoute les élucubrations de quelques habitués. Elle est allée chez le coiffeur. Elle a changé de coupe. Courts, sans boucles, clairs. Auburn est l'adjectif qui conviendrait mais Alain ne le connaît pas. Tant pis. Cela ne l'empêche pas de trouver qu'elle paraît dix ans de moins. Thérèse referme la porte du café, jette un regard pour s'assurer que quelqu'un l'a vue. C'est la première fois qu'elle s'affiche ainsi en compagnie d'Alain. Au pays, chacun sait. Mais personne ne les a jamais vus ensemble ailleurs que dans la salle du café-restaurant. Ils franchissent un pas, Alain en est conscient. Cela ne l'inquiète pas. Thérèse croit que c'est quand même un jour important. Comme si son mari mourait une seconde fois. Il y a de la hauteur dans la manière de Thérèse d'aborder sa relation avec Alain. On y chercherait en vain de la vulgarité.

Elle se sait aux portes de la vieillesse. Elle a cru longtemps, avant même la mort de son mari, que plus personne ne pouvait désirer avoir avec elle une relation amoureuse. Cela la blessait, cette certitude d'être au seuil d'une sorte d'invisibilité sexuelle. Le désir des autres est une force offerte. Elle pense que chaque femme et chaque homme se posent un jour cette question et qu'il y a mille façons d'y faire face, la réponse étant toujours cruelle. Longtemps, elle s'est abritée derrière une façade de sévérité et le masque d'un vieillissement prématurément accepté, malheureuse à l'idée d'être dans cette part de l'humanité que l'autre sexe ne voit plus. Un jour, Alain est survenu. Au fond, malgré ses défauts, sa grossièreté apparente, elle lui doit beaucoup. Thérèse, au début, n'y croyait pas. Elle ignorait que les plaisirs de la chair ne s'effacent jamais. Elle ne s'imaginait plus revivre dans le regard d'un homme désirant. Savoir qu'on l'espère lui importe infiniment plus que l'idée même de l'amour. L'attachement d'Alain est un cadeau inespéré qui la récompense de tant d'années d'ensevelissement.

Alain lui ouvre la portière. Thérèse ne dit rien mais son cœur bat. Elle voit une intention dans ce geste dérisoire, si peu dans la nature de son compagnon. C'est son problème, au fond, à Thérèse, que de lire des intentions partout. Son mari, sa belle-famille, ses proches ont longtemps cru qu'elle était susceptible. Que tu es susceptible ! lui disait-on. On ne peut rien te dire. Ce n'est pas sa faute, à Thérèse, si elle comprend les sous-entendus. Toutes ces années derrière son comptoir, dans sa cuisine, à servir des hommes du bois et des artisans, lui ont appris que certaines phrases, certains gestes sont aussi simples que ce qu'ils paraissent. Mais au fond d'elle, Thérèse est toujours en éveil. Alors, cette portière tenue le temps qu'elle s'assoit, cela lui fait du bien.

À l'intérieur de la voiture, le charme se rompt. Alain n'a pas nettoyé les sièges et le véhicule sent l'huile. Un bidon de lubrifiant pour chaîne de tronçonneuse la contraint à déporter les genoux pour ne pas salir son pantalon. Alain démarre. La place est déserte. Il fait chaud. Les gens font la sieste ou regardent la télévision derrière leurs rideaux tirés sur le soleil. On est dans cet étourdissement qui précède la Saint-Jean.

Alain conduit brutalement. Thérèse, cramponnée à la portière, se tait. Quand Provenchère surgit entre les feuillages, elle fait signe de ralentir. La Chevrolet est garée près de l'entrée. Un rideau de verdure masque les tours. Sans prévenir, Alain donne un coup de volant sur la gauche. Il s'engage dans un chemin de terre qui traverse la châtaigneraie en surplomb de la route et coupe le contact. Le trajet n'a duré que quelques minutes. Alain saute de son siège. Thérèse ne bouge pas, elle attend. Elle espère. Mais rien ne se produit. Un coup d'œil dans le rétroviseur. Alain est là-bas, debout contre un tronc, la main gauche posée sur la hanche, dans cette attitude si tranquillement inconvenante et qui rappelle à Thérèse son père et ses oncles. Alors, elle ouvre la portière.

Ils montent d'un pas de promeneur du dimanche. Alain a sorti son couteau et taille une badine de noisetier. Thérèse sait qu'il souhaite dépasser au plus vite la ferme de Barthélémy. Se promener en forêt avec elle, un dimanche, le gêne. Ce n'est plus de son âge. La forêt est son lieu de travail.

Les bâtiments de la ferme-d'en-haut apparaissent à quelques centaines de mètres. Un chien aboie. Thérèse ne dit rien. Face au soleil, elle est belle, même si la chaleur fait briller son maquillage. Elle se tient droite. Il y a une forme de sérénité en elle, de gravité sensuelle. Cela fait longtemps qu'elle n'avait pas marché dans la campagne. Elle avait toujours refusé ce plaisir à son mari. Peut-être parce qu'elle savait son goût des fourrés.

Sans détourner la tête, Alain surveille la cour de la ferme. Naturellement, il est là, près de la porte. Alain lève le bras. Barthélémy le reconnaît et lui répond. C'est un moment incertain et tous trois se demandent quel sort réserver à cette rencontre. Voir Thérèse en dehors de son café suscite chez Barthélémy un étonnement auquel il ne résiste pas. Il pose son fusil contre la porte et s'approche des deux promeneurs.

Après les salutations d'usage, ils restent silencieux. Alain dit qu'il a laissé le 4 × 4 au pied de la côte. Thérèse voulait marcher. Le temps est si beau. Barthélémy acquiesce. De son côté, Thérèse regarde la ferme. Cela fait si longtemps qu'elle n'est pas passée par là. L'accident de l'eau bouillante lui revient. Le souvenir est resté à vif.

Ils redisent qu'ils vont se promener, que le soleil leur a donné envie de marcher. Et chaque affirmation reprise rebondit sur le visage impénétrable de Barthélémy, appelant une autre phrase qui sonne encore plus curieusement. Au moment de se séparer, le vieux célibataire dit :

— Alors, vous allez voir les choses ?

Alain jette un coup d'œil à Thérèse. Il se retire de la conversation et laisse sa compagne se débrouiller avec Barthélémy qui vient de cracher par terre.

— Nous ne venons pas pour ça, Barthélémy.

— De belles saloperies ! C'est tout ce que je peux dire.

Ils se quittent sur cette imprécation. Le regard de Barthélémy est fiché dans leurs épaules. La sensation se dilue. De nouveau, l'après-midi s'ensoleille. Le souvenir de la rencontre se dissout dans les parfums qui coulent des pentes couvertes de thym et d'airelles. Thérèse saisit le bras d'Alain.

— Il ne va pas bien, notre ami, murmure-t-elle en se serrant contre son épaule.

Décidément l'idée de Thérèse de venir se promener par là n'était pas une bonne idée.

À hauteur des ruines de la maison d'Albert, Thérèse lâche le bras d'Alain. Chacun suit le fil de sa pensée. Thérèse songe à Barthélémy. Et s'il avait raison ? Le vieux célibataire s'est confié un jour à Alain, qui a tout rapporté à Thérèse. Alain ne sait pas garder un secret. Barthélémy croit que Ben Forester, c'est Benjamin Laforêt, leur camarade d'enfance. Lorsqu'elle a entendu cela, Thérèse a pâli. Alain ne s'en est pas rendu compte. Pour lui, cela n'a guère de sens, la génération dont il est question n'est pas la sienne. Il n'a pas connu les instituteurs Pierre et Anne Laforêt. Mais pour Thérèse, il en va tout autrement. L'idée que Ben puisse être Benjamin change tout. Change quoi, au fond ? Elle n'en sait rien et cependant il lui semble que le retour au pays du petit garçon qu'elle aimait en cours moyen est un signe dans sa vie.

Ce n'est pas un signe aisé à déchiffrer. Il y a dans ce retour, s'il se confirme, l'idée d'une boucle, quelque chose qui se referme, une fin qui rejoint son début. Cette idée d'achèvement est pleine de gravité. Mais on peut penser aussi, songe Thérèse, que toute cette enfance partagée, ces émotions lointaines qu'elle croyait perdues ne le sont pas tout à fait, puisqu'un homme qui semble avoir tout connu revient sur ses pas. Comme s'il se disait avoir oublié quelque chose. La monnaie de sa vie.

Ils arrivent à hauteur du bois.

— Regarde ! dit Alain. C'est bizarre, non ?

Thérèse ne répond pas. Déjà, elle a traversé la lisière et s'approche de la grosse corbeille tressée de rejets de châtaigniers. Elle tourne autour de ce vaste nid aux parois drapées de feuilles. Elle se demande ce qu'il va advenir de cette chose lorsque les arbustes vont prendre de la force et croître. Elle se dit que cet abri ferait un refuge merveilleux. Qu'elle aurait aimé jadis que Benjamin l'y entraîne. Que seuls des enfants touchés du plus bel amour, du sentiment le plus pur, pourraient se glisser entre ses rameaux.

— C'est bien fait quand même, finit par reconnaître Alain, troublé par le silence de Thérèse.

Il ajoute :

— Elma l'a aidé. Barthélémy m'a dit qu'ils y ont travaillé des jours et des jours.

Thérèse pose la main sur les liens d'écorce qui contraignent les branches. Elle ne parle pas. Une seule question la préoccupe. Benjamin peut-il être devenu l'homme qui a conçu cela ? Et pourquoi ne l'aurait-elle pas reconnu lorsqu'il est entré dans son café ?

Sous les arbres, il fait moins chaud et les feuillages font écran au ruissellement de la lumière. Alain est à quelques pas d'elle. Il respecte sa curiosité qu'il sent pleine d'attendrissement. Lui, depuis qu'il a vu les quatre mannequins accrochés aux arbres, il se méfie. Secrètement, il admet que Ben Forester est un artiste dans le sens où ce type fait des choses qui ne sont pas à la portée de n'importe qui. Comme on dirait d'un équilibriste, d'un avaleur de sabre, d'un tricheur aux cartes, qu'il est un artiste. En fait, sa représentation de l'art est très vague. Pour lui, comme pour son frère Roger, cela se passe dans les musées où il est essentiellement question d'argent. Dehors, n'importe où comme ici, ce n'est plus de l'art. Il lui est arrivé, à la télévision, d'être surpris par le prix des tableaux ou des sculptures qui ne représentent rien. Indirectement, la richesse de Ben le conforte dans l'idée qu'il pourrait effectivement s'agir d'un artiste. Mais il ne veut pas le reconnaître. Il ne le peut pas. Si encore Thérèse abondait dans ce sens.

L'histoire des quatre arbres tronçonnés s'est assez bien terminée pour Roger et pour lui. Un matin, Roger a vu arriver Ben à la scierie. Roger a compris qu'il ne pouvait que s'agir de l'histoire des mannequins et il s'apprêtait à nier. Ben s'est adressé à lui comme s'il n'était au courant de rien, lui a demandé des nouvelles de sa commande de traverses de chemin de fer et ils sont convenus de la livraison. Au moment de partir, il a dit à Roger qu'il avait quatre arbres tombés dans la forêt de Grande-Combe et que Roger lui rendrait service s'il les lui débardait sur le bas-côté de la route. Roger n'a pas pu dire non. C'est ainsi qu'il a sorti lui-même les arbres qu'il avait coupés. Il s'est trouvé humilié. Les arbres ne sont pas restés long-temps sur le bas-côté. Dans la semaine, une entreprise de transport de grumes les chargeait. Depuis, plus rien.

Alain espère que Thérèse va lui demander de revenir au 4 × 4. Il verrait bien l'après-midi s'achever ainsi, dans la pénombre de la chambre d'enfant, au-dessus du café. Loin de toutes ces complications. Mais Thérèse dit d'une voix à laquelle Alain ne sait pas résister :

— Il va falloir tout me montrer, Alain. Tout ce que tu sais.

*

Le tracteur s'enfonce dans la prairie comme dans l'écume d'un rivage. L'herbe plie sous les roues, déga-geant des parfums entêtants que le soleil attise. Des myriades d'insectes abandonnent les fleurs, mêlant leur matière vivante aux embruns de pollens. Parfois, l'ombre rapide d'un nuage glisse sur les vallonnements de Blessac comme si un oiseau gigantesque fondait sur les pentes écrasées de lumière. Jean passe le revers de sa main sur ses yeux. Des perles de sueur coulent sur son front serré dans la toile de son chapeau de bushman. Il est au cœur d'un embrasement dont la violence dit tous les empêchements de l'hiver. Là-bas, l'étang de la Foulière est une tache qui brille dans l'immensité verdoyante. Aux Bruges, près des deux rochers, les bêtes recherchent l'ombre des chênes. Plus loin, les fleurs de pissenlit sont un immense drap d'or jeté sur les prés.

Ce matin encore, Elma a déserté. Elle n'était pas à la maison lorsque Jean a porté son linge dans la buanderie. Cette nuit, elle a quitté Blessac à pied pour se rendre à Provenchère par ce petit chemin qui laisse la trace de ses pas dans l'herbe foulée. Jean n'a pas besoin de l'épier pour savoir. On ne surveille pas les fantômes qui battent la campagne.

Jean descend du tracteur. Il n'est pas pressé. À quoi bon donner tant à une terre que l'on va quitter ? Malgré cela, il met un point d'honneur à ne pas céder au découragement. Pour ce qui est du travail, il ne laisse rien filer. Il s'est donné un objectif, tenir jusqu'aux moissons. Ne pas s'en aller avant. Faire en sorte qu'au village on dise Jean est parti après avoir rentré les blés. Il n'était pas obligé. Sauf pour les bêtes qui nécessitent une attention et des soins de chaque jour. Jean ne veut pas qu'on pense qu'il a abandonné la propriété comme un malpropre, pour se venger. Qu'il n'était pas à la hauteur. Deux fois déserteur.

C'est déjà assez difficile ces rumeurs sur son infortune. Partout, il se dit qu'Elma le trompe avec Ben. Que ce type est don Juan. Après Denise, mais elle ça ne compte pas, l'institutrice ne lui suffit plus. Elma, on n'aurait pas cru ça d'elle. Ces paroles lui font mal. Peu à peu, elles le pénètrent. Le doute le gagne. Du coup, Jean ne sort plus. Il ne met plus les pieds Chez Thérèse. Pour ses courses, il va au supermarché de la préfecture. Il ne veut rencontrer personne. Cet isolement lui pèse.

Il s'est même disputé avec Barthélémy qui abonde dans le sens des calomnies. Jean souffre de cette dernière défection. Il s'en veut. Barthélémy était le dernier qui lui restait fidèle. Depuis quelque temps, il était là tous les jours, prêtait la main, se forçait à parler pour entretenir un faux entrain comme auprès d'un malade. Lui, le taiseux. Peut-être Jean a-t-il été trop brusque. La conversation avait dérivé. Elma, que les deux hommes n'évoquaient jamais, sans cesser de penser à elle, a fait irruption dans leurs silences. Elle s'est glissée dans leurs mots. Ils avaient trop longtemps tenté de l'éviter. D'un coup, tout le jeu savant qu'ils avaient bâti pour ne pas s'affronter à son sujet a volé en éclats.

Entendre Barthélémy affirmer qu'il ne tenait pas Elma, qu'il la laissait courir, c'est le mot employé, a déclenché la colère de Jean. En aucun cas, et quoi qu'elle fasse, il ne peut penser qu'Elma est une femme frivole qui profite de sa liberté pour le tromper. Elma suit un chemin exigeant et chaotique qui l'éloigne de lui. Il a la conviction qu'elle souffre toujours de la disparition de son enfant. Ce drame a tout déclenché, son dégoût de la vie, son refus de reprendre une existence commune. Jean ne lui a jamais vu accomplir que des gestes en cohérence avec ce qu'elle est. Elma est ainsi. C'est pour cela qu'il l'aime. Car il l'aime.

Barthélémy ne peut pas concevoir cela. Il faut aimer pour admettre ce raisonnement qui n'en est d'ailleurs pas un. Alors, leur conversation s'est envenimée comme une plaie trop longtemps couverte. Jean a eu des mots durs, il les regrette à présent. Barthélémy a répondu par des silences pleins de mépris. L'un et l'autre se sont blessés. Depuis, Jean est sombre. Cette dispute finit d'empoisonner son existence. Après tout, Barthélémy aurait dû comprendre qu'il y a des choses que Jean ne peut pas entendre. Que sait-il donc de la relation d'Elma et de Ben Forester ? Jean lui-même, que pourrait-il en dire ?

Car Elma ne partage rien de ce qu'elle vit à Provenchère. Peut-être, dans ce silence, se situe la part la plus grande de la douleur de Jean. L'idée le blesse, qu'un autre homme apporte à sa femme davantage que lui. Même s'il imagine, Jean, que ce qui se passe entre eux n'est pas forcément de l'ordre de la chair. Après tout, il n'est sûr de rien. Et cela serait-il si grave ? L'en aimerait-il moins ? L'amour physique entre deux êtres est-il une expérience indépassable ? Jean n'en est plus certain. Ce doute le dérange.

Non, ce qui le peine, c'est de n'être pas celui qui sauve Elma en ce moment tragique de son existence. Il aurait voulu qu'ils s'en sortent ensemble, tous les deux, par eux-mêmes. Sans l'aide de quiconque. Or, il voit Elma guérir et il n'y est pour rien, du moins le croit-il. Car elle guérit, Elma. Elle ne le sait peut-être pas encore, mais Jean le voit.

Elle est récemment venue devant la porte de son atelier, près d'entrer. Elle s'est ravisée et elle est repartie. Mais Jean l'a vue hésiter. Ne pouvant s'endormir, il était sorti s'asseoir au pied du sycomore. Elle ne s'est pas rendu compte qu'il l'observait et il s'est bien gardé de se manifester. Jean ne respecte rien davantage que les désirs d'Elma. Parfois, il se dit qu'il devrait la bousculer, aller vers elle et lui dire qu'il l'aime. N'est-ce pas ce qu'elle attend, cette reconquête ? Mais Jean est à un âge où attendre que l'on vienne à soi est plus fort que conquérir.

Jean s'est assis au pied d'un pommier de bordure. Il a sous les yeux Blessac et les prairies ondulantes d'herbages qui convergent vers la ferme. Une odeur d'huile chaude parvient de son tracteur et se marie aux parfums de fenaison. Jean a appris à aimer cette campagne. Il cligne des yeux. Un souffle tiède passe sur son visage mal rasé. Il rêve à Elma, à ses émois qu'il ne partage plus. Il songe à Ben, qu'il n'a jamais rencontré. À cet homme qui lui a ravi sa femme. Qui, à coups de touches imperceptibles, sculpte directement dans la matière vivante des êtres et des paysages. Tous ceux qui vivent là sont dorénavant sur le qui-vive. Chacun soupçonne Ben Forester d'avoir glissé dans ces horizons contemplés depuis toujours un détail infime et bouleversant. Chercher dans l'imagerie ancienne dormant au fond d'une sorte de *puits du passé* ne suffit plus. Les bois et les vallonnements, aussi familiers que l'intérieur de sa maison, ont été visités par un inconnu. Non pas fouillés ou violés, ainsi que le pense Barthélémy. Mais discrètement revisités. Réinventés. Enrichis. Toute perspective peut être à présent porteuse d'un sens jamais produit jusque-là.

Les regards sont en alerte. Les yeux redeviennent curieux et par conséquent attentifs. Jean n'a qu'à observer la trace du sentier qui file aux pierres des Bruges pour se convaincre du nombre de visiteurs qui viennent discrètement contempler le *trottoir de Ben*, ainsi que chacun nomme à présent la première intervention de Forester. Comme si nommer les angles vifs sculptés dans la pierre brute permettait de s'approprier une part de l'œuvre, de l'exorciser, d'en détourner l'effet puissant à son profit. S'assurer de l'existence de cet inexplicable. Et, en accomplissant cette démarche, le sentiment d'être intégré à ce qui se trame. Car il se passe quelque chose, c'est certain.

À présent, chacun cherche dans la familiarité de ce qu'il a sous les yeux ce qui peut avoir changé. La part étrangère dans ce que l'on croit nous appartenir. Un glissement s'est opéré, infime, révélateur. La croix sur l'étang de la Foulière, ce n'est pas grand-chose. La lumière rouge qui brille la nuit n'est qu'un point dans l'immensité. Et le jour, la croisée blanche surlignée de rouge n'est visible que pour un œil averti. Pourtant, Jean ne peut plus regarder l'étang comme avant. C'est fini, la paix qu'il ressentait en posant les yeux sur les eaux sages et dormantes et qui relevait sûrement de l'indifférence, de l'aveuglement, de la contemplation d'une image intérieure très éloignée de la réalité. Lorsque les yeux se portent là, ils cherchent tout d'abord le signe. Pourquoi cette croix, comme un marqueur essentiellement visible du ciel, comme si ce point insignifiant avait un sens précis, était destiné à des aviateurs perdus devant se repérer ? Aux étoiles ? Tous ceux qui, dès la nuit tombée, ralentissent sur la route qui surplombe les eaux de la Foulière ne se posent-ils pas la même question ? Braconnier des mémoires et des rêveries, Ben Forester trouble jusqu'aux reflets.

Jean se laisse atteindre par la douceur de l'air. Des parfums d'herbe et de fleurs sauvages lui parviennent. Il aimerait que le temps s'écoule ainsi infiniment, avec mollesse. Sa tête porte contre le tronc du pommier. Il se laisse aller à la contemplation de la campagne. Des souvenirs de sa vie passée lui reviennent. Un tissage de bonheurs et de drames, son divorce comme un acide injecté dans les veines et dont il avait guéri la blessure dans la lumière d'Elma. Leur enfant perdu. À présent qu'Elma vit parallèlement, qu'ils se croisent sans se rencontrer, des doutes reviennent. L'idée lancinante que tout ce qu'il entreprend est voué à la perdition.

Il ôte son chapeau et le pose dans l'herbe contre ses jambes étendues. L'ombre du fruitier est légère et marque sur le sol inondé de soleil les limites d'un îlot sur lequel il fait bon se tenir. C'est un instant d'équilibre. Jean observe d'un œil distrait, désarmé, presque attendri, les pentes recouvertes par d'innombrables fleurs de pissenlits. Ses yeux dérivent sur cette beauté simple. Tout à coup son regard revient sur l'espace balayé en confiance. Son cœur s'accélère. C'est presque rien. Mais ce rien bouleverse tout. On dirait un coup d'ongle. Un signe. Jean se relève. Il n'a plus envie d'être en paix avec ses visions bucoliques et naïves. Alors, il grimpe sur son tracteur et démarre en direction des prairies d'en face.

Le phénomène observé n'est pas un mirage, bien que, selon les angles, il se dématérialise ou réapparaisse. Jean n'a pas rêvé. Ou plutôt, il rêvait en ne voulant voir dans les prés jaunis de pissenlits que l'expression pittoresque d'une curiosité. Une image d'Épinal. Quelqu'un a posé sa marque dans le tissu de fleurs safran jeté sur les pentes. Son trait. Sa signature. Une ligne longue d'une quarantaine de mètres, large d'une trentaine de centimètres, a été tracée. Ben Forester est intervenu. Simplement. En cueillant sur la longueur de cette bande étroite des milliers de fleurs.

*

Thérèse a repris le bras d'Alain. Il se laisse faire, ajuste son pas, abaisse les épaules, bien que marcher ainsi dans la campagne, cette femme accrochée à lui, ça le gêne. Il ne voudrait pas qu'on les surprenne là, tous les deux, comme des adolescents à la recherche d'un repli de forêt pour s'aimer.

Thérèse se tait. Elle souffle un peu, la pente est raide et ses chevilles roulent sur les pierres et dans les ornières. Elle se serre contre Alain. Sa poitrine presse son bras. Elle sent que l'attention de l'homme se concentre sur ce point de contact et elle s'écarte.

— Le plateau, murmure Alain comme s'il voulait rompre le sortilège du silence qui les enveloppe.

Sa voix a quelque chose de cassé. Peut-être parle-t-il à lui-même.

Le couple découvre un des bois et des prés ensauvagés séparés par des murets de pierres sèches. Là-bas, les toitures grises du village, la scierie, ses tas de sciure comme des termitières. L'école, l'église, le cimetière. Cela fait des années que Thérèse n'est pas venue ici. Plusieurs dizaines d'années. Au bras de qui aurait-elle désiré marcher dans la campagne ? Il a fallu que Ben Forester arrive et procède à ses installations, le mot s'est imposé à Thérèse sans savoir pourquoi, peut-être en raison du caractère provisoire qu'il suggère, pour qu'elle se retrouve ici sous le soleil.

Thérèse regarde le village. Toute sa vie est condensée là, sous ses yeux. Un enclos minuscule, en cercle autour d'une place vide. C'est ici qu'elle a tourné en rond soixante ans, en liberté surveillée. Pas même dans cet espace, mais dans un réduit plus exigu encore, une maison, une salle de café, une cuisine, derrière des barbelés de conversations sempiternelles accrochées à des silhouettes piquées au comptoir.

Thérèse est immobile, la gorge nouée. En cet instant, elle est dans l'extrême nudité de la tristesse.

Ils repartent. Un grand vide les sépare. En lisière d'un bois bordé de genêts, Alain s'arrête. Ici, dit-il simplement. Thérèse comprend que de nouveau c'est à elle d'agir, de regarder, de comprendre. Alain n'ajoute rien. Il en restera là, en retrait. Tout cela le dérange.

— Où ?

Thérèse ne voit rien. Son regard court sur un pré abandonné qui file jusqu'à un bois de hêtres. Rien d'autre que du vide, du néant. Alain tend le bras.

Elle remarque enfin un passage qui, à force d'avoir été emprunté, a laissé sa marque sur le sol. C'est une ligne droite, de la largeur des pas d'un homme. Le soleil écrase les brindilles foulées d'un reflet blanchâtre qui varie selon la position depuis laquelle on observe. Thérèse se retourne vers Alain. Tout en elle traduit le dépit. La corbeille tressée à partir de rejets de châtaigniers, elle pouvait encore concevoir qu'il s'agissait d'un objet. Le toucher, lui trouver une réalité, un intérieur et un extérieur, une ossature, une enveloppe. Lui découvrir une utilité, des fonctions, ce qu'elle avait fait spontanément, entrant ainsi dans le jeu de Ben et d'Elma. Mais là. Ce simple trait, ce froissement d'herbes sans dehors ni dedans ne la renvoient à rien qu'elle sache manipuler et dont elle pourrait s'emparer. Cet insaisissable la fait douter même de son rôle de témoin.

Elle s'agenouille, passe la main sur les herbes tassées. Comme un chasseur. Elle caresse la trace des pas de Benjamin Laforêt. Cette idée la trouble.

— Il vient tous les matins à la même heure. Au

lever du soleil. Et il fait des allers-retours sur cette ligne.

Thérèse lève le visage vers Alain.

— Barthélémy l'a vu. Il me l'a dit.

Thérèse se relève. Elle qui était prête à traverser le pré, sans prendre garde, hésite à présent à mettre ses pas dans ceux de Ben. Elle aimerait le faire pourtant. Comme on a envie de toucher une sculpture qui nous émeut.

Avec Alain, Thérèse se projette toujours dans l'avenir. Elle songe au moment où elle devra l'éloigner d'elle. Parce qu'elle sera trop âgée. Elle ne veut pas qu'ils finissent comme ces couples mal assortis. Dans chacune de ses décisions, Thérèse prend en compte l'idée qu'un jour elle le repoussera, pour son bien et pour elle aussi, parce qu'il arrivera un temps où elle aura besoin de répit. Aussi prépare-t-elle aujourd'hui leurs souvenirs.

Cette rencontre avec les installations de Ben fait partie des instants forts de leur histoire, des marqueurs du temps passé ensemble. Thérèse le pressent. Elle est redevable à Ben Forester de leur permettre d'affronter un mystère de cette qualité. Si radicalement différent de ce qui fait l'ordinaire de la vie commune. En ce sens, Ben Forester enrichit leur existence en jalonnant leur chemin d'épisodes singuliers qui les contraignent à réfléchir à deux.

Thérèse détache les yeux du sol. Sa conviction est établie. Si le désir d'aller là-bas, dans le bois en face, la prenait, elle le contournerait. Elle s'en écarterait, à distance respectable, parallèlement peut-être. Cet empêchement est d'une nouveauté qui la gêne. Thérèse croise le regard d'Alain qui se tient en retrait. Les deux amants mesurent leur trouble.

*

Thérèse se retourne. Là-bas, prenant elle aussi soin d'éviter de fouler le chemin de Ben, Estelle, un appareil photo accroché au cou, arrive droit sur eux. La dernière fois qu'ils se sont rencontrés, ces trois-là, c'était dans le café, le soir où Estelle est venue prendre un thé, sans desserrer les lèvres, assise à la petite table contre le baby-foot, les yeux posés sur les habitués. La jeune femme ne paraît pas surprise de les trouver là. Nous observait-elle depuis longtemps ? se demande Alain. Il ne voudrait pas que l'on dise qu'il s'intéresse aux élucubrations de Ben Forester.

— Bonjour, dit Estelle. C'est étrange, n'est-ce pas ?

Il n'y a dans sa voix aucune agressivité, seulement une interrogation. Thérèse acquiesce. Le mot étrange la conforte.

— On ne comprend pas, répond Thérèse avec sincérité.

Estelle s'est approchée. Les deux femmes sont côte à côte, tournées vers le sentier.

— Il n'y a peut-être rien à comprendre, dit Estelle.

Cette hypothèse ennuie Thérèse. Tout acte, toute chose, a sa raison. Sa source. Sinon, c'est à devenir fou. Elle, dans son existence, elle n'a jamais rien entrepris sans motivations. Elle s'est trompée souvent.

— Ça force à regarder le sol, dit Thérèse.

Elle lit sur le visage d'Estelle que cette idée l'intéresse, que ce qu'elle vient de dire est plein de profondeur. Ça la met en confiance, Thérèse, elle qui a tendance à se sous-estimer intellectuellement. Une des raisons de ses préventions à l'égard d'Estelle est à chercher là, car elle devine que l'autre a toujours le nez fourré dans les livres. Alors qu'elle, elle serait plutôt télévision.

— Vous avez raison. Ben Forester contraint souvent notre regard à s'abaisser vers la terre.

La terre. C'est mieux que le sol, pense Thérèse. Mais ça ne fait rien, elles partagent une même idée. Thérèse cherche Alain des yeux. Il s'est écarté.

Elles se taisent. Se retrouver devant cette chose les rapproche. Malgré elles. Car enfin, cette rencontre est étonnante. Encore, qu'Estelle batte la campagne en tenue de marche, cela peut se concevoir. Elle est de la génération jogging, la jeune professeur des écoles. On l'imagine faire des assouplissements, dans une tenue qui remue les hommes. Elle ne serait pas longue à lui souffler son grand benêt d'Alain, si elle voulait, la mignonne institutrice. Sa toute-puissance en matière de séduction est établie. Ce n'est pas sur ce terrain qu'elles peuvent s'affronter. Et pourquoi se défier ? Il n'y a plus rien ici qui mérite qu'on se batte.

— Vous avez vu ce qu'il a fait avec les rejets de châtaigniers ? demande Estelle.

— Oui. Et j'aime mieux.

Thérèse a parlé trop vite. Elle s'est livrée. Qui parle d'aimer ces choses qui sont à peine existantes ? Il serait si facile de les brouiller, sans même s'abaisser à les détruire. Ce sentier, par exemple, qui fait songer, ça, c'est une image qui vient sur le coup à l'esprit de Thérèse, à la voie d'un animal sauvage.

— On dirait le passage d'un animal.

C'est Estelle qui a parlé. Thérèse est interloquée. Comme si l'autre avait lu dans ses pensées.

— Vous avez raison, murmure Thérèse. Mais quel animal ?

— Et les traverses de chemin de fer ? dit Estelle. Y êtes-vous allée ?

— Alain va m'y conduire. Moi aussi je veux voir.

— Vous avez raison.

— Vous savez, Alain a participé à l'installation. Avec Roger. Il a aidé à décharger les bois.

Thérèse scrute le visage d'Estelle à la recherche d'une approbation. D'un peu d'admiration peut-être.

— Il paraît que c'est...

Thérèse cherche un mot. Ne le trouve pas. Estelle se tait. Elle ne souhaite pas compléter cette phrase à trou comme elle le fait avec ses élèves. Un jour, Thérèse trouvera l'expression qui lui convient. Ce n'est pas très important.

— Vous contournez le bois.

Estelle tend le bras. Thérèse suit des yeux le mouvement de son poignet. Le temps se ralentit. La complicité accorde aux deux femmes de beaux silences. Alain est assis au loin sur une souche. À l'ombre. Il a allumé une cigarette. Il est bien. Tout au bonheur minuscule de fumer, à la douceur de cette belle journée. Son esprit vagabonde... Retrouver le corps de Thérèse dans la petite chambre au-dessus du bistrot. Il est déjà à l'apaisement qui suivra leurs caresses. À la beauté de la vie quand on la prend avec simplicité.

— Vous pourriez être ma fille...

Thérèse se rend compte de l'énormité de ce qu'elle vient de dire. Mais il est trop tard. Un coup d'œil au visage d'Estelle. Celle-ci n'a marqué aucune surprise.

Aucun mépris. Et même la jeune femme paraît brutalement plus mûre, plus soucieuse.

— Je sais que vous ne m'aimez pas beaucoup...

Thérèse a dit cela pour contrebalancer. Donner, reprendre, chaud, froid, elle agit ainsi quand elle n'est pas sûre d'elle.

Estelle ne proteste pas, elle se tait. Thérèse apprécie.

— Je voudrais vous demander quelque chose, Estelle.

Elle marque un temps, ajoute :

— Un service.

Estelle se tourne vers Thérèse. Toute la gravité qu'elle avait aperçue sur son visage est là, offerte à son regard.

— Ben Forester. Vous le connaissez...

Thérèse prend conscience de sa maladresse. Elle se ravise, précise :

— Ce n'est pas ce que je veux dire... Il paraît que vous avez appris des tas de choses aux enfants après la découverte de l'arche de cristal. C'est bien comme cela que vous appelez ce qui était sur le ruisseau ?

Elle s'enferre.

— Qui est-il, cet homme ?

Estelle se tait. Son silence est un vide au bord duquel Thérèse sent qu'elle bascule. Elle regarde en direction d'Alain pour s'assurer qu'il ne peut entendre.

— Certaines personnes pensent qu'il est du pays. Qu'il serait né là, parmi nous. Vous comprenez, c'est important de savoir. Si ça se trouve, nous étions camarades.

— Et vous ne l'auriez pas reconnu ?

La voix d'Estelle est nette. Tranchante. Elle a frappé là où Thérèse a mal.

— Non. Je ne l'ai pas reconnu.

Le sillage dans les herbes capte leur attention. Leur esprit file sur cette voie au ras du sol.

— Dès qu'il cessera de l'emprunter, cela redeviendra invisible. Ce sera fini, murmure Estelle.

Thérèse acquiesce, désemparée.

— Nous avons le même âge, vous comprenez. S'il a vécu au pays, je le connais. On dit qu'il s'agirait de Benjamin Laforêt, le fils des instituteurs. Et moi, j'étais en classe avec lui. Dans vos livres, ou sur Internet que sais-je, cela doit être écrit, son vrai nom.

Thérèse saisit les mains d'Estelle et les presse.

— Je vous en prie, Estelle. Je vous jure de ne le répéter à personne. C'est pour moi. Rien que pour moi. S'il vous plaît.

Estelle regarde du côté d'Alain.

— Vous savez qu'il ne compte pas dans cette affaire. Estelle, dites-moi.

Alors, les yeux d'Estelle renvoient à Thérèse la réponse qu'elle connaissait.

*

Ils repartent au bras l'un de l'autre. Estelle observe le contraste de leurs silhouettes, lui si grand, elle un peu tassée. Quelque chose de cinématographique leur est attaché. Il y a peu, elle les aurait trouvés ridicules. Les mois ont passé depuis sa rupture avec Éric. Estelle a demandé à ses parents de ne pas intervenir dans ses « affaires sentimentales ». Elle n'a pas imaginé d'autre expression bien qu'à peine prononcée elle ait trouvé à l'association de ces deux mots une consonance étrange. Persuadée de devoir la consoler, la réparer, sa famille l'a attendue pour les vacances dans la maison bordelaise de la Barrière-Pessac. Estelle n'a pas cédé, elle n'a pas déserté. Partir lui aurait été odieux. C'est ici qu'elle doit être. Ils ont insisté, elle s'est fâchée. S'est opposée à sa mère. Elle a supporté au téléphone la froideur des silences de son père, ces moments qui lui tordaient le ventre et dont le simple souvenir lui arrache encore un profond malaise. À présent, elle se sent plus forte. Elle se réconciliera plus tard avec ses parents. Cela ne lui paraît pas très important. Il sera toujours temps.

Ces ruptures l'ont libérée. Elle s'accomplit. Il y a une forme de témérité dans la manière d'affronter sa relation avec Ben dans tout ce qu'elle possède de pervers. Estelle aime la griserie qui consiste à agir conformément à ce qu'elle pensait ne pas être. Elle qui détestait tant l'idée de sa propre prudence.

Il est tard lorsque Estelle franchit le seuil de l'école. Après sa rencontre avec Thérèse et Alain, elle a marché, accomplissant une grande boucle dans la campagne, à la recherche d'interventions de Ben qu'elle n'aurait pas encore repérées. L'expérience des quatre arbres tronçonnés l'a profondément marquée. Estelle devine la place que son amant lui avait accordée dans cette œuvre disparue. Elle conserve le sentiment d'une perte. Une dépossession.

La semaine précédente, Estelle a trouvé sur le sol une composition d'une délicatesse bouleversante. Sur le bord d'un chemin, un arrangement en spirale de feuilles d'érable, agrafées les unes aux autres et fixées au sol à l'aide d'aiguilles de pin. Une sorte de conque, déposée là, dont l'enroulement jouait sur la confusion entre les règnes végétal et animal. En observant de plus près, Estelle avait noté le travail de lissage des feuilles dont les reflets rendaient vivante cette forme enroulée sur elle-même, décroissante de la tête à la queue, luisante, presque visqueuse d'un principe de vie. Tendue comme un serpent reposant au soleil, les anneaux alanguis et gonflés. Une merveille que le premier pas d'un marcheur distrait pouvait réduire à néant. Estelle l'a photographiée. Elle est peut-être la seule personne, si on excepte Ben, à avoir vu cette installation tant la finesse et la fragilité des matériaux assemblés étaient grandes. Pourtant, elle a le sentiment que cette œuvre était, elle use de l'imparfait comme si elle avait admis le principe de sa disparition, une source d'émotions d'une rare puissance. Elle l'a abandonnée. La recueillir eût été la détruire, aller contre la volonté de Ben. La mettre en cage et la condamner à mourir. Le geste n'aurait eu aucun sens.

Estelle s'installe devant l'écran de son ordinateur. Au retour de chacune de ses campagnes, elle archive ses photographies. C'est sa manière à elle de participer à l'œuvre de Ben, qui la tient délibérément à l'écart de son travail. Certes, il la laisse aller à sa guise dans l'atelier. Il ne lui interdit pas de regarder ses toiles, ses esquisses, les maquettes de certaines de ses installations. L'autre nuit, alors qu'il travaillait sur son ordinateur, elle est restée longtemps debout derrière lui avant qu'il n'interrompe son travail sur la palette graphique.

Admettre cette mise à l'écart lui est difficile. Cela la blesse. D'autant qu'elle sait que Ben associe Elma à ses démarches de création. Un soir, elle a voulu en parler, dire combien elle aurait aimé participer à ce qu'il a entrepris. Mais elle avait atteint cette limite au-delà de laquelle Ben Forester est capable de rompre aussi aisément qu'il abandonne derrière lui des trésors que le vent ou la pluie détruisent en une nuit. Pendant trois semaines, il n'a pas donné signe de vie. Estelle a cru qu'elle avait tout gâché.

Sur l'écran apparaît une photographie du *chemin dans l'herbe* comme Estelle nomme provisoirement cette œuvre. Le cliché a été pris depuis une position abaissée, à hauteur du regard d'un enfant. De ce point de vue, la ligne foulée par les pas de Ben apparaît plus longue, plus droite et semble s'enfoncer dans la lisière du bois en face. Il se dégage du cliché une mélancolie que désapprouverait son auteur. Ben a horreur de toute sentimentalité. Estelle a pris plusieurs images du chemin. Elle les fait défiler sur l'écran, les répertorie, indique la date, l'heure, l'ensoleillement.

Elle reprend une à une les images numériques de son travail d'archivage, depuis l'*arche de cristal*. Elle accomplit là une tâche qui dépasse le strict besoin personnel de conservation. Cette idée lui est venue après avoir observé les appareils photographiques dont Ben dispose dans son atelier de Provenchère. Comme nombre de land artistes, Ben use de la photographie comme unique moyen de conserver une trace d'installations vouées à disparaître. Cette procédure remonte à l'année 1969, lorsqu'il a inauguré sa série de clichés de sables peints et d'agencements de pollens, inspirés de pratiques chamaniques. Depuis qu'elle accède à l'atelier, Estelle a constaté qu'à Provenchère Ben ne paraissait pas utiliser ses appareils. Le Nikon numérique et les deux Leica n'ont pas été manipulés depuis des mois. Une pellicule de poussière accrédite cette hypothèse. L'idée a fait son chemin peu à peu. Ben ne conserve plus la mémoire de ses dernières œuvres.

Estelle s'est convaincue que, tacitement, Ben Forester lui déléguait la charge de témoigner. Avec ses propres moyens, son petit appareil numérique acheté à la FNAC de Bordeaux, il y a un tout juste un an. Sa sensibilité, ses choix, ses oublis. Sa sagacité à découvrir les œuvres. Sur elle repose la responsabilité d'en conserver, même imparfaitement, l'évocation. Cette imperfection fait partie de l'œuvre et participe à son l'histoire.

Elle a mis longtemps à accéder à cette idée. Longtemps à comprendre la générosité créatrice de Ben, cet homme qui dilapide ses forces. Cet être amoral qui admet la disparition d'une part importante de ses créations, comme un Dieu qui aurait imaginé la sélection naturelle des espèces dont il a peuplé la surface du monde. Mais ce n'est que ce soir, parce qu'il y avait dans les mots échangés avec Thérèse une vérité qui lui échappe et qui la touche secrètement, qu'Estelle a vu, dans cette négligence du créateur vis-à-vis de ses propres créatures, l'idée d'une fin entrevue et acceptée.

Estelle éteint son ordinateur. Elle ferme les yeux, les mains posées sur le clavier. Par les fenêtres restées ouvertes, un air doux pénètre l'école. C'est un dimanche soir à la campagne. La salle de classe est un lieu vacant. Estelle est seule. Elle aimerait être à Provenchère. Mais elle n'ose pas monter dans sa voiture et s'y rendre. Ce ne serait pas conforme aux règles fixées. Imposées par Ben, plus exactement. Son amant use d'elle sans précautions. Oui, ses amours passées étaient enfantines. Les hommes qu'elle a connus des aquarelles.

8.

— Ben !

Elma crie. Elle a un pressentiment. Denise lui a dit qu'il n'était pas rentré de la nuit. Hier au soir, il est parti à l'étang de la Foulière et depuis elle ne l'a pas revu. Denise a ajouté qu'il ne fallait pas s'inquiéter. Que Ben était « irrésistible ». C'est le mot qu'elle a employé. Elle a voulu dire invincible. La confiance de Denise en Ben est absolue. C'est magnifique à voir. Depuis quelque temps, elle abandonne le rose pour des rouges vifs. Elle peut tout se permettre. À sa façon, elle est une reine.

Un premier regard sur la croix toujours en place. Et rien d'autre. Un grand silence traversé de chants d'oiseaux. Elma scrute les eaux, leur profondeur ocre troublée par les chaleurs des derniers jours. Sur la rive, l'ombre des chênes plaque des reflets irisés de bleus cobalt.

— Ben !

Elma retient des larmes. Ce matin, elle a eu avec Jean une explication douloureuse. Ils se sont dit des mots durs, des mots qui ne sont pas faits pour eux. Qui les écorchent. Encore se sont-ils retenus, au bord du précipice. Rien n'a été proféré qui ne puisse

317

s'oublier. L'exaspération gagne son mari. Elma peut l'admettre et en même temps elle pense que c'est à Jean de se hisser au niveau de ce qui se passe dans leur vie. D'en percevoir le caractère exceptionnel. Au fond, elle redoute qu'il ne puisse y parvenir. Depuis la rupture avec Barthélémy, Jean a changé. Il n'est plus le même. Sa sérénité est entamée.

— Ben...

Imaginer que Ben s'est laissé entraîner par le fond est impossible. Il y a trop de force en cet homme, trop d'énergie pour que la pesanteur le rattrape et le coule. Denise a raison, Ben est irrésistible. À l'occasion de l'installation des traverses de chemin de fer, Elma l'a observé torse nu. Il faisait chaud. Dès que Roger et Alain étaient repartis après la livraison des quatre-vingt-huit madriers, Ben s'était mis au travail. Il avait posé sa chemise et avait commencé à se coltiner les poutres. En silence, agissant comme si Elma n'était pas là. Ses mouvements ménageaient une sorte de creux. Elle s'était alors glissée dans l'anse de ses gestes, avait saisi les madriers, calqué son pas sur le sien. Elle s'était appliquée à reposer le bois en souplesse, en faisant coïncider exactement les extrémités, là où il le désirait.

Peu à peu, au fil des heures, était apparue dans l'herbe une ligne d'une centaine de mètres constituée de poutres toutes identiques mises bout à bout et qui suivait les moutonnements du terrain. Il manque à Elma un élément essentiel pour comprendre l'installation de Ben. Elle a observé le discret balisage du sol à l'aide de minuscules brindilles fichées dans l'herbe, afin de positionner les madriers selon une courbe précise. Elle a contribué à la réalisation de cette œuvre et elle en est exclue. C'est dans ces circonstances, donc, qu'elle a appréhendé la force de Ben. Invincible, il l'est bien. Alors, l'idée qu'il se laisse entraîner au fond de l'eau est inconcevable. Ce n'est pas un homme à tomber, Ben. À la rigueur, être happé par le ciel et y disparaître.

— Ben...

Elma a contourné le plan d'eau jusqu'à la roselière. Elle est en espadrilles, dans la zone humide et boueuse au milieu de laquelle le ruisseau qui alimente la retenue se fraie un passage. La boue macule ses mollets. Les paroles de Jean l'accompagnent. Ce n'est plus possible, Elma. Nous ne pouvons plus rester ainsi, dans cette situation. Il faut trouver une solution. Et son silence à elle, l'impossibilité de le serrer dans ses bras. Jean qui ne comprend pas qu'elle attend un geste de sa part, un mouvement qu'elle est elle-même incapable d'accomplir. Jean qui repart vers son atelier, sa silhouette amaigrie, pantalon de toile et chemise à carreaux. Son apparence intemporelle d'ouvrier agricole dans une ferme de la grande dépression. Les chiens qui n'aboient plus au passage de son ombre.

Tout à coup, Elma s'arrête. Son cœur bat à se rompre. À une vingtaine de mètres, une silhouette est étendue dans la vase. La semaine dernière, Ben a longuement évoqué des travaux de body art conduits au cours des *sixties*. Il lui a montré une série de photographies mettant en scène la trace de son corps et de celui de Sarah sur différents supports, neige, sable, cendres, terre mêlée à des feuilles, fumée... Renouant ainsi avec certains principes du paléolithique.

— Ben.

Elma est à genoux dans la boue, au chevet de cette statue minérale dont seul le visage semble encore vivant. Une créature venue d'une autre galaxie, corsetée d'acier, sortant de la glèbe. Ou bien un chevalier tombé dans un marais, pris dans son armure et qui ne se relèvera pas.

Elma pleure.

Ben parle doucement. Qu'elle pleure si cela la libère. On ne guérit d'un malheur qu'en s'en rassasiant jusqu'à la nausée. Il sait tout d'elle. Elma écoute, elle le croit. Les paroles de Ben provoquent un ébranlement intérieur. Elles bouleversent les vérités admises comme des boules dans un jeu de quilles. Leur fonction n'est pas d'accéder à un sens rationnel, mais de déranger l'ordre établi. Après leur passage, quelque chose de nouveau peut se reconstruire.

Elma se calme, elle est épuisée au côté de ce fou allongé dans la vase. Elle effleure son avant-bras. Elle voudrait lui prendre la main, s'y agripper. Ses pensées intimes vont à lui aussi facilement que des mots. Avec Ben, on ne sait jamais comment circulent les idées. Il les aimante, les capte, et quand il les exprime, on dirait qu'elles lui appartiennent depuis toujours.

Le visage de Ben est inondé de soleil. La sueur ruisselle sur son crâne rasé, suit les sillons de son visage, se perd dans la boue qui macule ses pommettes. Elma pourrait jurer qu'il fixe le soleil. Cette idée l'effraie. Leurs regards se croisent, toujours dans la fugacité. Ben est un être labile. Le saisir est refusé.

— Apporte-moi à boire.

Elma trouve la bouteille dans la poche arrière du jean posé sur la berge. C'est la première fois qu'elle accomplit un geste si intime, si délicat. Sur la joue de

Ben, une mouche s'envole. Le goulot d'argent se pose sur ses lèvres desséchées. Elma incline la flasque comme un biberon.

Elle est revenue sur la berge et attend. Elle se sent inutile, à l'écart d'un processus. Cela ne ressemble pas à ce qu'elle éprouve d'habitude. Et puis, l'idée lui apparaît. D'abord confuse, déraisonnable. Alors, elle la chasse, l'éloigne. Elle revient. C'est une idée intimidante.

À Provenchère, Ben a achevé la sculpture de la poutre éventrée, un travail intense accompli essentiellement de nuit. Elma s'est efforcée d'être présente, de l'accompagner. Ben est inhumain dans son rapport au temps, à la fatigue. Ses exigences bouleversent les cycles, anéantissent les habitudes, font table rase des rythmes. Il pousse Elma au-delà des routines qui constituaient sa vie. Sa fréquentation est hallucinogène. L'épuisement est aussi une manière pour Elma de se régénérer, un exorcisme et une ascèse. Une méthode. Les gens repus n'ont aucune chance d'approcher les terrains de chasse de Ben Forester.

Les seuls moments où Ben lui demande de s'éloigner de Provenchère correspondent à la venue d'Estelle. Ce partage intéresse Elma. Estelle, l'amante. Celle dont il ne parle jamais. L'autre face féminine de sa vie. Un jour, Elma lui a demandé si Estelle avait le droit de franchir le fil noir. Cette curiosité était la seule qu'elle avait. Le fil noir est une frontière qui, aux yeux d'Elma, départage le monde. Il y a ceux qui peuvent l'enjamber et les autres. Ben lui a répondu qu'Estelle et elle étaient les seules à passer cette limite. Estelle et toi, vous êtes mes deux pôles, mes deux foyers, avait-il ajouté, puisant dans le registre de la cosmologie l'image d'une rotation des planètes. Elma avait aimé cette idée d'un Ben prisonnier d'une gravitation trouvant sa source en elles. Nous ne sommes pas trop de deux pour le retenir.

Elle est toujours assise sur la berge à côté des vêtements de Ben et d'un sac en plastique qui contient une sorte de poudre noire. L'idée insiste. Elle revient. Ben est là-bas, étendu dans la roselière. Elma ne sait pas quand cette statue de bronze va se relever, ni ce qu'il adviendra de son empreinte. Elle imagine que l'immobilité, la faim, la soif, la durée font partie de l'œuvre.

Mais la pensée qui la tourmente n'est pas née en elle. Ce qu'elle vient de concevoir lui a été suggéré. Un leurre est passé devant ses yeux, elle a mordu. Les yeux d'Elma dérivent sur la roselière. Elle vient de comprendre. Ben agit ainsi pour elle. Il ne se relèvera pas de son gisant de boue tant qu'elle n'aura pas accompli ce qu'il désire. Il pourrait mourir là si elle ne comprenait pas à temps.

Elma se lève. Le soleil est au zénith. Il y a un faux air de paradis dans cette campagne au cœur de l'été, le bleu acrylique du ciel, l'absence de vent, les ombres, le scintillement de l'étang. Elma porte la main à son corsage. Ses doigts défont le premier bouton. Sa chemise et son pantalon coulent à ses pieds. Elle ne conserve que ses sous-vêtements. Sa peau est blanche. Le gonflement des chairs qui persistait depuis son accouchement a disparu. Ses muscles sont de nouveau tendus. Elle est efflanquée comme une louve.

Elle abandonne l'herbe de la berge et s'avance pieds nus dans la boue.

*

Thérèse dit nous allons sortir les tables. Il fait bon, nous allons installer les tables et les chaises sur la terrasse. Ce sera le premier soir d'été.

Alain ne proteste pas. L'après-midi à courir après les extravagances de Forester, la rencontre avec Estelle, il est fatigué lui aussi. Ils sont revenus vers dix-sept heures. Thérèse porte un voile sur le visage, une sorte de mélancolie. Elle s'est isolée dans la salle de bains. Alain pense qu'elle s'est aspergée d'eau froide, il a vu des gouttes sur ses joues lorsqu'elle est réapparue. Alain n'est pas particulièrement à l'écoute des autres mais il voit bien que Thérèse possède une part de fragilité. Il s'inquiète, la surveille du coin de l'œil, comme ça, sans paraître. Montrer qu'il se fait du souci pour elle lui semblerait déplacé.

Thérèse a beaucoup marché pour une femme qui reste toujours dans son café à tourner autour des tables et du comptoir, dans la fumée de sa cuisine et des cigarettes. Il devine sa lassitude. Le désir qu'il avait d'elle au cours de leur marche s'est dissous. Comme si les manigances qu'il avait vues au cours de la marche, toutes ces choses incompréhensibles et dérangeantes, l'avaient chassé. Les installations de Forester ont fait entrer en eux une gravité. Ce n'est pas à ce mot qu'a pensé Alain, naturellement. Alors, quand Thérèse propose de sortir les tables, il comprend que c'est un moyen de briser ce qui les encercle. Reprendre la main.

Ils sont allés dans la remise derrière la maison et ont approché trois tables rondes aux piètements en tube. Alain les porte et Thérèse le suit, des fauteuils en plastique dans les bras. Ils font plusieurs allers-retours. Leurs gestes sont lents. Les tables vont donner le signal des beaux jours. Demain, Thérèse installera les parasols. Ce sera comme ficher un drapeau en terre conquise. Chacun pensera en voyant ces trois corolles rouge et or, ça y est, les mauvais jours sont derrière nous. Nous avons survécu.

Quand ils ont terminé, Thérèse se sert une eau gazeuse et apporte une bière à Alain qui est déjà assis, les jambes étendues. Il attend. C'est à Thérèse de parler. Il ne veut pas risquer de la blesser, débuter la conversation à contre-pied. Briser la douceur de cette première soirée en terrasse, si l'on peut appeler ainsi un bout de macadam. Contrarier Thérèse est la dernière chose qu'il désire. Elle seule est capable de formuler ce qu'il ressent et qui est encore si confus en lui qu'il ne sait pas par quel bout le prendre. Il est heureux de cette délégation. Secrètement, il trouve que ça le valorise de vivre avec une femme comme elle.

Alain déguste la bière. Thérèse boit son eau à petites gorgées. La place du village est vide. Une douceur sourd des façades derrière lesquelles murmurent les télévisions. Les fenêtres sont ouvertes, certaines allumées. Les yeux trouvent à ces lueurs quelque chose de rassurant, de profondément humain. Pour une fois, le monde donne de lui une image acceptable. Les grenouilles qui peuplent le pré en contrebas de l'église se sont mises à chanter. Là-bas, on entend les rires des gosses de l'épicerie-tabac-dépôt de pain et de presse. Thérèse et Alain sont bien. Ils ont laissé le plafonnier du café allumé. Une lumière jaune couvre leurs épaules et glisse à leurs pieds. Ils n'ont pas faim mais ça viendra. Le 4 × 4 d'Alain est garé en face, sur la pelouse de la place. La masse sombre de l'église se détache dans le ciel où brillent des étoiles.

Thérèse est troublée. Elle ne saurait exprimer pour quelle raison particulière, peut-être ce village assoupi dans la tiédeur d'un premier soir d'été, la gentillesse d'Alain qui se tait. La fatigue de la marche. La mélancolie de ne pouvoir retenir le temps qui passe et qui l'éloigne inexorablement de cet homme et de moments comme celui-ci. Sa gorge est nouée. Elle est au bord des larmes. Sans raison. Elle est ainsi depuis qu'elle est tout enfant. Le bonheur l'inquiète.

Elle se tourne vers Alain. Leurs regards se croisent. Thérèse approche la main vers le centre de la table bistrot. Sous sa paume la peinture légèrement écaillée. La grosse poigne d'Alain se pose sur ses doigts, légère. C'est un moment d'éternité.

— Tu as faim ?
— Un peu.

Thérèse sourit. Elle n'a pas faim. Au fond, Alain a raison. Ne pas oublier d'alimenter la chaudière insatiable des corps. Reprendre contact, par ce biais-là, avec le désir de poursuivre. Tout commence par la bouche.

— Ne bouge pas. Je reviens.

Elle a parlé avec douceur et autorité. Alain acquiesce. Il aime se laisser faire.

— Tu veux une autre bière ?
— Je vais me servir.

Les mots simples ont plus de pouvoir que les autres. Thérèse et Alain vont soudainement mieux. Ils ont renoué avec quelque chose qui s'éloignait d'eux. Et tout à coup, Thérèse, du fond de sa cuisine :

— Il y a des choses qui ont changé ici.

La phrase laisse Alain dans l'attente de son retour. Des bruits de casseroles parviennent de l'arrière-salle du café. Il ne bouge pas. Bien sûr qu'il y a des choses qui changent, songe-t-il. Et puis d'autres qui ne changent pas. Le travail, par exemple. Demain, il lui faudra reprendre le chemin des bois. Le 4 × 4, là sous ses yeux, lui rappelle la forêt de Haute-Faye. Une coupe d'éclaircie. Toujours le même labeur, dur. Les bras qui tremblent d'avoir tenu trop longtemps la tronçonneuse. Les mains qui bleuissent, à force. Mais aussi le plaisir d'être seul en forêt avec Michel, son commis à qui il apprend le métier. Un petit jeune qui ne restera pas longtemps à s'esquinter dans les pentes. À risquer de recevoir les arbres sur la figure. À se défoncer le corps et la tête dans la stridulation des machines qui hurlent à longueur de journée.

Ça ne fait rien. Lui, Alain, il ne pourrait pas vivre dans un bureau. C'est la phrase dont il use quand il veut affirmer qu'il a choisi sa vie, qu'il ne regrette rien. Il ne se pose pas la question de savoir dans quel bureau on pourrait lui trouver un emploi et personne ne lui a jamais demandé de le préciser. Chacun comprend. Alain est un homme des espaces, du grand air. Du soleil et de la pluie. Il ne supporterait pas un chef. Toute une existence passée dans le bois, ça ne prédispose guère à la souplesse d'échine. Roger, Thérèse peuvent lui demander n'importe quoi. Mais ce ne sont jamais des ordres. Alain ne les entend pas ainsi.

Qu'a-t-elle voulu dire ? Des choses ont changé. Alain retourne la phrase de Thérèse. Parlait-elle d'eux, du couple qu'ils forment ? A-t-elle voulu sous-entendre qu'il y aurait un changement dans leur vie ?

Il n'en veut pas, du changement. Il est bien ainsi. Il n'a rien fait de mal pour qu'on le prive de moments tels que celui-là. Alain aime croire que rien ne change. Ça lui plaît, cette immobilité des vies, des habitudes, des lieux. Il est comme Roger. Le monde va trop vite. Et voilà qu'il doute. Thérèse ne parlait peut-être pas d'eux. Dans un sens, elle a raison. Il aurait pu dire la même chose lorsqu'il a vu les pantins sur les quatre arbres. Il dit pantins mais il pense mannequins. Cette femme de lierre et de branchages agrippée aux troncs et qui se tournait. Depuis, Alain ne regarde plus les branches de la même façon. Il ne regarde plus rien de la même façon. Les pantins ont détraqué quelque chose en lui. Il s'attend à chaque instant à voir des formes qui lui rappelleraient cette femme qui se roule lascivement sur le côté pour chevaucher l'arbre. Ça l'obsède. C'est absurde. Ce n'étaient que du bois et des feuilles. Il en veut à Forester de ce changement. L'autre est très fort pour provoquer ça avec presque rien.

Ils ont dîné simplement. Thérèse sait ce qu'il aime, charcuterie, œufs sur le plat et fromage de montagne. Un petit vin des pays de Loire. La nourriture a chassé leurs idées noires. Et même la phrase de Thérèse, celle sur laquelle Alain s'est cassé la tête pendant qu'elle préparait le dîner, semble oubliée. Il fait nuit. Des hannetons tournent autour des lampadaires municipaux. Thérèse a moins mal aux jambes et Alain a repris cette couleur un peu rouge qui lui va bien.

Thérèse n'a pas débarrassé la table qui boite sur les dalles de ciment disjointes. Ils regardent les ombres des enfants qui jouent encore en face. Bientôt leur mère va les appeler, les pousser vers la maison. Des chambres s'allument et le désir de percer leur intimité. Est-ce que les autres aussi ont senti que des choses avaient changé ? Il paraît que de nombreuses voitures s'arrêtent le soir sur la route au-dessus de la croix sur l'étang de la Foulière. Pas seulement des gens du village. Cette idée déplaît à Thérèse. Elle aurait voulu que les installations de Ben Forester restent encore un temps connus de quelques-uns. D'elle seule.

Ils ont le même mouvement des yeux lorsqu'ils entendent vrombir la voiturette, au bout de la place. Secrètement, ils regrettent la fin de leur tête-à-tête. Barthélémy va s'arrêter à une vingtaine de mètres, entreprendre un demi-tour et stationner dans le sens du départ, conformément à une vieille habitude. En quelques gestes rapides, Thérèse a rassemblé les couverts. Alain reste assis. Au passage de sa maîtresse, il ramène les jambes sous son fauteuil. Ses yeux s'attardent sur la silhouette de Thérèse. La nourriture a rallumé en lui une force qui s'était absentée de son corps.

— Bonsoir, Barthélémy.
— Bonsoir.
— Assieds-toi...
Le vieux garçon s'installe, le dos à la place.
— Tu es le premier à étrenner la terrasse !
C'est Thérèse, derrière le comptoir, qui vient de parler.
— Bonsoir, Thérèse.
— Qu'est-ce que je te sers ?
— Comme Alain.
Thérèse sourit. Barthélémy ne manque pas de finesse. Elle sait qu'il vient aux nouvelles. Il veut connaître leur état d'esprit au retour de la promenade.

Ce que Thérèse en pense. Pour Alain, il se doute bien que ça doit ressembler à l'opinion de Thérèse.

Ils parlent longtemps d'autre chose. Les phrases sont semées de longs silences. Louis les a rejoints. Le veuf s'ennuie chez lui. On ne sait pas comment il a appris que les tables étaient sorties sur la terrasse. Mais il est là. Peu après, Roger est arrivé. Le film du dimanche soir, ce n'est pas son truc. La télévision, il ne la regarde presque jamais. Il pense que tout est mensonge. Il préfère aller Chez Thérèse. Là, il se sent en famille.

Bientôt, des rires fusent. Louis raconte des histoires de chasse. Toujours les mêmes, jamais semblables. À sa façon inimitable, en langue occitane. Une manière de dire qui plonge dans une mémoire infiniment profonde. Il faudrait l'enregistrer, conclut Roger, chaque fois que Louis a terminé. Et il est sincère. C'est sa façon à lui de faire remarquer que le monde qu'il aime est en train de sombrer devant leurs yeux, dans l'indifférence générale. Quand Louis ne sera plus là, ses souvenirs de chasse seront plus inaccessibles que la mémoire des danses indiennes pour faire tomber la pluie. Tout le monde s'en fout, répète Barthélémy. Les autres sont d'accord.

Les esprits battent la campagne, cramponnés à cette évidence, cette vérité profonde. Ils sont les derniers des Mohicans, là, dans ce café vieillot. À leur manière, ils restent dignes. Car il faut de la grandeur pour affronter ce qu'ils vivent.

— On veut le soleil, s'exclame Louis d'une voix pointue censée imiter celle des vacanciers.

Ici, il n'y a pas de ce soleil-là. C'est un autre soleil.

Certainement pas du soleil à touristes. Cette expression, c'est Roger qui l'a trouvée. Les autres s'esclaffent. Rire les libère. Ils sont peut-être mal en point mais ils n'ont pas peur. Chaque matin, au milieu des décombres de la civilisation rurale dans laquelle ils sont nés, ils trouvent la force de se lever, de faire du café, de travailler. Ce n'est pas donné à tout le monde.

— On est des survivants, conclut l'un d'eux.

Là, ils se taisent. Ils sont d'accord. Le constat est trop grave pour ajouter quoi que ce soit. Un moment de tristesse passe. Tout ce qu'ils aiment va mourir. Ils le savent. Ils sont les derniers à avoir connu le visage de ce pays quand il était plein d'enfants et couvert d'écoles. Quand il débordait d'hommes et de femmes que mangeait la ville.

— Et l'autre, qu'est-ce qu'il vient faire chez nous ?

Barthélémy vient de crever l'abcès. Tous ne pensaient qu'à lui mais personne n'osait aborder la question. Les regards s'allument. Barthélémy poursuit :

— Moi, je n'y touche pas à ses installations du diable. Je ne veux pas que ça me porte malheur.

Les autres le fixent. Son avis compte en matière de sortilèges. Les hommes ne la voient pas, mais Thérèse a haussé les épaules. Son regard court sur cette assemblée d'hommes dans la tiédeur de la nuit. Alain, paisible, déjà distrait par son désir d'elle. Roger, sa mélancolie qui vire si facilement à la brutalité. Le vieux Louis touché par la légèreté à présent qu'il est veuf. Barthélémy, le plus affecté, le plus véhément aussi.

Thérèse s'est reculée dans la pénombre. Devant elle, le visage de Ben. Et toi, Ben, quel genre de survivant es-tu ? À quelles tempêtes as-tu échappé pour revenir ainsi sur tes pas ? Benjamin Laforêt, puisque tel est ton nom. Un nom que je ne peux prononcer sans trembler. Les yeux de Thérèse brillent. La conversation de ses hommes roule, monte, se déchire, se dissout. Barthélémy coupe la parole, gronde. Thérèse aime les savoir ici, sans pour autant désirer les rejoindre.

Elle est ailleurs, dans une campagne telle que la voient les enfants. Benjamin marche en déclamant des poèmes, inventant des gestes et des phrases. Déjà si singulier. Elle a envie de le rejoindre, mais elle sait que c'est impossible. Alors, elle le suit discrètement. C'est son secret. Elle est dans son rôle d'amoureuse muette, le cœur battu. Il ne la voit pas. Son aveuglement porte un nom, ou plus exactement un prénom, Françoise. Et son indifférence attise l'amour qu'éprouve Thérèse. Elle n'a que onze ans mais c'est bien de cela qu'il est question. Et déjà l'intuition qu'il s'agit, non pas d'une répétition des émotions dont sera jalonnée sa vie, mais d'une synthèse. Que déjà quelque chose est achevé dans ce commencement.

— Et toi, Thérèse ! Qu'est-ce que tu en penses ?

Roger s'est tourné vers l'intérieur du café et l'appelle.

— De quoi, Roger ?

— De l'autre fou.

— L'autre fou ?

— Oui. Ses trucs...

Elle s'approche. Ils se taisent. Elle les domine. Ils attendent car ils sont venus pour ça. Uniquement pour ça.

— Moi, je trouve que ça a changé quelque chose...

Comme ils demeurent impavides, elle ajoute :
— J'aime bien.

*

La vase enserre ses chevilles. L'impression est douce
et inquiétante. Le retour dans un magma, une soupe
originelle de la couleur du ciment avec des reflets
irisés. Elma s'approche de Ben. Il est étendu à ses
pieds, dans son corset de boue. Ses yeux brillent derrière les paupières mi-closes. La jeune femme cherche
un encouragement dans son regard. Mais il observe
autre chose, derrière elle. Dans le ciel.

Elle contourne Ben à la recherche d'un lieu propice
et le trouve avec une facilité qui trahit l'attention
qu'elle portait à la roselière dès son arrivée. Comme
si elle avait déjà, sans en être consciente, délimité
l'espace qui lui convient. Il fait chaud. La sueur ruisselle sur la peau d'Elma. Personne ne peut la voir.
Elle est dans un berceau aux parois tressées, tapissé
d'alluvions grises. Le monde est mollesse. Des traces
de boue maculent ses cuisses, ses flancs. Sur ses
épaules sèchent des éclaboussures.

Elma s'étend et son corps s'enfonce. Elle écarte les
bras, étire la nuque jusqu'à sentir son crâne pénétrer
dans les draps soyeux du limon. Une chaleur diffuse
gagne ses épaules, ses reins, la pliure de ses genoux.
Elle ferme les yeux. Le soleil illumine son visage.

Ses repères, l'angle sous lequel elle aperçoit la
berge, la silhouette allongée de Ben dans l'alignement
de son propre corps, peu à peu glissent dans un mouvement lent et profond. Elma n'est plus qu'un creux.
Elle est enfin ce qu'elle savait être depuis la mort de
son enfant. La vase recueille la forme de son être

déserté. La boue l'accueille, moule sa souffrance, l'empreinte de son désespoir.

Ben l'a conduite jusque-là. Lui tenant la main sans jamais la frôler. Il a agi avec elle comme un père désirant reconstruire son enfant après un terrible accident. Et qui s'efface dès que celui-ci a la force de reprendre le cours de sa vie.

Quand Elma se relève, l'empreinte d'une femme lui apparaît. Plus femme encore qu'elle ne pensait l'être. La vision du creux provoque en elle un vertige. Sa tête tourne. Elle s'agenouille, les yeux perdus au fond de sa trace, contemplant son négatif avec un étonnement mêlé d'effroi. C'est bien elle, cette absence.

Prendre des poignées de vase et les jeter à l'intérieur de son double. Combler l'urgence, les entrailles tout d'abord. Commencer par le centre. Là où s'élabore l'essence des idées, bien avant que le cerveau ne les organise et que la parole ne s'en empare. Revenir à l'origine.

Elma s'anime. Elle établit, lisse, caresse. Sculpte. Cela ressemble tout d'abord à une barque, qui occuperait le ventre jusqu'à la poitrine. Ses mains trouvent les angles, incurvent les flancs, façonnent une proue. Autour d'elle, le monde s'est absenté. La roselière aux parois bruissantes est une citadelle d'osier baignée de lumière. Tout son esprit est tendu vers la métamorphose qui surgit entre ses mains. Et peu à peu la barque devient blessure aux parois galbées. Une cicatrice acceptée, reconnue, construite par celle-là même qui la porte.

Mais la forme n'a pas de visage. Alors, Elma comble l'empreinte abandonnée par son crâne, bâtit à la hâte un ovale, un visage primordial tel que les enfants le conçoivent, simple, rond, inexpressif.

Il manque une bouche. Elma plonge la main dans le masque de vase au grain de chair. Ses doigts se recroquevillent au fond de la déchirure, fouillent la gorge en sa profondeur insondable. Se retirent. L'orifice s'ouvre sur un cri. Un premier cri. Celui-là suffira, Elma s'en contentera. En lui, toutes les paroles à venir, les pleurs, les murmures, les promesses et les râles.

En pinçant la terre elle établit un nez, long, droit, un peu semblable à ces pièces d'armure sur les heaumes des chevaliers du Moyen Âge.

Mais ce n'est pas encore un visage. C'est une bouche et un nez. Il lui reste à achever l'essentiel qui n'est ni pli, ni gonflement, ni même chair. Elle s'incline sur la figure. Deux de ses doigts s'enfoncent dans la face qui ne la contemple pas encore. Le feu, elle le lui donne à présent.

Elma est brutalement prise dans le regard de terre. Elles sont deux et elles sont uniques. La jeune femme est au delà de l'épuisement, dans un espace où la résignation n'est pas tristesse. Où tout ce qui va advenir est accepté. Une immense faiblesse se saisit d'elle et elle s'affale. L'eau et la boue accueillent sa chute.

Le bruit d'une détonation suivi d'une odeur de poudre. Elma ouvre les yeux. De la fumée s'échappe de la roselière. Debout, Ben contemple le sol. Elma se relève, ses jambes tremblent, son corps est maculé. Ben se retourne. Leurs regards se croisent.

Une explosion s'est produite au milieu de l'empreinte de la poitrine de Ben, y abandonnant un cratère noirâtre. Elma se tait. Le spectacle de cette silhouette foudroyée par le feu l'anéantit.

— Qu'avez-vous fait ?

Ben tarde à répondre. D'une voix terne il évoque Sarah et une série d'installations où ils mêlaient, jadis, l'empreinte de leurs corps et l'usage de la poudre à canon.

— C'était ça, dans le sac en plastique ?

Elle ne comprend pas. Cela n'a pas d'importance, elle a la gorge broyée.

— On va se laver, murmure Ben.

Il se dirige vers la berge. Elma a cru l'entendre dire à présent que tout est fini, on va se laver. Mais elle n'en est pas certaine. Elle le suit. La boue qui sèche tire la peau. Le besoin irrépressible de quitter son apparence de bronze.

La croix flotte, immobile sur un glacis de reflets. Ben saisit la main d'Elma. Elle se laisse faire. Oui, elle va plonger dans l'étang de la Foulière comme elle le faisait jadis avec sa mère. Elle n'a plus peur des fantômes des chiens noyés. Ne lui demandez pas pourquoi. C'est ainsi.

Sous l'eau claire, un tuf doré accueille leurs pieds. Des bracelets de boue dissoute entourent leurs chevilles comme les fers d'esclaves libérés.

*

C'est la fin du jour. La Chevrolet glisse dans l'air tiède du soir. La place est paisible, la porte de l'église entrouverte. Les gens dînent dehors, devant les façades chaudes. Un silence couvre les gestes, une retenue qui sent les foins et le seringa aux toitures des terrasses. C'est la première fois qu'Elma traverse le village au côté de Ben. Son passage dans la grande voiture décapotée va faire scandale. Elle songe à Jean. À la blessure supplémentaire qu'elle lui inflige. À la honte qui rejaillit sur elle, sur lui. Mais lorsque Ben lui a dit de venir, elle n'a pas hésité.

Après avoir plongé dans l'étang de la Foulière, cet après-midi, Elma est retournée à Blessac. Elle n'espérait plus qu'une chose, se glisser dans sa chambre, se changer et dormir. Reprendre des forces. En poussant la porte de la salle commune, elle a découvert Jean, assis sur une chaise, attendant dans la pénombre des volets tirés.

Jean s'est levé. Il lui parle. C'est un autre homme qui se tient devant elle et pourtant c'est son mari. Il ne prête pas attention à son air de folle, à ses vêtements trempés, aux éraflures de boue qui maculent encore son visage, ses cheveux. Ses paroles se détachent distinctement, il est calme. Elma comprend aussitôt qu'il dit la vérité.

— Je vais partir, Elma. Ici, je n'ai plus ma place. Je moissonnerai les blés que j'ai semés. Pour que les choses soient en ordre. Après, je pars.

Jean reste debout dans la grande salle commune, encore fraîche malgré la chaleur. Dès qu'elle l'a aperçu qui l'attendait, elle a deviné ce qu'il allait dire. Elle croit que la souffrance obéit à une logique implacable. Ce temps de la séparation devait arriver, c'était écrit.

À présent, il se tait.

Elma est lasse. Elle lui en veut de ne pas comprendre, de se décourager si près du but. De renoncer. De ne pas remarquer que sous ses airs échevelés, elle est une autre. C'est lui qui devient aveugle. Elma s'approche et passe les bras autour de ses épaules. Elle a un bref mouvement d'abandon, si nouveau, si profond. Elle pose la tête contre sa poitrine dans un mouvement sensuel très déterminé. Jean sent l'odeur de vase qui émane de la peau de sa femme. Il a un imperceptible mouvement de recul. Elle dénoue ses mains et se retire dans sa chambre, sans un regard. Jean ne bronche pas. Il entend seulement la porte qui se referme. Jamais il ne s'est senti si étranger.

La Chevrolet passe lentement devant le café Chez Thérèse. Elma ne détourne pas la tête vers la terrasse où sont disposées trois tables autour de l'axe des parasols repliés pour la nuit. Elle devine la présence de Thérèse ainsi que celle de Barthélémy. Le regard du vieux célibataire la crucifie.

Devant l'école, Ben entame un demi-tour en donnant quelques coups de klaxon répétés et vifs. Ce remue-ménage va faire le tour du canton. Elma brûle ses vaisseaux. Elle, si discrète, si soucieuse de respectabilité, son comportement lui vaudra des ressentiments pour toujours. On ne le lui pardonnera jamais.

Estelle est à sa fenêtre. Elle fait un geste gai de la main, plein de grâce, le buste penché sur le vide. Un sourire éclaire son visage. J'arrive ! Elma n'entend pas, écrasée par le sentiment que vivre au côté de Ben c'est provoquer le monde, se mettre dans sa lumière, accepter la dureté des jugements. Et puis la silhouette d'Estelle, jupe et T-shirt, un pull à la main, en ballerines, légère, belle, franchit la porte du couloir.

— Grimpe !

La voix de Ben est à l'unisson d'une gaieté un peu forcée. Estelle monte à l'arrière de la voiture. Les deux jeunes femmes se saluent. Un moment de gêne. Ben démarre et repasse par la place. Une dernière fois, comme par provocation.

— Où allons-nous ?

La voix d'Estelle est emportée par le vent.

— Au bout de la nuit, mes chéries, répond Ben en souriant.

Elles se détendent. Les sièges en cuir accueillent leurs corps prêts pour une course longue et vertigineuse comme Ben sait les inventer.

Ben a mis en marche le lecteur CD qui délivre du blues. Ils se taisent. Leur présence, tous trois ensemble, est irréelle. Les cheveux d'Estelle flottent dans le vent tiède. Les deux jeunes femmes se sourient. Elles ne savent encore que se dire. Trop tôt. De temps à autre, Ben jette un regard dans le rétroviseur, se penche vers Elma. Le col de sa chemise de soie noire vibre dans le courant d'air. Il est habité par une joie étrange, aux contours imprécis. Une fureur heureuse et contenue. Il est inquiétant et fort. Avec lui, elles sont en sécurité. Cet homme est le fou le plus protecteur qu'elles ont rencontré. Qu'elles ne connaîtront jamais.

Bientôt les toitures se couvrent de tuiles romaines, s'alanguissent. La pierre des façades s'éclaircit. Tout devient plus doux. Dans les bourgades, on les regarde passer comme une apparition. La lumière faiblit, plus suave, son grain plus crayeux. Dans le prolongement du capot de la Chevrolet, le soleil baisse. Tous les trois ont les yeux perdus dans ce naufrage du jour. Leur silence s'approfondit, en accord avec Janis Joplin. Ils ne sont plus quelque part en France. Ils sont en route. Sur la route. Vers l'ouest.

Ils passent Angoulême dans les dernières lueurs du jour. Sur sa falaise de craie, la vieille ville est un vaisseau aux voiles blanches flottant sur une mer de miroitements. Ben conduit avec douceur. Conduire est peut-être la seule activité qu'il aborde sans brusquerie. Il y a quelque chose qui tient de l'effleurement dans sa manière de saisir le volant. La boîte automatique et les huit cylindres font le reste. Ils ne sont pas pressés. Personne ne les attend. Ils n'attendent personne. Ces instants sont pleins d'innocence et se gravent en eux pour toujours.

À Barbezieux, ils s'arrêtent pour mettre la capote et prendre un café dans une aire de stationnement pour routiers. Ils roulent entre des files de poids lourds à l'arrêt. Ils sont dans un autre monde, un univers parallèle à la route des vacances. Avec Ben, l'imprévu peut se produire à tout instant. Malgré cela, les deux jeunes femmes n'éprouvent aucune inquiétude. Le fantastique est naturel. Estelle et Elma partent se rafraîchir. Lorsqu'elles retrouvent Ben, il est entouré d'une dizaine de camionneurs. Des gros bras, des tatoués, aux yeux hallucinés de route. Ils parlent mécanique. Elles se fraient un passage entre les hommes et s'installent dans la voiture. Personne ne les voit. C'est Ben qu'ils écoutent, Ben qui les vampe.

Ils redémarrent. Les autres restent plantés et les regardent comme s'ils s'envolaient. Un long dérapage alangui dans la poussière pour rejoindre la bretelle d'autoroute, les pneus à flancs blancs qui crissent. Tout se passe au ralenti. Estelle et Elma s'observent comme si elles suivaient en la survolant la grande voiture blanche. Elles sont dedans et dehors.

La capote est rabattue et il leur faut parler ou accepter le silence. Elma est passée sur la banquette arrière. Estelle a enfilé son pull. La jeune institutrice s'est assise, les jambes pliées sous les fesses, le corps balancé du côté de la portière.

Elma laisse son regard dériver sur les vignes, l'ombre des maisons basses et ce roulement de collines dont les croupes apparaissent dans la clarté lunaire. La voiture avance dans un froissement de tissu. En face, les phares des camions percent la nuit de leurs éclairages de scène. Le temps se distend. Elma ne saurait dire depuis quand elle a quitté Blessac. Tout est resté là-bas, dans son dos. Derrière elle. Un sentiment de légèreté règne dans cette voiture délirante qui ne connaît qu'une direction opposée à sa source.

Le tableau de bord projette ses lumières comme les néons d'une ville survolée de nuit. Estelle a posé la tête contre la vitre. Elma observe son beau profil, la douceur de ses traits, l'abandon de sa posture. Alors, elle regarde Ben. Sa gueule de vieux type roué. Son crâne qui brille sous la lumière des phares. Elle lui trouve un air dur qui heurte ce qu'elle soupçonne de douceur chez la jeune institutrice.

La voiture glisse. Rien ne semble devoir l'arrêter. Rien, ni personne, ni regret. Rouler ainsi c'est plonger du haut des nuages, les bras collés au corps, les yeux grand ouverts.

À l'approche de Bordeaux, la nuit s'élargit sur un ciel plus vaste. Les étoiles sont happées là-bas par l'océan dont la présence est déjà sensible. Estelle s'est redressée sur son siège et fixe la route. Qu'a-t-il donc fait d'elle, Ben, pour qu'elle se découvre étrangère en son propre pays ? Qu'a-t-elle aperçu à son côté, dans ses bras, qui ait à ce point changé son regard, recomposé ses mémoires ?

Ils passent la Dordogne. Le fleuve est une coulée de plomb. Vient ensuite le franchissement de la Garonne. Le pont d'Aquitaine les enlève dans les airs. Le capot pointe en direction de la Grande Ourse. Le viaduc gigantesque pourrait s'interrompre, au beau milieu, à l'apogée de la courbe de ses arches. Ils sont bien les seuls parmi tous ceux qui roulent encore à cette heure qui n'éprouveraient pas l'effroi de plonger dans le vide. Les seuls qui survivraient à leur chute. Aller tels qu'ils vont, c'est déjà arpenter le ciel. Et peut-être même qu'au dernier moment Ben donnerait un léger coup d'accélérateur. Et la Chevrolet entamerait l'arc d'une parabole parfaite.

Ce qu'ils se sont dit jusqu'à présent était si peu. Ben a parlé de ses amis, de Markus. Estelle l'a questionné sans insister. Elle ne voudrait pas qu'il imagine chez elle une fascination pour les célébrités. Les paroles sont rares. Pleines de silences qui ouvrent sur des possibles. À un seul moment, Ben s'est montré bavard. Des phrases brèves sur la nécessité de l'imperfection. Détruire pour réinventer. Elles n'ont pas compris et lui-même ne se souciait pas d'être entendu. Ce n'est que plus tard qu'elles repenseront à ce moment obscur.

Les pensées d'Elma vont à Jean. Tout ce qui lui était familier se trouve déformé par la perspective que donnerait le recul de plusieurs années. De la mélancolie vient teinter sa joie. En même temps, l'impression que vivre à Blessac depuis toujours et pour toujours, c'est se priver du monde. Une mutilation

absolue, un prix à payer, très lourd pour quelque
chose qu'elle ne voit plus exactement.

Ben joue sur le temps. Il est le maître. Il choisit les
échéances. À un moment, son portable sonne dans la
poche de sa chemise. Ils sont en direction de l'océan
au sortir d'une rocade. Ben se saisit de l'appareil et le
balance par la vitre baissée. Sa réaction est si naturelle
qu'Elma et Estelle n'y voient rien d'autre que le geste
lui-même.
Ils vont plein cap vers l'ouest. La route est droite,
bordée de pins. Dans les phares, des villages de
vacances, des hôtels, un golf. Un air chargé de senteurs de résine pénètre dans la voiture. Il faut si peu
de temps pour changer de pays, changer de vie. Ils
traversent un bourg endormi, frôlent la place et son
église. Ils ne sont plus qu'à quelques kilomètres de la
côte. La présence de l'océan est perceptible. Des vallonnements de sable, des pinèdes, les pistes cyclables.
La Chevrolet se fond dans la nuit.

Comment Ben a t-il découvert cette impasse de
bitume qui s'achève dans le sable ? Il coupe le moteur.
Un silence. Il se tourne vers les deux jeunes femmes.
Elles comprennent qu'elles sont en cet instant les deux
êtres dont il se sent le plus proche, les plus précieux.
Il est une heure du matin.
Les portières se referment dans un bruit sourd. C'est
une petite rue oubliée, flanquée de maisons de
vacances aux volets clos. Sur les fils à linge, des mail-
lots de bain. Dans les courettes, des vélos, des planches
de surf. Le sable s'accumule contre les murs adossés
aux dunes. Avec les années, tout sera recouvert, les

toitures, les jardins, les serviettes qui sèchent. Les rires d'enfants. Et même le souvenir du temps passé là.

Derrière les dunes, l'océan gronde. Ben est déjà là-bas, au bout de la route, dans les premiers mètres de sable blanchis de lune. Elma et Estelle s'engagent dans son sillage.

Avant d'atteindre le sommet, Ben s'arrête et les attend. Il désire être avec elles au moment de découvrir l'océan. À leur approche, il tend les bras et les saisit par la taille, les presse contre lui. Trois fait un. Ben peut tout contenir, tout récolter, tout enlacer. La chaleur de leurs corps se mêle. Pour la première fois, Elma s'agrippe à cet homme. Elle l'étreint avec une fureur douce et le bras d'Estelle qui croise le sien est animé du même tremblement.

Leurs yeux rencontrent l'immensité. Le roulement des vagues qui se brisent sur la plage sans fin. Une force prodigieuse les traverse, née dans le froissement minéral des fonds, la course du vent, le balancement de l'écume. Le vent fait battre leurs vêtements comme les voiles d'un navire. Les touffes d'oyats s'agitent au ras du sol. Les deux femmes ont posé leur tête contre la poitrine de Ben. Une poitrine si large, capable d'aller chercher des souffles venus de si loin, d'apnées si longues. Leurs cheveux dénoués jouent aux lèvres de l'homme. Et l'ombre crépusculaire de ces trois êtres réunis dessine sur le sable blanc un oiseau immense aux ailes tombantes.

L'aube les trouve tous les trois, au pied d'une dune face à la mer. Toute la nuit, ils sont demeurés serrés les uns contre les autres. Parfois, Ben se lève, marche au-devant des vagues. Les deux jeunes femmes le lais-

sent partir. Elles observent en silence sa grande silhouette. Il reste face à l'océan, leur tournant le dos.
Estelle et Elma éprouvent le vide de son absence et
peu à peu perdent de la chaleur que le vent leur
arrache. Leurs peaux sont salées et leurs cheveux
emmêlés. Elles le voient faire demi-tour, revenir vers
elles. En cet instant, il leur appartient. Sa silhouette
noire se dessine au nez des rouleaux et vient droit sur
elles qui mesurent leur pouvoir sur cet homme, sans
en comprendre vraiment la cause.

Quand le soleil les touche, la marée est basse. Ben
ne dort pas. Estelle et Elma sont blotties contre lui.
Au cours de la nuit, il est allé chercher des plaids dans
le coffre de la voiture. Très loin, un homme court à
la crête des vagues, accompagné de son chien. Une
luminescence dorée irise le sommet des dunes. La
masse d'un blockhaus qu'ils n'avaient pas remarqué
la nuit brise leur regard sur l'infini.

Les deux jeunes femmes s'éveillent. La main
d'Estelle est refermée sur l'épaule de Ben. Elma a
passé une jambe sur les siennes. Elles redressent le
buste, lèvent les yeux et découvrent le visage tragique
d'un homme qui fixe l'océan et sa lumière.

9.

Deux jours. Voilà deux jours qu'ils sont revenus. Leur retour, le matin même, la peau tirée par les embruns, les yeux dilatés d'épuisement. En une nuit, Elma et Estelle se sont absentées de leur propre histoire. Quelques heures ont suffi à cette prise de distance voulue par Ben. Et cette image, au moment de partir, Ben muni d'une pelle trouvée dans un jardin et remplissant de sable le coffre de la Chevrolet.

Quelques heures, donc, face à l'océan. Rien d'autre que ce coup de ciseau dans leur huis clos. Comme l'appel d'air d'un nageur qui remonte en surface prendre une dernière goulée de lumière, d'infini et de sel. Pour replonger aussitôt.

Dans la cuisine, Ben touche à peine au petit déjeuner préparé par Denise. Il a hâte de partir. Le temps file. Au long des deux heures de sommeil qu'il s'est accordées cette nuit, des rêves terribles l'ont visité. Il les accepte. Que peut-on contre les rêves ?

Déjà les noirs se grisent, les ombres se dissolvent. Ben a franchi le ruisseau. Dans la montée, il accélère le pas. Il veut parvenir au sommet de la colline avant l'aube. La rumeur de l'océan gronde toujours en lui et porte sa grande carcasse.

Ses yeux ne quittent pas l'horizon. Ben sait exactement où aura lieu l'embrasement du jour. Soudain, comme à un signal, les oiseaux chantent dans les arbres rabougris qui parsèment la lande. Ben s'arrête. L'horizon s'enflamme. Mais cette lumière n'est pas celle qu'il attend. C'est un lever de soleil dans la campagne, un matin d'été.

Refusée, l'aube de son enfance.

Sur ce versant, des murets de pierres sèches longent le sentier, entourent des champs depuis longtemps abandonnés. Des tronçons entiers se sont affalés dans l'herbe, s'y sont engloutis. Tout là-bas, comme au point de convergence de cette résille de ruines, sur une sorte d'esplanade d'herbe rase, la charrue d'Albert.

L'œuvre est presque achevée. Un socle rectangulaire, une sorte de pavage irrégulier réalisé à partir des pierres disparates tombées des murets. En jouant sur la disposition des blocs, Ben a figuré une faille, large au départ d'une main et qui va en s'amenuisant jusqu'à s'estomper en un joint aussi fin qu'un cheveu. Dans cette fente d'apparence tellurique, il a engagé le soc de la charrue. L'impression est saisissante. L'araire semble ouvrir et fendre la pierre qui s'écarte en donnant l'illusion d'un mouvement.

Ben entreprend l'édification de piliers aux quatre coins. Au début, il ne désirait pas souligner davantage son installation qu'il nomme intérieurement la *charrue dans le champ de pierre*. Lentement, l'idée s'est imposée de ces quatre amoncellements verticaux, placés en extérieur à un mètre de chaque angle. Une limite naît de cette disposition qui définit une zone entre l'espace profane et l'œuvre elle-même. Un parvis.

Le soleil est haut dans le ciel. Ben a élevé trois des quatre colonnes d'une soixantaine de centimètres. Il fouille l'herbe, à la recherche de pierres qui lui conviennent, prenant pour règle de ne rien ôter aux parties des murets toujours debout. Il est à genoux lorsqu'il perçoit une présence dans son dos.

Il se retourne.

Aussitôt, l'envie de dire, c'est toi ? Enfin toi ? Tu en as mis du temps. On ne voit que ce que l'on a conservé dans son cœur, n'est-ce pas ?

— Bonjour, Barthélémy.

Le vieux célibataire, son fusil à l'épaule, le dévisage durement.

— Je t'ai reconnu, Benjamin. Ça fait longtemps.

Ben ne réagit pas, il poursuit :

— Je t'ai attendu.

— C'est moi qui t'ai attendu, Barthélémy. Je me disais que tu allais bien finir par me voir.

— Ne ris pas ! Je t'ai attendu. J'ai attendu que tu m'écrives, que tu m'aides à sortir de là. Tu m'avais promis. Avec toi, j'aurais eu la force de quitter tout ça. Cette misère.

Ben se relève lentement.

— Ne t'approche pas !

Barthélémy a fait glisser la bretelle du fusil qu'il pointe sur Ben.

— Ne t'approche pas, Benjamin !

— Cela fait cinquante ans que nous ne nous sommes pas vus, Barthélémy. Et je serais pour quelque chose dans ta vie ?

— Recule !

— Que t'arrive-t-il ?

— Recule !

— Comme tu veux...

Ben s'écarte et se dirige vers la charrue. Barthélémy le suit.

— Il n'y a pas que ça, Benjamin.

Ben regarde Barthélémy dans les yeux.

— Quoi encore ?

— La petite...

— Laquelle ?

— Tu le sais bien !

Ben s'est agenouillé au pied d'un des piliers. Tout en parlant, il assemble des pierres. Un instant, Barthélémy est distrait par les gestes de Ben.

— Quelle petite ? Je n'ai pas rencontré de petite fille ici. Je te le jure, que des femmes.

Il lève le visage vers l'autre.

— Salaud !

— Qu'est-ce que tu crois ?

— Elma. Tu l'as déshonorée. Tu as brisé son ménage. Tu es un malfaisant, Benjamin. Tu ne respectes rien.

Ben opine.

— Tu as profité de sa faiblesse pour faire le mal.

Barthélémy a serré sous son bras la crosse du fusil. Le mouvement n'a pas échappé à Ben qui comprend qu'il ne reverra jamais le lever de soleil de ses dix ans. Son ami d'enfance va lui ôter tout espoir de remettre les pas sur les sentiers de son passé. C'est fini, cette chute vertigineuse vers quelque chose d'inconnu enfoui en lui. Il devine tout cela sans pour autant être résigné. Ben ne renonce jamais. Il ne serait pas Ben Forester s'il était autrement.

— Tu ne dis rien !

— Je ne lui ai fait que du bien, à Elma.

— Menteur !

— Demande-lui, Barthélémy. Toi qui te prétends son ami.

— Tais-toi !

— Je l'ai guérie. En souvenir de...

— Tais-toi !

Barthélémy lève le canon. Son index est sur la détente du fusil de chasse. La dernière fois qu'il a tiré, c'était sur une buse qui survolait la cour. Il a encore la détonation en tête et le bruit mat du corps tombant sur les tôles ondulées de la grange. Soudain, Ben, qui était à genoux, se détend d'un bond prodigieux. Surhumain. Un immense oiseau noir fond sur Barthélémy depuis le ciel. Le temps de pointer au jugé. De tirer. La déflagration.

La chevrotine a foudroyé Ben en pleine poitrine. Il est retombé sur le sol. Barthélémy n'ose pas s'approcher. Non pas la crainte d'avoir tué Ben Forester. Cela, il s'en fout. Il a peut-être même eu ce projet en tête dès la première seconde en épiant la procession des camions de déménagement, la nuit du commencement. Barthélémy est familier de l'idée de la mort. Avoir tué Ben n'est pas ce qui l'inquiète. Si Barthélémy redoute de s'approcher, c'est par crainte d'une nouvelle attaque aussi terrifiante que la précédente. Ben est mort. Mais ce genre d'être meurt-il vraiment ?

Barthélémy reste à quelques mètres du corps. Il le contourne et s'approche de l'œuvre. Pour une fois, il lui trouve un sens, à cette charrue sans attelage qui creuse un sillon dans le vif du rocher. Ce soc qui fissure les blocs savamment assemblés. Albert serait heureux que son araire soit disposée ainsi, exprimant la peine millénaire des hommes.

Tout en observant l'installation, Barthélémy surveille Ben du coin de l'œil. Il replace son fusil à l'épaule, s'approche des poignées de la charrue et pose les mains sur les manchons. D'instinct, en laboureur, son regard se porte sur l'attelage invisible et prodigieux qui entraîne l'araire si puissamment que le soc fend le rocher. Ses yeux s'élèvent dans le prolongement d'une ligne imaginaire qui s'achève très loin. Aux confins. Cela ne dure qu'un instant. Brusquement, Barthélémy lâche les poignées. Le contact du bois a laissé dans ses paumes une chaleur étrange. Des mouches vibrionnent dans l'air étouffant. Un éclair de chaleur raie le ciel gris bleu. Une immense fatigue s'abat alors sur lui. Ce travail l'a épuisé. Il est grand temps de se reposer.

*

— Mademoiselle !

Estelle se penche à la fenêtre de sa cuisine. En bas, l'employée municipale gesticule. Elle montre ce qu'Estelle prend tout d'abord pour un disque déposé au milieu de la cour.

— Je descends ! s'écrie Estelle qui enfile à la hâte ses chaussures.

Sur le seuil du couloir, Estelle hésite. Un attroupement d'enfants s'est constitué. Elle ne discerne toujours pas ce qu'ils observent. Jason et Bruno débattent de la nature de l'objet. Nicolas prononce le mot sable. Estelle tressaille.

— Écartez-vous... Laissez-moi regarder.

Victoria attrape Estelle par la jambe de son jean,

comme à son habitude. Estelle la décroche, lui prend la main, s'approche, se penche.

— Un tas de sable, dit l'employée municipale, rejointe par la jeune fille qui l'aide à la garderie.

— C'est du sable de la mer, maîtresse ? demande Stéphanie en tendant le doigt.

Estelle rougit.

— Je crois. Il est très fin. On dirait du sable de plage.

— Comment il est arrivé là ?

— Mystère.

— Moi, je sais, proclame Jason.

Estelle écoute le gamin.

— C'est le monsieur de Provenchère qui a dû le déposer là.

— Le monsieur de Provenchère ? reprend Estelle.

— Oui, celui de l'arche de cristal. Il s'appelle...

Jason hésite, cherche de l'aide. Ses camarades évitent de croiser son regard.

— Ben Forester, dit Karim. Il s'appelle Ben Forester.

— C'est lui, maîtresse ? interroge Jason.

Estelle va répondre. L'employée municipale ne perd pas un mot de l'échange. Un taxi est arrivé, avec quatre enfants d'un hameau lointain. Le rôle de l'aide est de s'assurer qu'ils descendent sagement de la voiture. Mais elle reste là. Estelle est sur la défensive.

— Moi, je sais pour qui il a posé cette colline, maîtresse.

Estelle se tourne vers la fillette qui vient de parler.

— Qu'est-ce qui te fait dire que c'est une colline, Victoria ?

La petite se tait. Elle ne trouve pas les mots.

— Ce n'est pas une colline, reprend Bruno. C'est une dune.

— La dune du Pilat ! s'exclame Nicolas.

Estelle approuve. Comment faire autrement ? Une dune ayant la forme régulière d'un cône parfait, pointu comme un axe, haut d'une quarantaine de centimètres, doré.

— C'est de l'or, maîtresse ? demande Stéphanie.

— Non. C'est du sable.

— On a envie de toucher.

— Il ne le faut pas. On regarde seulement.

Estelle revoit Ben jetant des pelletées de sable dans le coffre de la Chevrolet. C'était cela son idée ? Disposer cette sculpture éphémère et d'une simplicité originelle dans la cour de l'école.

— Je sais pour qui c'est la dune, reprend Victoria qui n'abandonne jamais une idée.

Estelle sourit. À quoi bon détourner les questions des enfants ? Tout cela est d'une telle évidence. La présence de l'employée municipale ne compte plus.

— Pour qui donc est cette dune ? demande Estelle de sa voix posée de maîtresse.

— Pour toi, maîtresse.

— Et vous, qu'en pensez-vous ?

Les enfants lèvent le nez, interrogent le ciel. Gênés.

— Moi, je pense que c'est pour toi et pas pour toi.

— Karim ? Explique-toi, parce que ce que tu viens de dire peut paraître contradictoire.

Estelle détache le dernier mot. Elle sait que les petits ne vont pas le comprendre. Mais c'est important, les mots qu'on ne comprend pas. Presque aussi important que les autres.

Estelle pose la main sur l'épaule de Karim et le tire

vers elle. Elle a besoin du contact avec cet enfant. Rassurer, s'assurer.

— Cette dune vient de ton pays, là-bas, au bord de la mer...

Karim hésite. Il doit reprendre le fil de son raisonnement.

— Elle est pour toi. Mais si elle était seulement pour toi, alors il ne l'aurait pas placée là, dans la cour. Parce qu'ici tout le monde la voit.

— Je suis d'accord, Karim. Continue.

— Alors, c'est compliqué, conclut Karim qui se recule légèrement.

Estelle s'est redressée. Elle ne sait que faire. D'autres enfants, accompagnés de leurs parents, se présentent au seuil de la cour.

Estelle tape dans ses mains.

— Nicolas et Bruno, vous allez chercher des plots. Ceux qui nous servent quand on joue au hand ball. Nous les mettrons aux quatre coins pour délimiter une zone qu'il sera interdit de franchir.

Elle s'assure que les gosses ont compris. Et croit devoir ajouter :

— N'est-ce pas, les petits ? Vous ne jouerez pas avec ce sable-là. Vous en avez là-bas, dans le bac.

— Il est moins beau, maîtresse, proteste Stéphanie.

— Tu as raison. Il est moins beau.

*

Jean descend de la moissonneuse-batteuse. Lentement, le nuage de poussière qui accompagne son avancée dans le champ de blé retombe sur le sol craquelé par la sécheresse. L'orage, ce matin, n'a duré que quelques minutes et pourtant il a cru que la pluie violente allait compromettre la journée. Peut-être même l'a-t-il espéré, ce retard. Depuis, le soleil a repris possession du ciel. Les blés ont redressé leurs têtes. Jean va poursuivre ce travail qu'il redoute tant d'achever.

L'absence d'Elma, une nuit entière, a brisé les derniers doutes de Jean sur l'issue de leur histoire. C'est la première fois qu'elle part ainsi en voiture de Provenchère. Il le sait, il l'épie. À distance, sans penser vraiment lui faire du mal, pour la protéger d'elle-même au cas où elle aurait besoin de lui. Jean vit encore dans cette illusion qu'Elma peut avoir besoin de lui.

Elma a découché. Le mot est horrible. Il lui a toujours paru chargé d'ondes mauvaises, comme si découcher c'était nécessairement coucher avec un autre. Quand elle est revenue le lendemain, en début d'après-midi, Jean l'a vue filer au long des murs blanchis de soleil. Il a entendu se refermer les volets de sa chambre. Cette fois encore, Elma voulait dormir. Comme si le temps passé au côté de cet homme n'était jamais un temps de repos, de tout repos. Jean se souvient de ses premières nuits avec Elma. L'émerveillement de se découvrir qui les tenait éveillés.

Lorsqu'il est parti ce matin, elle dormait encore. Aussi, il a vu la chose avant elle. Il sait que cette chose est destinée à sa femme, qu'il y a dans ce tas de sable parfait, devant le seuil de Blessac, un message qui relève du secret, comme ces signes que s'adressent les amants et qu'eux seuls comprennent. Il a tourné autour. L'envie de donner un coup de pied comme dans une fourmilière. Tout disperser. Il y a résisté. De quel droit ? Bien obligé aussi de reconnaître qu'il s'agit là d'une forme étrange et si simple, à la simplicité si étrange. À coup sûr, le sable provient d'ailleurs. Jean a songé à un sablier dans lequel seul le temps passé se matérialiserait, alors que le temps qui demeure et coule du ciel reste invisible.

Jean a reconnu la patte de Forester. Il comprend pourquoi Elma est éblouie par ses œuvres. Quelle femme ne le serait pas ? Cette manière de se fondre dans ce qui existe, d'en devenir un élément si léger mais si fort que lorsqu'on l'a vu on ne peut rien regarder d'autre. Une occupation fœtale de l'espace. Sans troubler l'ordre général, sans le bousculer. À ce jeu, il ne peut pas lutter.

Appuyé contre la moissonneuse, il porte à ses lèvres une bouteille en plastique remplie d'eau colorée de vin. En buvant, il regarde le ciel, son bleu. Cette profondeur dans laquelle il aimerait tant que sa peine s'envole et disparaisse. Soudain, une détonation. Jean retient son souffle. L'écho de la déflagration se meurt dans les pentes qui descendent vers le ruisseau. Un silence terrible. Il l'attendait, ce coup de fusil. Il le redoutait.

Il court. Longtemps. Comme s'il cherchait vraiment. Mais c'est faux. Tous ses détours et ses boucles s'organisent autour d'un point qu'il évite avec soin. Un vieux châtaignier au tronc évidé, en surplomb de la route. Il le trouve là, dans ce creux comme dans un ventre, protégé des mauvais vents et des regards, telle une bête. Venu mourir là pour ne pas souiller la maison où il est né. Affalé sur le canon de son fusil posé contre sa poitrine, la crosse calée avec soin dans le sol. Sa casquette est par terre, dégageant le rond blanc d'une calvitie que Jean n'a jamais soupçonnée.

Il paraît assis, en fait il est en équilibre. Le frôler serait le condamner à tomber. Le condamner. Jean se tient à distance. Il aurait envie de le prendre dans ses bras, de lui dire les mots de consolation qu'il n'a pas su inventer du temps où lui-même allait si mal. Des mots simples, histoire de dire et non de convaincre ou d'apprendre, dans ce pays où les voix d'hommes sont de plus en plus inaudibles.

Jean recule. Il ne désire pas en voir davantage. Les gendarmes préfèrent trouver le corps dans l'état exact où la mort l'a pris. Il a envie de vomir. Il ne moissonnera pas ce soir. Ni demain. Tout cela peut attendre. Il laisse s'écouler des minutes longues et denses. En cet instant, il est maître du temps. Il désire que celui-ci ralentisse jusqu'à tomber en poussière. Là-haut, dans sa ferme, le vieux doit avoir entendu. Ils sont deux à savoir. Cette pensée le bouleverse. Un monde se désagrège, s'en va en lambeaux. Qu'est-ce que c'est que ce foutu pays qui brade ses mémoires, renie ses fondations ? Et l'envie de partir, de s'enfuir. Le désir de ville.

*

Il n'a pas touché à son petit déjeuner. Denise hausse les épaules. Elle n'aime pas que, dans le chaos de la vie de Ben, disparaissent les repères minuscules qu'elle dispose avec soin et qui lui donnent le sentiment d'être utile. Depuis qu'elle travaille à Provenchère, il va mieux. Il lui arrive bien de découcher, de disparaître et de revenir comme un chien fiévreux en léchant ses plaies. De travailler deux jours sans se nourrir. Et boire. Mais quand même, il va mieux.

Bien sûr, il demeure entre eux des barrières infranchissables. Le fil noir, par exemple. Dès qu'elle l'a vu, Denise a su que si elle voulait avoir un avenir ici, elle ne devrait jamais l'enjamber. C'était un élément subtil d'un jeu qu'elle ne comprenait pas mais dont elle devinait les règles strictes. Et d'ailleurs, un fil noir de plus sur sa route, quelle importance ? Les chemins de Denise sont barrés de tant de fils, plus souvent de fer que de soie.

Que fait-il ? Denise est inquiète. Elle va sur le seuil de Provenchère et guette. Elle aimerait voir sa grande silhouette noire arriver par la lande, contourner comme un voleur les fondations du jardin, remonter par l'escalier de pierre étroit. Elle aimerait que leurs regards se croisent. Éprouver le bonheur dérisoire de le retrouver. Non. Elle n'est pas amoureuse de Ben. Cela n'aurait aucun sens, oser l'affronter sur le champ clos des draps. En ce sens, l'institutrice n'est pas n'importe qui. Car il n'est pas même gentil. Et il doit sûrement pouvoir se comporter en joli salaud.

Depuis qu'elle est à Provenchère, Denise a pratiquement rompu avec ceux du bourg. Ils ne l'acceptaient que parce qu'elle ne les dérangeait pas. Ce sont eux à présent qui aimeraient bien être à sa place. Qui aimeraient bien fourrer leur nez dans les affaires de Ben Forester. Trop tard. Elle ne sait pas combien de temps cela va durer. S'il repartira un jour. Ce genre d'homme ne tient jamais en place. Il peut faire ses valises aussi vite qu'il s'est abattu sur Provenchère comme la foudre. Elle sait seulement que s'il lui demande de le suivre au bout du monde pour lui préparer des pâtes et lui raser le crâne, elle dira oui. Jusqu'en Australie et plus loin encore. Mais rien n'est moins sûr. Denise est habituée à ne pas avoir prise sur ce qui va arriver. Même les riches, parfois, n'y parviennent pas. Alors, elle...

Les sirènes des voitures de gendarmerie résonnent sur la route départementale. Lorsque les véhicules tournent dans la côte de la ferme-d'en-haut, Denise n'hésite pas. Elle grimpe sur sa Mobylette, pédale vigoureusement et démarre. En quelques minutes, elle franchit le petit pont sur le ruisseau. En face, dans la pente, les gyrophares d'une ambulance tournent derrière les frondaisons.

Denise s'approche.

— Qu'est-ce qui se passe ? demande-t-elle à un gendarme.

Il la regarde avec curiosité. Cette fille habillée en rose, avec des montures de lunettes également roses, ce n'est pas ordinaire.

— Je suis de Provenchère. Mon patron n'est pas rentré ce matin, il lui est peut-être arrivé quelque chose. Je suis inquiète.

— Qui est-ce, votre patron ?

— Ben Forester. L'artiste...

— Alors, il ne lui est rien arrivé à lui.

Denise scrute le visage du jeune homme.

— Quelqu'un d'ici ?

L'autre est agacé. Il concède.

— Oui.

— Barthélémy ?

— Qui ?

— Celui qui habite la ferme là-haut.

Denise s'avance. L'accès au bois lui est interdit mais elle aperçoit Jean qui parle à des gendarmes et à une jeune femme en tailleur. Deux ambulanciers portent une civière. Sur le brancard, un sac oblongue en plastique ivoire. Ils passent à côté de Denise. Elle ne voit que la fermeture Éclair fermée sur le monde autre.

Denise est soulagée de savoir que ce n'est pas Ben qui est dans le sac. Et pourtant, elle devine que cette consolation ne sera que passagère. Denise a une grande connaissance des lois du malheur. La mort de Barthélémy ne signifie pas qu'il n'est rien arrivé à Ben Forester. Tout est lié, n'est-ce pas ? On pense être sauvé et c'est alors qu'on est frappé. Elle abandonne sa Mobylette dans un talus et monte à la ferme-d'en-haut. À hauteur des bâtiments stationnent une ambulance ainsi que deux voitures bleu marine. Aucun chien n'aboie. Denise poursuit. Elle sait que Ben travaillait à la charrue d'Albert. Un soir, il lui avait vaguement expliqué où se trouvait le chantier et elle en avait déduit qu'il s'agissait d'un coin de lande où courent des murets.

Elle le découvre, sur le dos, la face tournée vers le ciel. Il est le premier mort que Denise approche. Elle s'est déjà rendue à bien des enterrements. Et même, tout à l'heure, dans le sac en plastique, il y avait un cadavre. Mais chaque fois, le corps était enfermé, reclus. Là, Ben est offert à sa vue. Alors, malgré son effroi, malgré le sentiment qu'il y a quelque chose de dangereux à s'approcher ainsi, elle s'agenouille à côté.

Elle pourrait s'enfuir, dévaler vers la ferme-d'en-haut et crier à tue-tête d'une voix perçante et désagréable, venez, venez vite ! Ben Forester a été tué près de la charrue d'Albert ! S'attribuer le rôle crépusculaire du messager des mauvaises nouvelles. Sortir quelques secondes du néant, lire de la curiosité dans les yeux d'inconnus. Exister. Il y a quelques mois, avant qu'elle ne le rencontre, elle aurait agi ainsi.

Pour rien au monde, Denise ne braderait ces minutes passées là près de Ben en échange d'une gloire fugace. Le visage porte le masque de la mort. Elle le détaille, l'observe, alors qu'avant elle ne l'avait fait qu'à la dérobée ou de manière kinesthésique, avec ses doigts qui tenaient son front et ses tempes couvertes de mousse à raser. En cet instant, il lui appartient. Son immobilité prouve qu'il est à elle. Il ne la conduira jamais en Australie, là où elle était prête à le suivre pour le simple bonheur de vivre dans l'ombre de sa folie. Il est déjà parti. Insaisissable. Le fantôme resté sur l'embarcadère, c'est elle.

Le visage est dur. Le nez droit, une mâchoire de boxeur, une gueule à avoir reçu et donné des coups. Le front immense. Et les yeux. Un devoir élémentaire consisterait à refermer les paupières. Mais elle ne le peut pas, tant il lui semble que ce sont justement par ses yeux que cet homme s'est accompli.

Le trou sombre dans la chemise noire, ce n'est que plus tard qu'elle le voit.

Le temps passe. Quelque chose se produit que Denise n'attendait plus. Qu'elle se refusait. Une résistance cède en elle. Lentement, des larmes embuent ses verres de lunettes, coulent sur ses joues rondes. C'est tiède, salé. Les dernières remontent à une enfance lointaine et massacrée. Il est là l'ultime cadeau de Ben Forester à Denise.

*

Elma pousse la porte de Blessac. Le soleil la contraint à baisser le regard. Elle aperçoit une tache claire, dix pas devant le seuil. Une couleur qui lui rappelle celle de la paille. Cette chose en évoque soudain une autre. Alors, elle écarquille les yeux. La lumière ne la soumet plus. Elle regarde.

Sa première pensée va à Jean qui a certainement vu avant elle ce petit cône de sable doré, un sable dont elle sait la provenance. Comme une ultime provocation, ici, à Blessac. Elma contourne la dune ravinée par la pluie brève et violente du matin. Elle aimerait tant que Jean soit là. Pour la première fois depuis longtemps, elle ressent charnellement son absence. Le roulement de la moissonneuse, là-bas, a cessé, faisant place à un grand silence. Même les chiens ne jappent pas. L'eau de la fontaine, les volets qui grincent à l'étage, les chaînes des vaches contre les grilles de la stabulation, tout est gommé.

Elma s'agenouille. Des mots lui reviennent. Regarder comme un enfant qui aurait vécu plusieurs vies, oublier ce qu'on croit savoir. Des phrases de Ben. *Ne pas hésiter à éventrer pour réinventer.*

Elle se souvient. Ils venaient de contourner Bordeaux par la rocade et Ben était sorti de son silence pour tenir des propos obscurs. L'une et l'autre ne comprenaient pas ce qu'il voulait dire, comme s'il désirait se débarrasser d'idées importantes qui le hantaient. Les transmettre. Ne pas hésiter à éventrer pour réinventer. Un moment, Elma avait songé que Ben faisait allusion à cette forme d'éviscération qu'est l'amour et que ces propos s'adressaient à Estelle. Mais il parlait d'autre chose. Cette déchirure n'était pas seulement celle des chairs.

L'œuvre a été conçue pour courber le spectateur, le ramener impitoyablement près du sol, briser la hauteur de son regard. Lui faire poser genou en terre. L'infléchir. Les grains brillent sous le soleil. Des ravines minuscules se sont creusées, produisant des éboulements qui renvoient tout aussitôt à des images de dune, des souvenirs de course dans le sable, de châteaux d'enfants balayés par les vagues. Autour d'Elma le monde s'est absenté. Le soleil brûle ses épaules sans l'accabler. Elle approche la main. Oser toucher ce que Ben et la pluie ont commencé de réaliser. Oser intervenir à son tour puisque, après tout, l'éphémère est inscrit dans l'œuvre, par le choix même du lieu où elle est disposée, en plein passage. Et par la nature du matériau aussi. Précipiter une évolution qui n'est pas une fin. Une tentation.

Sa main effleure la dune. Des grains de sable humides se collent à l'extrémité de ses doigts. Des particules d'or brillent dans la pulpe de ses empreintes. Elma pense à Jean. Depuis combien de temps dérivent-ils loin l'un et l'autre ? Elle considère alors le cône d'une tout autre manière. Ce sable doré au milieu de la cour de Blessac lui apparaît comme une sorte d'énigme, un dernier verrou qu'il lui faudrait ouvrir pour revenir à son mari, le ramener à elle. Mais alors comment Ben a-t-il pu imaginer qu'elle procéderait pour se libérer de lui ? Car Ben n'a jamais voulu l'enchaîner. Le pouvoir qu'il a pris sur elle a toujours contenu l'idée de sa propre libération.

Le ciel est une voûte qui enveloppe Elma de son incandescence. Très haut dans les airs, le cri d'un busard. Elle lève les yeux. L'oiseau s'adresse à elle, semble l'encourager. C'est absurde. Elle le connaît, ce rapace, le survivant du couple qui vivait là depuis des années et dont la compagne a été tuée par Barthélémy. Elma a besoin de signes sur lesquels s'appuyer. C'est à elle d'achever l'œuvre minimale de Ben. La pluie d'orage a déjà commencé une part du travail de transformation. Ben a prévu l'érosion de sa dune, comme il désire ce qu'Elma va accomplir. Elle va puiser à pleines mains dans le sable et le semer sur la cour, à toute volée. Le répandre. Fractionner le tout. Passer de l'organisé à l'aléatoire, de la forme géométrique à l'ensemencement. Le sol battu de Blessac va recevoir les milliers de grains de la plage où Elma a passé la nuit la plus singulière de son existence. Chaque fois qu'elle traversera cette cour, elle marchera vers l'océan, verra les vagues là-bas derrière le vieux sycomore. Elle aura ramené la mer à Blessac, cet horizon qui fait si cruellement défaut aux paysages d'ici et qui leur refuse cette sorte d'accomplissement que seuls possèdent les rivages. Ces flots seront invisibles aux autres. Elle seule saura.

Elma enfonce résolument la main dans le cône. Les grains lui font un bracelet d'or. Elle referme le poing, se lève et lance le sable. Le geste lui procure un plaisir imprévu. La sensation d'une libération. Elle recommence. Mais ses doigts effleurent quelque chose. Elle retire vivement le bras. Elle a cru toucher une bête. Elma creuse alors avec précaution. Des tiges tressées lui apparaissent, qu'elle ne reconnaît tout d'abord pas.

Le hochet de bergère était au centre du cône, aussi précieusement enfoui que le tombeau de Pharaon.

Le petit panier de joncs se vide peu à peu de son sable. Elma est émerveillée que Ben ait songé à installer là le plus dérisoire des objets de sa mémoire, un talisman venu de sa mère, au moment de ce qui semble être un achèvement. À mesure que le sable se déverse, la forme du hochet se dessine. Un sachet de toile écrue apparaît, finement resserré par un cordon rouge, et qui semble sortir de sa gangue.

Pour extraire le petit sac, Elma écarte les fibres de jonc. Éventrer pour réinventer. Son cœur bat très fort. Avec délicatesse, elle dénoue le cordon et vide le contenu dans le creux de la main. Trois petits cailloux comme en disposaient les bergères dans le hochet pour qu'il chante tombent dans sa paume. Trois diamants.

*

Le 4 × 4 de Roger s'arrête brutalement devant le café. Un couple de randonneurs est en terrasse, sous un parasol. Thérèse est assise au fond de la salle de restauration. Elle reprend son souffle après le service de midi. Une douzaine de repas ouvriers servis dans le tumulte et la précipitation. La chaleur. L'orage a fait sauter le compteur ce matin et a retardé le préchauffage du four. Cette fois c'est décidé, elle arrête à la fin de l'année.

Roger vient droit vers elle.

— Barthélémy est mort.

Thérèse se tait.

— Il s'est tiré un coup de fusil. Dans son bois, sous la ferme-d'en-haut.

Thérèse temporise. Elle essaie de comprendre ce que peut signifier cette mort.

— Le père ?

— Ils l'ont hospitalisé. Il ne pouvait pas rester seul.

Ça devait finir comme ça, ajoute Roger. C'était normal. Il veut dire inéluctable. Thérèse est d'accord.

Barthélémy avait confié qu'il n'irait pas en maison de retraite, qu'il ne quitterait jamais la ferme-d'en-haut. Lorsqu'il faisait cet aveu, son visage rayonnait de tristesse. En ce sens, il a tenu sa promesse. Depuis longtemps, il portait en lui la tentation de la mort. Au fond, cet homme n'a été heureux que pendant son service militaire, loin d'ici, lui qui pensait ne pas pouvoir vivre ailleurs. Depuis sa brouille avec Jean, Thérèse avait perçu combien il s'était assombri, aigri. Comme il était devenu menaçant.

Quelque chose résiste à l'analyse de Thérèse. Le mot « menaçant » la remet sur la voie. Elle s'en souvient parfaitement, à présent. La semaine dernière, Barthélémy était là. C'était l'heure de l'apéritif. Il y avait... Cela n'a pas d'importance. Si, il y avait Roger. Alors, ils sont passés. Viens vite voir ! avait crié Roger. Et Thérèse s'était avancée dans l'encadrement de la porte. Le temps d'apercevoir la Chevrolet. Cette voiture-là, elle ne pourra jamais l'oublier. À l'intérieur, Benjamin conduisait et Elma était assise à son côté. Pas un regard vers le café. Peut-être la honte, chez elle, de s'afficher ainsi avec cet homme. Là encore, quelque chose ne fonctionnait pas.

Ils roulaient lentement comme si Benjamin voulait montrer à quel point ce passage en voiture était important à ses yeux. Une provocation, ont-ils tous pensé dans le café. La voiture a tourné dans la rue qui mène à l'école. Quelques instants plus tard, des coups de klaxon. Et les trois qui repassent au vu et au su de tout le monde. Les regards sidérés. Le chaos dans un ordre que chacun croyait établi pour toujours dans ce pays de pierres et de mutismes.

C'est seulement maintenant, en apprenant la mort de Barthélémy, que Thérèse se souvient de la voix.

Une petite voix discrète, à peine audible. Un murmure dans son dos.

— Attends un peu, bel oiseau. Je te plumerai...

Quelque chose comme ça, une menace imprécise, une comptine venue de l'enfance.

— Et Forester ? demande Thérèse.

Devant les autres, et même avec Alain, elle l'appelle Forester. Jamais Benjamin. C'est son secret.

— Quoi, Forester ?

— On l'a vu récemment ?

— Non.

— Tu veux quelque chose ? demande Thérèse. Une pression ?

Comme si conserver ce messager auprès d'elle était un moyen de rester en rapport avec le mystère.

Roger opine. Il n'a pas envie de retourner à la scierie. Il y a un temps pour travailler et un temps pour écouter, voir et essayer de comprendre. Les clients attendront. S'ils ne sont pas contents, ils iront ailleurs. Roger sait qu'il n'y a pas d'ailleurs.

La gravité de la nouvelle lui avait fait oublier sa soif. Un peu de fraîcheur demeure dans le fond de la salle. Dehors, les deux randonneurs étudient une carte. Ils se croient sûrement chez les sauvages. Bientôt ils vont sortir une boussole. Un GPS, pourquoi pas ? Roger les regarde comme s'ils étaient des choses. Il ne les aime pas.

Il doit bien rester quelque vérité que Roger n'est pas parvenu à exprimer. Il demeure toujours de la poussière au fond des mémoires. Roger repose son verre, regarde Thérèse dans les yeux et dit :

— J'oubliais. La Denise...

— Oui ?

— Elle cherchait Forester. Elle a demandé à un gendarme s'il n'avait pas vu son patron.

— Comment tu le sais ?

Roger hausse les épaules. Ici, tout se sait.

Là, il lui a tout dit. Dans les pièces de ce puzzle se cache une réalité que personne encore n'a entrevue.

— Tu dis qu'elle le cherchait. Mais alors, elle est retournée à Provenchère ?

— Non, elle est partie vers la ferme-d'en-haut.

Thérèse pâlit. Elle a compris. Depuis le début, elle est en avance sur les autres. Ils ne voient rien. Ils ne comprennent rien. Elle, elle sait. Elle les mène, ils ne s'en rendent pas compte. Bien avant qu'ils ne le pressentent, elle a choisi son camp. Celui de Benjamin Laforêt. Depuis quelque temps, au pays, le ton des conversations sur les œuvres de Ben Forester a changé. Ici, les opinions partent du café de Thérèse.

— Tu peux m'emmener, Roger ?

— Où ça ?

— À Provenchère.

Un quart d'heure plus tard, le 4 × 4 pénètre dans la cour du château. La Chevrolet est stationnée près de la grille. Roger s'approche.

— Il laisse les clefs dessus !

Thérèse hausse les épaules. Elle ne voit pas le cyclomoteur de Denise. Toutes les portes et fenêtres de façade sont ouvertes.

— Denise ! C'est moi, Thérèse !

Personne ne répond. Roger regarde sa montre. Bientôt les enfants vont sortir de l'école. Il avait promis d'aller les chercher.

Thérèse jette un regard sur les statues et s'avance vers la porte d'entrée. Appelle Denise. En vain. Roger reste en retrait, sur la défensive. Elle en fait trop, Thérèse, elle agit comme si elle connaissait ce type. Dans les écuries, il aperçoit l'une des poutres qu'il avait livrées. Au sol, des copeaux indiquent que Ben a sculpté l'autre. Tout cela paraît si loin. Quand il se tourne vers le château, il ne voit plus Thérèse.

— Qu'est-ce que tu fais ? Viens, je dois aller chercher les gosses à l'école.

Roger s'avance dans l'entrée. Il l'aperçoit dans la cuisine.

— S'il nous tombe dessus, il ne va pas être content !

Thérèse ne répond pas. Elle traverse l'enfilade de salons, retourne sur ses pas. Ils regardent tous les deux le grand escalier de pierre barré du fil noir.

— Partons ! dit Roger.

— Ce type, comme tu l'appelles, c'est Benjamin. Benjamin Laforêt. Un camarade d'enfance. Personne ne l'a reconnu. J'aimerais bien me tromper, Roger, mais je crois que Benjamin ne reviendra plus à Provenchère.

La Mobylette de Denise gît dans un talus. La scène du crime est entourée d'un ruban de plastique qui porte la mention *gendarmerie*. Les bâtiments de la ferme-d'en-haut dominent la pente. Thérèse pense à Barthélémy qui s'est tué si près de chez lui. Cette idée lui serre le cœur.

Roger a renoncé à aller chercher les enfants. Quelqu'un ira bien à sa place. Sinon, il y a la garderie. Alors, quand Thérèse lui demande de monter la côte avec le 4×4 pour retrouver Denise, il obéit. Il a le sentiment, au côté de Thérèse, d'être au plus près d'un mystère qui est sous ses yeux depuis que Ben est arrivé et qu'il n'a pas su comprendre. En roulant dans les ornières qui défoncent le chemin, Thérèse lâche quelques bribes de vérité, Benjamin, le fils des instituteurs, le compagnon inséparable de Barthélémy jusqu'à son départ au lycée.

— Ils ne se sont pas reconnus ? demande Roger.

— Benjamin a tellement changé. Tu te souviens quand il est entré la première fois au café, j'ai dû lui faire une omelette. Je ne l'ai pas remis. Et ça, vois-tu...

Il n'insiste pas.

De temps en temps, Roger coupe le moteur et Thérèse crie : « Denise ! » Sa voix est forte, elle porte loin. Mais peu à peu, elle se déchire. C'est Roger qui reprend un cri dont on ne perçoit plus que la fin.

Ils ont allumé les phares. Le 4 × 4 roule au pas sur la lande semée de murets. Thérèse sort la tête par la vitre et contemple ce désert gagné par le crépuscule. Elle aimerait tant fixer n'importe quel scintillement plutôt que cet océan de nuit où s'abîment les espérances. Même un écran de télévision ferait l'affaire. Ils sont sur le point de renoncer lorsqu'ils discernent une tache claire agenouillée sur le sol.

— Coupe la lumière !

Thérèse ouvre la portière.

— Attends-moi là.

Thérèse s'avance dans la nuit. À présent, elle sait ce qu'elle fait là. Elle est venue chercher une gamine vivante et son vieil amour mort.

*

Estelle referme le cahier et le replace sur la pile de son bureau avec ce geste lent qui dit l'habitude et aussi la lassitude. La pénombre envahit la classe. Le mois de juin s'achève.

Ce fut un jour particulier et triste. Des parents, en venant chercher leurs enfants à cinq heures, ont dit simplement Barthélémy est mort. Avec une forme d'excitation et quelque chose de sauvage sur le visage comme chaque fois qu'il faut énoncer des vérités qui nous dérangent. Elle ne le connaissait pas, ce vieil homme. Si peu. Elle le croisait parfois, le fusil à l'épaule, alors qu'elle joggait dans les collines.

Les derniers élèves ont quitté la garderie. Estelle est seule. Elle aime et redoute à la fois cet instant où la grande bâtisse ne résonne plus que de l'écho de ses pas. Au début, elle avait peur. Elle en sourit maintenant.

Ses pensées filent vers Ben. Elle l'a revu une fois depuis leur voyage vers l'océan. Une nuit dans l'atelier. Il lui a parlé de son travail. De son ami Markus, l'être le plus proche par ses conceptions esthétiques, ses prises de position et leur itinéraire aussi. Ils se sont installés devant l'un des ordinateurs et ils ont visionné des sites consacrés à Markus. Ben était volubile. C'était étrange que de l'entendre s'enthousiasmer pour son ami, lui d'habitude si réservé. Il y avait dans cette joie un air d'achèvement.

Le lendemain matin, Ben n'était pas debout, nu devant la fenêtre, dans cette position de guetteur d'aube qu'elle lui avait toujours connu à Provenchère. Mais penché sur elle, se désintéressant du lever de soleil. La contemplant d'un regard qu'elle n'oubliera jamais.

Malgré la chaleur et l'apaisement du soir, le couloir de l'école reste frais au cœur même de l'été. Estelle s'approche d'un robinet, le ferme d'un coup de poignet énergique, ramasse des jouets qui traînent, raccroche un gilet oublié tombé d'une patère. Aligne des pantoufles, de la pointe du pied. Avant de monter à l'étage, elle veut se rendre auprès de la dune.

Toute la journée, les enfants ont tourné autour, respectant les quatre plots qui délimitent un espace que leur maîtresse a déclaré infranchissable. Lors de ces moments au cours desquels les élèves travaillent seuls, Estelle s'approchait d'une fenêtre et regardait le cône de sable doré. Chaque fois, son cœur battait un peu plus vite.

Estelle n'a pas besoin d'explications. Pendant qu'elle corrigeait ses cahiers, quelqu'un a vandalisé la dune. Elle s'avance, pleine de colère. Le sable a été dispersé à coups de pied. Qui donc ? Un enfant ? Un adulte, l'employée municipale, son adjointe à la crèche ? Un parent d'élève discrètement revenu ? Qu'importe. La dune est éventrée. Estelle s'agenouille. Sa première tentation est de rassembler le sable. Et le désir de quitter ce pays ingrat la reprend de nouveau.

Ses mains s'enfouissent dans les grains qui lui rappellent l'océan. Soudain, elle sent quelque chose. Le jour baisse, mais elle distingue un morceau de papier méticuleusement plié. Estelle s'en saisit. À l'intérieur, une bague ornée de trois diamants. Elle la recueille dans sa paume. Le bijou brille dans les dernières lueurs du soir. Ses yeux se posent sur le papier qui l'a contenu. Une page arrachée à l'un des cahiers d'écolier de Benjamin Laforêt a servi d'écrin.

*

Elma s'avance près de la clôture qui sépare les prairies de Blessac des terres menant à Provenchère. Sur le sol, elle peut encore voir la trace de ses pas qui ont marqué le sentier improbable emprunté tant de fois au cours de ces derniers mois. Jean l'observe peut-être depuis son atelier ou des étables. Entre eux, le silence s'est brutalement épaissi à l'annonce de la mort de Ben et de Barthélémy. Le temps est à l'arrêt. Les moissons sont achevées.

Elma s'approche d'un chêne de bordure, pose les mains sur son tronc à la recherche d'apaisement. Là-bas, Provenchère est un lieu désormais inaccessible. Interdit. Dès le lendemain de la découverte du corps de Ben, les machines judiciaire et médiatique se sont mises en marche, broyant tout, cherchant à reconstituer un passé insaisissable. Le jour même, la venue des gendarmes à Blessac. La honte de devoir répondre à leurs questions sur ses relations avec Ben Forester, la colère qu'elle sentait vibrer sous chacune de ses réponses. À leur départ, Elma est restée campée sur le seuil de sa maison. Jean n'était pas là, peut-être dans son atelier. Jean dont l'infortune supposée était ainsi mise au jour.

Les journalistes, les photographes, qui font le siège du café de Thérèse, prennent des clichés de Denise sur sa Mobylette. La télévision. Des reporters venus jusqu'à Blessac et qui auraient eu le culot de la questionner si Jean n'avait pas lâché les chiens. La résistance des gens d'ici à leurs indiscrétions, ce formidable pouvoir de se taire qui dit une longue histoire commune. Leur départ, tout aussi rapide que leur arrivée. La trace de leurs effractions dans la presse locale et nationale. Des photos dans les magazines people, les hebdomadaires parisiens. Des images sur toutes les chaînes.

L'après-midi même de la visite des gendarmes à Blessac, plusieurs voitures arrivaient à Provenchère, devancées par un hélicoptère qui s'était posé dans la lande. Une armée d'hommes d'affaires, des gens de lois, des experts investissaient le lieu. Un mélange d'autorité et de générosité était rapidement venu à bout de Denise, renvoyée dans ses foyers. La grille que Ben n'avait jamais fermée avait été vite cadenassée. La propriété redevenait un espace clos, hors d'atteinte. C'est ce château endormi qu'Elma regarde, appuyée contre un chêne.

Le corps de Ben a disparu avec une promptitude qui blesse Elma. Comment une si grande carcasse qui avait tant ensemencé, tant fécondé, et même des déserts, a-t-elle pu disparaître ainsi ? Quel acide l'a dissoute ? L'enquête, la morgue, l'autopsie, le rapatriement par les airs sur Paris et puis la Suisse, où des ayants droit ont décidé qu'il serait incinéré. C'est la seule idée qui ne heurte pas Elma, dans cet immense tour de passe-passe, que celle du feu. Les cendres, une sorte de brouillage en attente d'une recomposition, un mouvement perpétuel des mutations successives qui s'inscrit bien dans la logique de ce que furent l'œuvre et la vie de Ben Forester. Le point absolu de la dispersion et de l'invisibilité. Mais aussi l'idée que ses cendres devaient revenir là.

La joue contre le chêne, Elma pleure. Ces larmes qui la libèrent et dénouent les nœuds qui broyaient son ventre, elle les doit à Ben.

À Provenchère, plus rien ne bouge. Les voitures immatriculées à Paris et en Suisse sont reparties depuis deux jours. Un service de sécurité, gardiennage en uniforme et chien, a pris possession du château. Les accès sont condamnés. Le monde redevient ce qu'il a toujours été, et d'un coup il semble tourner moins librement.

Elma a besoin de voir Provenchère ainsi muré pour poursuivre. Elle s'est laissée glisser au pied de l'arbre, comme une bergère punie qui pleurerait un chagrin sans issue. Peu à peu, de la quiétude la gagne. Admettre ce qui s'est passé la fortifie au moment de faire face à ce qui la menace. Car Elma est en péril. Dans son atelier, Jean a rassemblé quelques affaires. Un soir, en catimini, il est monté au grenier chercher une valise. Elma l'a entendu. Elle n'est pas intervenue. Lui aussi doit aller jusqu'au bout de son histoire.

Pourtant, elle n'a pas peur. Ben mort, elle a perdu le pouvoir de discerner l'insaisissable. En contre-partie, elle abandonne le retranchement qui était le prix à payer pour le partage de ses songes. La jeune femme qui s'est relevée de la vase de l'étang de la Foulière était une autre, prête à retourner dans la mêlée. Ben a détourné la charge de ses blessures pour la reconstruire. Lentement, Elma redevient vivante, elle redevient elle-même. C'est encore plus beau.

Dans sa poche, elle serre le petit sachet de toile dans lequel brillent trois diamants, seule trace matérielle de sa rencontre avec Ben Forester. Trois pierres dans un hochet de bergère. Elle a exploré toutes les combinaisons possibles, Estelle, Ben et elle. Ben, Jean et elle. Leur enfant mort, Jean et elle... Elle en oublie une. Celle qui explique tout. Une trinité dans laquelle ne figure ni le nom d'Estelle ni le sien. Mais il est encore trop tôt.

Jean va partir. Il l'attend, là-bas, pour un dernier face-à-face. Il échafaude des mots, des arguments. Il ne veut pas la blesser mais il se doit de dire. Seulement, il ne mesure pas à quel point ce n'est plus la même femme qu'il s'apprête à quitter. Cette Elma qui lui fera face est plus forte que celle qu'il a aimée et aime encore. Elle est accomplie. Plus difficile à aimer, plus exigeante, plus intéressante. Leur histoire va se dénouer.

Elma respire mieux. La chaleur de la journée marque le pas. Des courants d'air tièdes traversent le ciel. Les larmes sèchent. Elle se relève, tourne le dos à Provenchère et revient à Blessac.

Depuis les étables où il s'était réfugié, Jean voit la 2 CV quitter la ferme, un nuage de poussière à ses trousses. Il pensait qu'Elma allait se présenter à lui pour une dernière explication et voilà qu'elle le fuit.

Elma abandonne sa voiture près de la masure d'Albert et poursuit à pied. Aujourd'hui encore, elle ne comprend pas comment elle a pu ne pas être la première sur le lieu où Ben a été tué. Comment Denise a pu la devancer. Elle doit faire face à ce regret, accepter sa réalité.

L'œuvre lui apparaît enfin. Tragique. Elma s'en approche, le cœur battant, les yeux posés sur le soc qui fend le rocher. Dans un des angles manque le quatrième amoncellement de pierres sèches.

Longtemps, elle s'est demandé de quel droit agir ainsi. Comment oser intervenir sur la *charrue d'Albert*? Elle ne le sait pas vraiment. La conviction que tel est son devoir, l'ultime signe qu'elle enverra à Ben. Où qu'il soit.

Elma s'agenouille, saisit les pierres qui jonchent l'herbe. Et, lentement, élève le dernier pilier.

Le soleil décline lorsqu'elle regagne Blessac. Elle gare sa voiture au milieu de la cour, là même où Ben avait réalisé la *dune*, et pénètre dans la maison. Jean, qui l'attendait près du vieux sycomore, s'approche de la 2 CV. Le moment redouté est venu.

Il s'apprête à entrer lorsque deux volets claquent à l'étage. Jean lève la tête. Le bruit est sec et joyeux, provoqué par une poussée impétueuse. Un craquement qui trahit la vigueur nécessaire pour déchirer cette membrane de chêne qui occultait l'horizon. Jean essaie de se repérer dans l'alignement des cinq fenêtres du premier. L'ancienne chambre de ses beaux-parents, la salle de bains. Leur chambre... Le buste d'Elma apparaît à la fenêtre. Quelque chose de vif dans le mouvement des épaules, de jeune, de déluré. La vie.

Elle ne dit rien, mais il comprend. Viens, monte. Je suis guérie. Nous la referons, cette chambre rose. S'il le faut en bleu, en blanc. Aux couleurs de l'arc-en-ciel. Mais monte ! Vite. Je suis guérie, te dis-je ! Ne perdons plus de temps. Je t'attends dans le grand lit à côté. Viens.

10.

Thérèse est la première à voir le chauffeur. Les choses auraient peut-être tourné différemment si elle ne s'était pas trouvée là. Lui, c'est un type du Nord. Du nord de l'Europe, un grand blond. Il y en a un autre, petit, roux, qui descend de la cabine d'un air sautillant. Heureux de se trouver à bon port. C'est si long pour arriver ici.

Leur énorme camion, flambant neuf, immatriculé en Allemagne, s'est arrêté sur la place en face du café. Venir de si loin et se retrouver pris comme au fond d'une nasse, en face de l'église. Le sentiment qu'au-delà, il n'y a plus rien.

Derrière ses rideaux, Thérèse les surveille. Ils parlent. Le grand remonte dans le camion, redescend avec une liasse de papiers, des cartes. Son compagnon s'est écarté et téléphone tout en faisant les cent pas. Ils sont perdus, c'est visible. Ça la distrait, Thérèse, ces deux types venus du bout du monde et qui échouent devant chez elle. Ça l'intrigue, aussi. Ce genre de camion ne s'aventure guère par ici. Et d'abord de quel genre est-il ?

Long, large. Sur la plate-forme arrière, un énorme bloc, aux arêtes droites. Une dalle, longue de plus de quatre mètres. Le tout sanglé et enveloppé dans une housse de plastique opaque.

Thérèse recule dans la pénombre du café lorsqu'elle voit les deux hommes marcher vers sa terrasse. Il fait déjà chaud. Ils viennent à elle avec la retenue d'étrangers qui ne parlent pas la langue. Ils saluent. Thérèse répond avec distance.

— S'il vous plaît... Bière.

Le mot est universel. Thérèse indique une place en terrasse mais ils préfèrent la pénombre. La lumière du voyage a fatigué leurs yeux. Ils s'installent et regardent autour d'eux. Le chauffeur étale ses cartes sur la table. Ils discutent à propos d'un point marqué d'une croix et Thérèse, en se penchant pour les servir, imagine qu'il s'agit du lieu de la livraison.

— Vous avez besoin d'un renseignement? demande-t-elle.

Elle agit par habitude. Le goût des informations glanées, des rumeurs, des ragots. Lorsqu'elle ne cherchera plus à savoir, alors elle sera morte.

Ils la regardent avec une expression empêchée. Le plus petit commence à parler. En allemand. L'autre l'interrompt et reprend dans une autre langue. Thérèse croit reconnaître des intonations anglaises. Ils se taisent, découragés. Elle songe alors à Estelle. La jeune femme est sur le point de partir. Ce matin, Thérèse a vu sa voiture dans la cour de l'école, les portières grandes ouvertes, pleine de cartons et de valises. Les cours sont finis depuis une semaine.

Le téléphone de l'école sonne. Une voix répond. Quand Thérèse raccroche, les deux hommes lèvent la tête. Ils ne parviennent pas à interpréter l'expres-

sion de son visage et elle s'en rend compte. Cela
l'amuse, ces regards d'hommes inquiets posés sur elle.
Elle sourit et dit :

— Elle arrive.

Avec un geste de la main, un geste rassurant.

Au moment où Estelle débouche sur la place, Alain
et Roger tournent autour du camion. En connais-
seurs. La présence des deux frères la contrarie, mais
elle continue d'un pas décidé. Elle a hâte de quitter
ces lieux où elle a connu tant de joies et tant de
moments de détresse aussi. Partir vers le ciel de son
pays, retourner sur les plages où elle a passé son
enfance. Oublier, le temps des grandes vacances. Elle
sait bien que c'est une illusion. Que ces derniers mois
l'ont marquée pour toujours. Mais Estelle se recro-
queville. Ben est mort depuis moins de quinze jours.
La manière dont son corps fut escamoté ajoute à
l'impression de vide. Qu'a-t-elle vécu réellement ? Il
ne reste pas même une œuvre dans laquelle elle se
sente présente. Elle n'a jamais vu les quatre silhouettes
de branchages accrochées aux arbres coupés par
Roger et Alain et qui, peut-être, lui étaient dédiées.
De tout cela, il semble ne rien demeurer. Sauf cette
bague à son doigt. Et de nouveau cette sensation
d'abîme éprouvée le jour où elle est arrivée là.

— Bonjour...

C'est Alain qui a parlé. Roger salue à son tour.
Estelle répond sans chaleur.

Les deux camionneurs la voient arriver avec soulagement. Ils sont heureux de s'adresser à une jolie fille.
En anglais. Estelle est soudain à l'aise, presque volubile. Thérèse, Alain et Roger les regardent sans com-

prendre. Estelle tarde à traduire. Elle se penche sur
la carte, opine. Les doigts convergent sur un point.
La jeune femme se retourne. Désemparée.

Avant qu'elle ne commence à parler, ils ont compris. Il s'agit d'une commande passée par Ben à une
entreprise spécialisée en Allemagne. Du lamellé-collé.
Une sorte de grand parallélépipède massif. Tout a été
payé, tout est en règle. Il n'y a qu'à livrer et repartir.
Ben a veillé à tout. Un engin élévateur devait arriver
pour déposer le bloc à un endroit précis, en forêt.
Mais les deux hommes viennent d'apprendre que le
camion grue était en panne à trois cents kilomètres.
La direction, depuis Hanovre, leur demande de
trouver par eux-mêmes des moyens de levage.

— Où ça ?

— Dans la forêt de Grande-Combe, répond Estelle
en regardant Roger droit dans les yeux.

Le scieur baisse la tête. Alain aussi. L'histoire du
saccage des sculptures de Ben leur revient de plein
fouet. À un moment où ils ne s'y attendaient pas. Où
ils se croyaient quittes.

— Vous leur avez dit qu'il est mort ?

En cet instant, Thérèse ne songe pas à la lamentable action d'Alain et de Roger. Elle pense à cette
chose qu'a voulue Ben et qui risque de ne pas se réaliser. Et cette perspective lui est insupportable.

— Non.

Ils se consultent du regard. S'ils évoquent la disparition de Ben, les deux autres vont repartir avec leur
chargement. S'ils mentent...

— Dites-leur qu'il est en voyage. Qu'il va revenir.
On avisera après.

Estelle ne comprend pas pourquoi cette femme
prend ce risque, ce qui la lie à ce point au souvenir

de Ben. Et du coup, Estelle se sent fautive. N'était-ce pas à elle d'avoir cette idée ? Aller jusqu'au terme de la volonté posthume de Ben ? Elle se croyait plus forte.

— Parlons-en à Elma, propose-t-elle.

Le temps qu'Estelle se fasse préciser des points encore dans l'ombre, Elma arrive. Estelle lui explique la situation.

— On fait comme Thérèse a dit. Je suis prête à signer un reçu. Tu dis que je suis adjointe au maire.

Se tournant vers les trois autres, elle ajoute :

— On ne va pas laisser repartir une œuvre qui a été conçue spécialement pour le pays. Il s'agit de notre patrimoine.

C'est nouveau, cette idée d'une œuvre qui serait dédiée au pays, qui lui appartiendrait. Elma l'a évoquée naturellement et personne n'y trouve à redire. Seul Roger paraît surpris. Quant à Alain, il pense comme Thérèse. Et Thérèse comme Elma.

En fin d'après-midi, le camion allemand repart de la forêt de Grande-Combe. Deux heures ont été nécessaires pour décharger sans l'endommager la lourde dalle de lamellé-collé. Roger a utilisé les grues montées sur deux gros camions de débardage pour la soulever délicatement et la reposer sur des madriers au bord de la route sans déchirer l'enveloppe de plastique qui la dérobe à la vue. Six barres d'acier, longues de trois mètres, faisaient partie de la livraison. Il sera temps plus tard de chercher à comprendre.

Ils sont une dizaine autour de l'objet immense et toujours invisible sous son film plastique. Par une saignée dans l'emballage, Alain voit du bois blond.

— Douglas, dit-il en se relevant.

Ils comprennent alors que les morceaux qui composent cette énorme dalle ont été obtenus à partir des quatre sapins abattus.

Le temps passe. Ils n'ont pas envie de se séparer. Jean les a rejoints avec le gros tracteur de Blessac. L'épicier qui passait par là tarde à prendre congé, tout comme Louis, qui n'a aucune envie de rentrer dans sa maison vide. Et puis il y a Michel, le commis d'Alain, ainsi que deux ou trois types nés ici et dont on ne sait pas trop ce qu'ils font en semaine. Sans oublier des Turcs qui bûcheronnaient par là. Tous attendent. C'est étrange, ces gens rassemblés autour de ce grand pavé de bois encapuchonné, posé sur calles au bord d'une route déserte.

Le soir approche. Les Turcs sont repartis dans leur guimbarde. Ils ont promis d'aider si nécessaire. Au besoin, ils reviendront avec des frères, des cousins, du matériel. Alain et Roger ont acquiescé. Les hommes forts se font rares. Il ne reste à présent que les habitués du café. Barthélémy leur manque. Ils lui en veulent soudain, à cet imbécile, de n'être pas là. D'être en retard pour toujours.

Thérèse s'assoit sur un rocher qui affleure au bord du talus. Elle a eu peur au moment du déchargement de la plate-forme, lorsque les vérins hydrauliques, les câbles sous pression des mâchoires destinées à décharger les grumes, ont failli lâcher sous la charge. Depuis l'arrivée du camion venu d'Allemagne, une perspective s'entrouvre. Elle ne sait pas encore quoi exactement, mais le fait que ce soit elle qui ait pris l'initiative du mensonge montre bien qu'elle a repris espoir. Ben mort, les avocats et les rapaces repartis de

Provenchère, quelque chose se dessine. L'absence d'hésitation d'Elma et d'Estelle la conforte dans son idée. Et puis, s'il ne se passait rien, se seraient-ils retrouvés si nombreux au bord de la route autour du camion ? Ils sont tous arrivés par enchantement, des affamés, comme s'ils attendaient eux aussi. C'est un signe n'est-ce pas ?

Seulement, elle est lasse. Elle aimerait retrouver son cadre familier. Alors, elle proclame qu'elle donne rendez-vous au café. Qu'elle invite tout le monde à prendre quelque chose chez elle. Une omelette. En souvenir. De quoi, elle ne le précise pas. Mais tous comprennent.

Elma et Estelle sont restées à côté de la grande dalle. Jean est reparti sur son tracteur. Il a promis de rejoindre Elma au café de Thérèse. Estelle les a vus s'embrasser. Un pincement au cœur, provoqué par le bonheur des autres quand soi-même on est seul. Une brûlure tout de suite évanouie. Elma va bien. Elma est guérie.

Le soleil s'enfonce à l'horizon. Les yeux posés sur le ruisseau qui longe la route, Estelle revoit l'arche de cristal, son émerveillement et celui de ses élèves, mais n'était-ce pas le reflet de sa propre fascination, l'œuvre et le créateur se confondant déjà dans son cœur ? C'était un contresens. Et cependant les choses se sont passées ainsi. Sa marche éblouie vers Ben Forester a commencé là.

— Je ne suis pas étonnée de ce qui arrive, dit Elma.

— Qu'est-ce qui arrive ? demande Estelle.

— Ça.

Elle tend la main vers l'énorme parallélépipède. Elle poursuit :

— Ben ne pouvait admettre que ce qu'il avait entrepris ait une fin. Dans son esprit, Alain et Roger avaient participé plus à une transformation qu'à une destruction.

Estelle est d'accord. Heureuse, à l'idée que cette chose monumentale reprenne le cours d'une œuvre qui lui avait été certainement dédiée. Ben lui a rendu l'hommage qu'on lui avait volé.

— Qu'allons-nous faire ? demande-t-elle en s'approchant de la dalle.

Elle s'y appuie de tout son poids comme pour la déplacer. Il y a quelque chose de voluptueux dans sa manière de presser les hanches, de pousser avec les reins.

— Elle doit peser dans les dix tonnes, ajoute-t-elle. J'ai calculé...

C'est curieux, cette intrusion des mathématiques. Elma se tait. Elle cherche. Il ne s'agit pas de faire n'importe quoi. Quelle serait leur légitimité à déposer le cube là, plutôt qu'ailleurs ? Il ne s'agit pas, comme pour la charrue d'Albert, de bâtir un pilier de soixante centimètres de haut, vaguement ressemblant aux trois autres.

Le visage d'Estelle s'éclaire.

— J'ai une idée.

Elle marque un temps avant d'ajouter :

— Markus.

— Qui est Markus ?

— Markus Lang est un grand sculpteur allemand. Le compagnon de toujours de Ben. Il est venu à Provenchère au début.

— Alors ?

— Demandons-lui d'achever l'œuvre de Ben. Il ne refusera pas. Ils étaient si liés. Ben me l'a dit.

— Tu en es sûre ?

— Oui.

— Comment le joindre ?

— Par Internet. Sur son site.

*

La grosse berline allemande aux vitres foncées stationne dans la cour. Markus Lang a passé sa première nuit à Blessac. Jean et Elma le regardent déjeuner. Son appétit, la force de ses gestes ronds, quelque chose de lent et de tranquille dans son corps puissant leur rappellent Ben. Markus est arrivé la veille. Tard. Une dizaine d'heures plus tôt, il avait quitté l'ancien cloître bénédictin où il vit en Allemagne. Le message adressé par Estelle et Elma lui avait été aussitôt transmis. Après les obsèques de Ben, en Suisse, Markus ne pouvait laisser longtemps un tel courrier sans réponse. Ben Forester était de ces hommes dont l'histoire ne s'achève pas avec leur disparition. Le souvenir de sa visite à Provenchère, les quelques heures passées à marcher autour du village, le sentiment d'avoir participé à la décision de son compagnon de réaliser quelque chose ici, tout lui était revenu avec une netteté qui en disait l'importance.

Markus a terminé son petit déjeuner. Il observe Jean et Elma avec l'attention qu'il met en tout regard. Ces deux-là sont bien tels que Ben les lui avait décrits dans ses courriers. C'est lui qui a demandé qu'on l'appelle Markus. De son côté, il dit Elma et Jean. On ne discute pas avec Markus Lang. Ils sont bien tous les trois ensemble. Ils ont immédiatement trouvé le ton qui convient.

Une bonne partie de la nuit, Elma et Markus sont restés dans la salle commune. Elma a parlé. De Ben, de Jean, de Blessac. D'elle. Au fond, elle ne sait plus ce matin l'étendue de ce qu'elle a livré à Markus. Jamais, en évoquant son histoire, elle n'a eu le sentiment de trahir Ben. Tout au contraire.

Elle n'a rien voulu cacher à Markus. Il l'a écoutée en silence. La prune de Blessac, cet alcool de trente ans d'âge pour les grandes occasions, n'est plus qu'un souvenir dans sa bouteille vide. Markus a tout bu, avec la même simplicité que Ben, aussi tranquillement. Ils sont restés là jusqu'au matin. Tous les deux, cette femme qui monologue et cet homme au physique de guerrier des temps d'Apocalypse qui l'écoute en sirotant.

Et même les trois diamants enfouis dans la dune. Elma n'a pas dissimulé leur existence. En parlant de ce cadeau, elle a vu Markus sourire. L'impression qu'il était au courant. Et que si elle osait lui parler ainsi, c'était justement parce qu'il savait.

— Un jour, je remettrai ces pierres à mes enfants.

Elma s'est entendue dire cela à Markus. Elle n'y avait jamais songé. Ou plutôt, elle n'avait jamais formulé ce projet.

Sur la fin, la fatigue s'est emparée d'Elma. De la gêne l'a effleurée. Et puis elle a compris que Markus avait également trouvé son compte à ses confidences. Que l'image de son vieil ami Ben Forester, le temps d'une nuit, était passée devant son regard.

— Dans les années 1960, Ben a été initié par des chamanes de la tribu des Chippewa, a soudain dit Markus en se levant de sa chaise. Son animal totémique était l'épervier.

Ce matin, ils savent ce qu'ils ont à faire. Elma conduira Markus dans sa 2 CV. Le sculpteur allemand a demandé qu'Estelle se joigne à eux. Elma est troublée par la tournure que prend la visite de Markus.

Le premier signe laissé par Ben a été le *trottoir dans le rocher des Bruges*. Markus demande de commencer par là. Jean les accompagne. Ils partent à pied, traversent la prairie. Sur place, Markus reste silencieux. Il se déplace, palpe le grain du rocher, s'agenouille, recule, revient. Elma et Jean le voient sortir de la poche de sa veste une carte d'état-major.

— Là, dit Jean qui s'est approché, en indiquant un point précis.

Markus, d'un coup de crayon, trace une croix.

Au moment de retourner à la ferme, Jean demande :

— Vous avez l'intention de noter tous les emplacements des œuvres de Ben ?

Markus acquiesce.

— Certaines ont disparu...

— Je m'en doute.

— J'en connais une que personne n'a vue.

Le visage de Markus s'éclaire.

— Vous pourriez me la décrire ? Et m'indiquer où elle se situait ?

Jean tend le bras en direction d'une prairie, derrière une rangée de pommiers.

— Là-bas. Une grande ligne dans un champ couvert de pissenlits. Il avait étêté des milliers de fleurs pour laisser une trace dans l'immensité dorée.

Un silence.

— C'était très beau, ajoute Jean.

— Et sur la carte, vous pourriez tracer la ligne qui correspond ? demande Markus.

— Oui. Approximativement, bien sûr.

La 2 CV est arrêtée dans la côte, sous la ferme-d'en-haut. Estelle les a rejoints. Malgré le soleil, ils continueront à pied. Après avoir observé le *nid de châtaigniers tressés*, au-dessus de la masure d'Albert, ils approchent de la *ligne de pas dans l'herbe*. C'est ainsi qu'Elma nomme le chemin de Ben, entre deux lisières sur le plateau. Mais elle n'ose pas encore employer cette expression devant Markus.

— Il venait chaque jour marcher au même endroit. La trace de ses pas est encore visible.

Les jeunes femmes perçoivent l'émotion de Markus à la vue de l'œuvre éphémère, belle d'un si grand dénuement. Dépourvue de toute grandiloquence. Primitive. Au seuil absolu de la visibilité et de l'intention. En cet instant, le sculpteur allemand aperçoit la silhouette de son compagnon, allant et venant sur ce chemin, avec l'application d'un moine déambulant dans son cloître. Ou bien la démarche saccadée d'un fou prisonnier de sa pensée. Comment savoir ? Markus murmure une phrase qu'Elma ne comprend pas.

Ils sont là, n'osant franchir l'espace qui les sépare du bois où s'achève la ligne, quand Elma aperçoit la silhouette d'un homme.

— Louis ! crie Elma. Comment vas-tu ?

Le veuf s'approche. Elma précise à Markus que Louis était présent, dans le café de Thérèse, lorsque Ben est arrivé. Ils ont bu ensemble cette première nuit. Le vieux paysan secoue la tête, l'air gêné.

— Si Ben s'est assis à votre table pour boire avec vous, alors nous avons quelque chose en commun, dit Markus en lui tendant la main.

— Je n'étais pas de taille, répond l'autre.

Elma explique à Louis qu'ils font l'inventaire des œuvres. Le mot inventaire lui est venu à la bouche mais elle n'aime pas sa résonance.

— Il en a laissé, des choses, dit Louis en passant la main dans sa barbe.

Markus s'approche. Louis poursuit :

— J'en ai vu que personne n'a idée.

— Accompagnez-nous, alors. Et vous nous direz.

Ils marchent tous les quatre sur la lande. Markus est déjà passé par là, il y a plusieurs mois, lorsque Ben était encore ignorant de l'œuvre qu'il allait entreprendre. Il retrouve les impressions fortes que lui avaient laissées ces paysages désertés. La beauté des ruines. C'est cela qui lui vient à l'esprit. Cet infini de murets de pierres sèches jetés en maillage sur le pays, gris comme le plomb des vitraux. Un travail immense, empilement de siècles et de peine davantage que de cailloux. Un travail de paysan au regard baissé, aux gestes tournés vers le sol, offrant sa nuque au ciel.

Markus mesure combien Ben, hanté par les thèmes de la disparition et de la chute, a pu être inspiré par ces lieux. En revenant au pays de son enfance, il a pris conscience que s'était produit ce moment tragique de la disparition d'une civilisation millénaire. En tant qu'artiste, il en a détourné les signes pour les réinventer. Les prolonger tel Merlin recréant un monde nouveau.

Ils sont parvenus à la *charrue d'Albert*. Markus se tait. Elma, Estelle et Louis restent en retrait. L'émotion qui étreint le sculpteur allemand les conforte dans leur propre bouleversement.

Markus sort sa carte, demande à ses compagnons de se rapprocher. Estelle repère avec précision le lieu. Elle a toujours aimé les cartes, la géométrie.

Ils repartent, Elma et Louis devant. Markus et Estelle ferment la marche. Ils parlent à voix basse.

La longue ligne de madriers qui suit les vallonnements leur apparaît bientôt. Markus se détache du groupe comme s'il désirait conserver une vue d'ensemble de l'installation. Les dernières pluies ont enfoncé les poutres que les herbes dissimulent par endroits. Et le trait étrange n'en paraît que plus vivant, serpent annelé allant son chemin obscur. Là-bas, en retrait, Markus a sorti sa carte. Un segment s'ajoute aux croix déjà tracées.

Il est près de treize heures. Ils reviennent au village déjeuner Chez Thérèse. Après tout, c'est chez elle que tout a commencé. Une demi-douzaine d'artisans, une équipe de lignards EDF, un couple de touristes déjeunent dans l'arrière-salle dans une atmosphère bruyante et enfumée. Thérèse s'active dans sa cuisine. Denise fait le service.

— Installez-vous en terrasse ! crie Thérèse. Vous serez mieux.

Très vite, le restaurant se vide. C'est l'heure de l'embauche. Les camionnettes démarrent dans un cliquetis de diesels et de fumée. Thérèse sert le groupe de Markus et s'assoit à sa table. Elle regarde l'Allemand avec insistance et dit :

— Je vais avec vous.

Aussi simplement que ça. C'est important pour elle.

Ils attendent sous la glycine que Thérèse se change.

Entre-temps, Markus a posé un billet sur le comptoir.

Puis il se tourne vers Denise qui dessert et lui dit :

— Toi, tu es Denise.

Ils repartent tous les cinq. À pied, par le chemin creux qui longe le mur de l'école, à l'abri du soleil. Devant la cour de récréation, Markus s'arrête, regarde l'ombrage des tilleuls sur la terre battue. Silencieux. Ses yeux parcourent la façade, scrutent les fenêtres de l'appartement d'Estelle.

— La dune ?

— Là, répond la jeune femme. Dans l'axe de symétrie. Tout près des marches de l'entrée.

Ils s'attendent à ce que Markus sorte sa carte, la pose sur le mur et crayonne. Mais il n'en fait rien.

Ils aperçoivent alors Denise qui les suit.

— Qu'est-ce que tu fais là ? Tu as laissé le café ? demande Thérèse.

— Je vais avec vous.

Thérèse est sur le point de dire non. Et puis, elle se ravise.

— Tu as fermé au moins ?

— Voilà la clef.

Ils prennent vers le cimetière. À un croisement tout près de la petite chapelle, Louis dit à Markus :

— Là-bas.

C'est tout. Il tend le bras et Markus et les autres regardent. Louis va devant. Il secoue la tête en marchant comme s'il se parlait à lui-même.

Louis s'immobilise et regarde fixement le macadam.

Un mince filet de peinture, à peine visible, traverse la
route d'un talus l'autre.

— Personne n'y a fait attention, mais moi je l'ai
vu. Et il n'y a pas qu'ici. Sur d'autres routes, le même
trait.

— Parfait, dit Markus.

Louis est content. Markus s'agenouille dans l'herbe,
penché sur sa carte. Aidé d'Estelle, il note l'emplacement.

Markus pousse le portail rouillé du cimetière. Ils le
suivent, en silence. Markus observe les tombes,
comme s'il cherchait un nom. Voyant Elma s'écarter
et se diriger vers un caveau, il la rejoint.

— Votre mère ? demande Markus.

— Mes parents, mes grands-parents...

Vers quatre heures, ils s'arrêtent sur les berges du
ruisseau.

— Là, dit Estelle, avec une simplicité qui rappelle
celle de Louis.

Comme si le temps était à l'épure des mots, aux
silences à peine entamés.

— J'ai pris des photographies avec les élèves,
ajoute-t-elle.

Elle sort quelques tirages de sa poche et les tend à
Markus. Les autres se rapprochent et font cercle.

— Moi aussi, je l'avais vu, dit Louis. C'était beau.

Beau est un adjectif qu'il n'a pas l'habitude
d'employer. Ce mot le renvoie presque à l'enfance.

Au moment de regagner la route goudronnée, ils
entendent un moteur. C'est le 4 × 4 d'Alain qui arrive

en compagnie de Roger et de Michel. Thérèse les présente à Markus.

— Nous faisons le tour du propriétaire, dit Markus.

Les autres ne comprennent pas ce que veut dire Markus. Après tout, ils ne se sont jamais demandé à qui appartenaient ces œuvres, puisque c'est ainsi qu'il faut nommer ces créations. Et Markus d'ajouter :

— Venez avec nous. Vous pouvez nous être utiles.

Ils arrivent près de la dalle de bois. Thérèse, qui est montée dans le tout-terrain, attend au bord du talus, en compagnie d'Alain. Estelle croit les voir se tenir par la main. La vision est fugace. Roger examine les six barres d'acier livrées avec le parallélépipède. Michel discute avec deux types qui disent se trouver là par hasard. Il les connaît. Ils sont d'un village à quatre kilomètres de là. Ils ont entendu parler de ce qui se passe ici. Ça les intrigue.

Markus contourne l'énorme dalle de lamellé-collé. Roger, qui le suit dans ses investigations, lui fait sentir au travers l'emballage plastique les six trous qui correspondent à l'emplacement des barres d'acier.

— Le bloc sera dans la position de la hauteur. Les barres scellées dans du béton le maintiendront sans qu'il soit besoin de l'enfoncer dans le sol.

Roger a parlé. Markus est d'accord car Ben lui avait adressé un croquis de l'installation. Mais il n'en dit rien. C'est aux autres de découvrir, de s'approprier. Dans la manière de s'exprimer de Roger, il y a comme un engagement. Cela ne le dérange pas de s'être ainsi dévoilé. Depuis que Markus est là, il n'a plus peur de laisser apparaître son désir de placer ce truc insensé et lourd, fascinant d'inutilité, là où il doit être. Parce que si ce machin est arrivé à Grande-Combe depuis l'Allemagne, si Markus Lang, un homme célèbre

paraît-il, et dans tous les cas suffisamment riche pour
posséder un coupé Mercedes digne d'un prince du
pétrole, s'intéresse à ça, c'est un peu grâce à lui. Et à
Alain aussi, mais de moindre manière. Tous les deux,
ils ont participé à la chose. C'est le mot qu'emploie
Roger.

Alors, il ne craint pas d'ajouter :

— Comme ça, il paraîtra simplement posé sur
l'herbe... En équilibre.

— Comme s'il avait poussé parmi les arbres.

Ça, c'est Louis qui vient de parler. Les autres le
regardent curieusement. Presque avec défiance,
comme s'il était allé trop vite. Louis est en avance sur
la musique. L'image fait son chemin.

— Vous avez raison, dit Markus.

Estelle s'approche de Markus.

— Je vais vous montrer l'emplacement des arbres
avec lesquels Ben a fait réaliser le cube.

Elle a choisi de simplifier les mots, elle aussi. Elle
dit cube et chacun comprend. Les vérités, elle ne les
veut pas brutes. Elle n'a pas dit que les arbres avaient
été coupés par deux rudes imbéciles, aussi bêtes que
les sangliers qu'ils chassent le dimanche. Plus bêtes,
peut-être. Tout cela, c'est révolu. Elle les regarde,
ceux qui sont présents autour de Markus, à l'écouter
comme ses élèves. Ils changent sous ses yeux. Elle voit
quelque chose de bouleversé dans leurs visages, leurs
attitudes. Une douceur, de la sérénité. De la grandeur.
Comme s'il était dit par la bouche de Markus que
leur futur ne sera jamais plus aussi sombre qu'ils
l'avaient cru. Cela ne changera rien aux apparences
de leur vie. Thérèse continuera à se démener dans sa
cuisine pour sa dizaine d'ouvriers affamés. Denise

devra trouver des petits boulots. Louis pensera toujours à sa femme morte qui était la seule personne vraiment bien à s'être intéressée à lui. Et pourtant rien ne sera plus comme avant. Autour d'eux un mystère a été posé, qui ne renvoie pas de façon morbide au passé, à une nostalgie idiote du genre c'était mieux avant.

Ils ne sont plus totalement des êtres abandonnés. Depuis des années on leur dit, on ne peut rien faire de votre histoire, de vos mémoires, de vos savoirs et même de vous. Il n'y a que la ville qui vaut. Vous n'êtes plus dans le coup. Vous êtes des losers, les gens capables sont partis. Avec vous, il est impossible de réinventer quoi que ce soit de neuf, ici, dans votre trop vieux pays. Et voilà que quelque chose vient de changer. Sur ces ruines, le mot vient à Estelle comme s'il lui avait été soufflé, un type descend de sa Chevrolet, c'est-à-dire du ciel. Et sans jamais quitter sa flasque de whisky réenchante ce vieux monde en morceaux.

Les quatre souches coupées au ras du sol font un alignement de disques rougeâtres. Il leur a fallu marcher pour accéder au site. Markus aime cette idée, qu'il reconnaît comme caractéristique de l'œuvre de Ben, contraindre le témoin à se déplacer, mériter sa découverte. La marche inscrite dans la démarche. Cette pensée qu'il avait théorisée pour la première fois lors de sa mémorable conférence devant les étudiants de la Rhode Island School of Design.

Markus observe l'alignement des quatre Douglas disparus. Roger et Alain restent en retrait. Par souci de décence. Dans le prolongement des quatre souches, Markus avise un léger mamelon. Là-bas, pense-t-il. J'en suis sûr.

Mais il se tait. Les autres le voient regarder avec attention le sol. Soudain, Louis s'exclame :

— Ici !

Tous s'approchent.

— Il les a mis ici. C'est là qu'il voulait le cube, explique-t-il.

— Vous avez raison, dit Markus en s'agenouillant.

Ses gros doigts s'approchent de minuscules enchevêtrements d'aiguilles de pin et d'herbe. Il faut être un chasseur pour voir ces brisées. Un magicien pour les disposer.

— C'est drôlement bien fait, ajoute Alain.

C'est un moment suspendu où seuls cognent les battements des cœurs. Certains pensent à Ben. D'autres à l'effet saisissant que va produire cet immense cube dressé au milieu des arbres. D'autres enfin ne pensent à rien. Ils retrouvent ce bien-être teinté d'appréhension qui les saisissait jadis lorsque, conduits par leur mère, ils franchissaient le seuil de l'église.

Ils redescendent sur la route. Des amis de Michel suivent le mouvement. Trois bûcherons turcs qui avaient aidé au déchargement du cube ont arrêté leur tout-terrain à côté du 4 × 4 de Roger. Ils parlent avec Jean. Personne n'a envie de rentrer. Quelque chose se joue là. Quoi ? Aucun ne saurait dire. Mais il flotte un sentiment nouveau. Une légèreté comme un printemps.

— Je connais autre chose.

Les regards se tournent vers le Turc qui a parlé.

— Quelle chose ? demande Markus.

Une sorte d'impuissance passe dans son regard. Il

n'a jamais eu à nommer rien de semblable. Et même dans sa langue maternelle, il n'y parviendrait peut-être pas. C'est si difficile et dérangeant.

— Dans les bois, là-bas...

Il se tourne, autant pour montrer la direction que pour rompre le tête-à-tête avec Markus.

— On y va ?

Cette fois, on prend les voitures.

Il faut encore marcher pour accéder à une clairière dans un bois de hêtres. Markus se souvient combien Ben aimait la lumière de ces feuillages. Le bûcheron indique une poutre posée en appui contre une branche basse et reposant dans l'humus. Ils s'approchent. Un jeune arbre paraît sortir de l'intérieur du madrier éventré.

— C'est moi qui lui avais livré la poutre, dit Roger.

Il faut sa voix, sa réalité, pour rompre l'émotion qui s'est saisie de chacun. Beaucoup pensent que dans un musée ça vaudrait beaucoup. Une fortune abandonnée là. Pour qui ?

— Ça me rappelle les araires et les jougs, murmure Louis, tout près de Markus.

Il ajoute :

— À la fin, on les rapportait en forêt et on les laissait mourir.

Il a voulu dire pourrir.

— C'est pareil, ça.

Ils sont bien ensemble. Près des voitures, ils attendent. Il faudrait que quelqu'un prenne la parole, mais une parole qui ne rompe pas la magie de cette soirée. Elma brise ce silence.

— Il y a encore la croix sur l'étang de la Foulière.

Quelqu'un précise :
— Une croix qui flotte et qui s'allume la nuit.
— Il faut attendre la nuit, alors.
La voix de Markus, enfin :
— Retrouvons-nous au bord de l'étang à la tombée
du jour. Nous verrons la croix s'allumer. Pour moi,
ce sera une manière de rejoindre mon ami par la
pensée.
— Nous pourrions manger là-bas, suggère Elma.
— C'est une bonne idée, reprend Thérèse.
— Ma femme peut venir ? demande Roger. Elle
apportera de quoi.
— Et nous ? s'inquiètent les amis de Michel.
On ne sera pas trop ce soir.
D'un coup, la mélancolie se transmue en une joie
contenue et douce. Une fête improvisée. Une réunion
qui a un sens pour une fois, qui célèbre un événement,
une réalité, quelque chose comme une naissance et
une mort aussi, mais c'est un peu la même chose. On
est pressé de partir chez soi rassembler le nécessaire.
Les trois bûcherons turcs sont un peu à l'écart. Markus
va vers eux.
— Venez. Je vous en prie. Venez avec vos femmes,
vos enfants, vos amis. Ce soir, nous avons besoin d'être
ensemble.
Il ajoute :
— Ensemble sous les étoiles. En frères.
Ils viendront. Ils ne savent pas où se situe l'étang
de la Foulière. Mais l'étang à la croix qui brille la nuit
leur est parfaitement connu.

Markus remonte dans la 2 CV avec Elma et Estelle.
Ils font un détour par l'école, déposent Estelle. Rejoignent Blessac. En longeant Provenchère, Markus

observe le château. Elma lui demande s'il désire
s'approcher, demander aux vigiles d'entrer. Markus
fait un geste du tranchant de la main qui indique qu'il
faut tailler droit sa route et poursuivre sans plus se
soucier d'autre chose.

La voiture de Jean est déjà dans la cour. Markus
s'isole dans sa chambre. Elma gagne la cuisine où elle
prépare les provisions pour le soir. Ses gestes sont
légers et graves. En croisant Jean qui revenait de la
cave, les bras encombrés de bouteilles, elle lui a volé
un baiser.

Il est neuf heures et la lumière décline avec lenteur.
Ce sera un soir d'été, sans fraîcheur, un moment rare.
Dehors, Markus et Jean discutent près du sycomore.
De la fenêtre de sa chambre où elle est montée se
changer, Elma les observe. Ces deux hommes parlent
d'elle. Elle ne peut naturellement pas en être certaine
car ils sont loin, de dos, tournés vers les prairies. Mais
il lui semble que ce soir, quoi qu'on dise, on évoque
l'autre, celui qu'on aime. Et soudain, l'idée que
Markus tient avec Jean la longue conversation que
Ben n'a jamais eue avec lui. Cet épisode qui a paru
longtemps à Elma comme l'élément manquant de
l'histoire avant qu'elle ne comprenne que c'est volontairement que Ben avait souhaité ne pas établir de lien
avec son mari. La guérir, elle.

Lorsque les deux hommes reviennent vers la maison,
Elma perçoit un apaisement dans la démarche de Jean.
Elle entend la porte du rez-de-chaussée s'ouvrir en
grinçant sur le carrelage avec ce bruit de silex qu'elle
avait oublié et qu'elle redécouvre avec plaisir. Elma
sourit. Elle imagine Markus posant sa grosse main sur
le verre à pied dans lequel Jean verse l'alcool de prune.

Et ces deux hommes qui boivent en fermant les yeux, songeant à des idées d'hommes inaccessibles aux femmes.

*

Les voitures sont stationnées sur l'herbe, au long de la route qui surplombe l'étang. Sur la berge, ils sont une vingtaine, certains debout, un verre à la main, tournés vers les eaux sombres de la Foulière, bavardant avec cet étrange détachement que provoquent les mots anodins prononcés dans des situations singulières. Des femmes s'affairent autour des grandes nappes jetées sur l'herbe. Des enfants rient et courent sur la rive. Les bûcherons turcs arrivent plus tard, en compagnie de leurs épouses qui apportent des pâtisseries et aident à rassembler le bois d'un feu de camp improvisé.

Là-bas, en queue de l'étang, Elma, Markus, Estelle, Thérèse et Roger observent la marque de la silhouette de Ben dans la vase. Le grand trou noir de l'explosion dans sa poitrine. Leurs pensées volent dans la roselière, faisant frémir les tiges sèches, frôlant les âmes mortes.

Grâce au vin de Jean, à celui de Thérèse, aux quelques bouteilles de bordeaux de la réserve d'Estelle, à tout ce que les autres ont rassemblé aussi, on rit. Le monde est plus large, moins étriqué aux épaules, moins serré à la taille. Plus ample. On prend du poids qui est en fait de l'humanité. Il y a quelque chose d'irréel à se retrouver là, grâce à Ben. Louis parle des quelques souvenirs qu'il a conservés du fils des instituteurs, de dix ans son cadet.

— Mais toi, Thérèse, tu l'as bien connu, Benjamin ?

Thérèse se ferme sous la question. Elle se dissimule dans la grande ombre d'Alain.

Tout est meilleur là, au bord de l'eau. On dit des choses bizarres, on devrait refaire ça une fois par an, on prend des rendez-vous en sachant ne pouvoir les honorer. Dire, c'est quand même prendre acte. On oublie les ressentiments. Des projets traversent les esprits, des désirs de fraternité. La tentation rôde de faire confiance. Le groupe se distend et on se rend compte que les hommes parlent sur la digue, là-bas dans la pénombre des chênes. Et qu'ils oublient de surveiller les gosses qui jouent près du déversoir. On les rappelle. Ils se regroupent autour des nappes. Les femmes ont des attitudes oubliées. Et même Denise, tout en rose, est jolie.

La croix s'allume alors qu'ils n'y pensent plus. C'est un gamin qui crie : « regardez ! » Tous les visages se tournent vers elle. On se tait. C'est si étrange. Elma s'est avancée près de la berge, au bord de cette étendue de plomb sur laquelle il lui semble qu'elle pourrait marcher pour rejoindre cet objet et se pencher dessus. Elle en est sûre, elle verrait alors le visage de Ben Forester à la section des deux bras. Markus s'approche, lui prend les épaules, et elle se sent projetée contre son corps rond et musculeux de chevalier sorti tout droit d'un temps en lien direct avec les mystères.

— Cette œuvre est pour vous. Il vous l'a dédiée.

Elma ne comprend pas exactement ce que veut dire Markus. Elle renonce à chercher un sens à ces mots qui lui font du bien. Elle sait que les autres les observent comme ils regardent la croix. Et que tout cela n'est peut-être qu'une même chose.

D'une pression du bras, Markus ramène Elma vers le groupe.

La lumière rouge de la croix ondule à la surface. La nuit est d'une douceur si grande qu'elle prolonge les corps. La peau n'est plus une enveloppe qui renferme, contient et sépare. Les mots se font précautionneux, ouverts sur des abîmes attirants. Plus obscurs aussi, comme si les pensées qui les sous-tendaient étaient plus riches.

Rémy, un des deux jeunes de la commune voisine, dit assez fort pour qu'on l'entende :

— Moi aussi, je l'ai vu, un matin, sur l'étang.

Un grand silence. Markus s'approche.

— Et que faisait-il, ce matin-là ?

Le jeune homme hésite. Les regards sont braqués sur lui. Ce qu'il a à dire est si bizarre qu'il ose à peine l'exprimer. En d'autres temps, on lui aurait fait remarquer qu'il avait trop bu ou qu'il devrait arrêter de fumer.

— J'étais là à l'aube.

Cette première phrase convient à tous, bien que le mot « aube » soit étrange dans sa bouche. On sait que Rémy est un braconnier impénitent. Cela n'a pas d'importance. Aujourd'hui, on lui fait cadeau de ses poissons.

— Il était sur la barque. Je l'ai bien vu car j'étais en face, au pied des chênes.

— Que faisait-il ?

On ne sait pas qui a parlé. Une voix.

Rémy hésite encore. Cette nuit, tout paraît possible. Alors il se lance :

— Il avait des bouteilles de lait. Deux packs. Douze. Je m'en souviens. Avec la barque, il est allé en ligne droite de la chaussée jusqu'à la roselière. Et il a jeté dans l'eau, régulièrement, toutes les bouteilles.

— Tu es sûr que c'était du lait ?

— Oui.

Markus qui réfléchit. Chacun réfléchit. Il doit y avoir un sens. On en arriverait presque à concevoir que l'absence de sens fait sens. Mais là, c'est un peu trop quand même.

— Moi je sais...

Dans la nuit, on cherche qui a parlé. Elma s'avance près du feu qu'un bûcheron turc entretient.

— Je sais pourquoi Ben a plongé des bouteilles de lait dans l'étang de la Foulière.

Un silence.

— Lorsque j'étais enfant, mon père noyait les portées de chiots dans cet étang. J'ai eu très longtemps peur de ces pauvres créatures qui hantaient les eaux.

— Le lait c'est pour les chiots alors ? dit quelqu'un.

— C'est pour tous les morts qui n'ont pas eu le temps de vivre.

Markus rompt le grand silence. Il s'avance dans la lumière des flammes. Sa silhouette compacte se détache sur les braises comme celle d'un personnage sorti des temps anciens, venu là non pas pour raconter un conte mais pour expliquer que ceux qui l'écoutent vivent un conte.

— J'ai des choses à vous dire.

Tous font cercle.

— On vous écoute, Markus, dit Elma lorsque
chacun a trouvé sa place.

— Ben Forester était mon ami. Avec lui, nous
avons arpenté le monde en semant derrière nous des
idées. Des bonnes, des mauvaises... Il faut que vous
sachiez que Ben était un immense artiste. Partout, aux
États-Unis, au Japon, en Europe, il est reconnu et
respecté. Je vous le dis, parce que c'est important.
Non pas pour lui, mais pour vous.

Markus demande à Estelle un verre de saint-
émilion.

— Ben était né ici. Il a parcouru la planète, s'y est
fait une place et un nom, et il est revenu mourir parmi
vous. Vous êtes son début et sa fin. Mon ami Ben
Forester a décidé de boucler son chemin ici.

Markus saisit le verre que lui tend Estelle, le porte
à ses lèvres avec lenteur et décision.

— Ne croyez pas qu'il vous a oubliés. Tout au long
des quelques mois passés à Provenchère, il a bâti une
œuvre considérable, le meilleur de ce qu'il a peut-être
jamais produit et qui lui avait déjà valu la notoriété.
Son chef-d'œuvre. Pour qui alors ce travail ? allez-
vous me demander.

Markus pose le verre à ses pieds.

— Pour vous. C'est pour vous qu'il a accompli tout
cela. J'en détiens la preuve.

Markus sort de sa poche sa carte d'état-major et la
déplie. Il avise deux gamins et leur demande de la
tenir à bout de bras. Par transparence, le feu fait apparaître sur la carte un gros trait en boucle.

— Vous ne pouvez pas le voir clairement parce
qu'il fait nuit. Mais j'espère que vous apercevez une
ellipse. Là.

Il suit de la main le tracé de la courbe.

— Une ellipse magnifique. Ben utilisait un GPS et si certains d'entre vous ont eu l'occasion de le voir agir, ils ont dû observer qu'il disposait d'un petit ordinateur portable ou de quelque chose dans ce genre...

— Je l'ai vu lorsqu'il a taillé le *trottoir* dans le rocher des Bruges, dit Elma.

— Moi aussi, dit une autre voix. Il avait un ordinateur le jour où je l'ai aperçu à la *charrue d'Albert* sur les rochers.

Markus poursuit :

— Il a agi depuis le début avec l'intention...

Markus s'interrompt, reprend son souffle.

— L'intention de vous intégrer totalement à son œuvre. Regardez le bourg, le ruisseau, les fermes alentour, tout est dans l'ellipse.

— On en fait partie, en somme ?

— Exactement ! s'exclame Markus. Vous êtes à l'intérieur de cette œuvre immense.

Quelques toussotements.

— Pourquoi ?

— On ne sait jamais pourquoi un homme agit vraiment dès lors que ce qu'il accomplit est essentiel à ses yeux. C'est ainsi. Il faut apprendre à recevoir sans demander pourquoi.

— Recevoir ?

— Parfaitement. Recevoir.

— Mais ce n'est pas à nous, tout ça. On va nous le prendre.

Les esprits ont conservé le souvenir de la manière dont Provenchère a été mis sous clef dès la mort de Ben. Markus ménage un temps.

— Peu avant sa mort, Ben m'avait écrit. Il a fait don à la commune de tous les terrains achetés par une société immobilière agissant en son nom. Des dizaines d'hectares sur lesquels est placé l'essentiel de son travail. Le reste des terrains concernés appartient à des personnes qui sont parmi vous, comme Elma et Jean qui possèdent les rochers des Bruges.

— C'est à nous, alors ?

— C'est bien davantage, dit Markus. C'est vous.

*

Le jour va se lever lorsque Markus, Elma, Jean et Estelle regagnent Blessac. Ils sont tous restés jusqu'au bout de la nuit, les enfants endormis sur les genoux des femmes assises dans l'herbe. Les hommes sont demeurés à boire et à fumer debout très longtemps. Puis eux aussi se sont assis.

Markus est là, accoudé à la grande table de la salle commune, la carte dépliée devant lui. Les autres regardent son relevé des installations.

— L'ellipse est parfaite.

Markus se tourne vers Jean.

— Est-ce qu'il te reste de la prune ?

Jean ouvre la porte de l'armoire.

— Asseyez-vous, mes toutes belles, dit l'Allemand aux deux jeunes femmes. Je n'ai pas tout dévoilé au bord de l'étang. Le reste vous appartient. Pour un temps...

— Où sont les foyers de l'ellipse ? demande Estelle.

Markus sourit.

— Je vois que tu as fait de la géométrie. Une ellipse a deux foyers autour desquels elle se construit. Contrairement à un cercle, qui n'a qu'un centre. Où sont donc les foyers de cette ellipse magnifique ?

Il suit la circonvolution.

— La ligne passe par le cimetière. Et je suis persuadé qu'une étude approfondie prouvera qu'elle franchit une tombe précise.

— Celle où repose ma mère ?

— Oui, Elma. La tombe de Françoise.

Les yeux se portent de nouveau sur la carte. Markus vide son verre de prune.

— Je n'ai pas eu à chercher longtemps l'emplacement des deux foyers. En vous regardant, j'ai compris. Je crois que vous allez être heureuses et déçues. Mais c'est une dernière volonté de Ben que la signification des centres à partir desquels il a construit son œuvre soit double. Sa dédicace multiple.

Elma et Estelle attendent.

— L'un des foyers est l'école du village. Là où il est né. Là où il vécut si heureux auprès d'une mère qu'il vénérait. Là où il t'a rencontrée, Estelle, toi qui lui as fait certainement songer à sa mère. L'intention est double, tu dois le comprendre et l'admettre.

Le doigt de Markus quitte l'emplacement de l'école et se pose sur Blessac.

— Le second foyer, nous y sommes, Elma. Ici, à Blessac. Où vécut Françoise. Ta mère et Ben furent amants à l'âge de quinze ans lors d'un bref séjour de Ben au village. Il a conservé de cette rencontre un souvenir qui ne l'a jamais quitté. Et peut-être aussi le regret de ne pas être revenu chercher ta mère. De l'avoir abandonnée, en somme.

— Il aurait fait cela pour ma mère ?

— Pour ta mère et pour toi. N'oublie pas combien tu étais mal lorsque tu l'as rencontré. Pour vous deux.

— Ainsi, la dédicace est double ?

— Estelle et le souvenir d'Anne. Elma et celui de

Françoise. Vous avez été choisies mais vous êtes toujours libres.

Le jour brille aux carreaux lorsque Markus regagne sa chambre. Déjà ses pensées sont tournées vers sa forêt allemande où l'attend sa solitude au fond d'un cloître. Il sait qu'au cours des quelques heures de sommeil qu'il va s'accorder, un oiseau noir survolera ses rêves.

*

C'est terminé. Un long chantier sur du temps volé. Les dimanches et les jours de congé. Tout le monde s'y est mis, chacun selon ses compétences. Le petit artisan maçon de la commune voisine a prêté la main. Roger a été maître d'œuvre. Grâce à lui, tout a été mené à terme. Alain l'a secondé. D'autres. Estelle est restée une grande partie de l'été.

Hier était le grand jour. Roger avait aménagé la plate-forme de son GMC pour y déposer l'énorme dalle. Là-bas, au cœur de la forêt, six broches d'acier dépassaient d'un socle de béton. Ils étaient tous là, ceux du soir au bord de l'étang de la Foulière. D'autres encore s'étaient joints à eux, comme cela, sans qu'on les invite. Il n'en manquait qu'un : Markus.

Longtemps, ils ont cru qu'il se déplacerait pour valider leur travail d'installation. Ils avaient besoin d'une caution. Lorsqu'ils ont compris que Markus ne viendrait pas, qu'ils ne le reverraient probablement jamais, ils ont dépassé leur déception. Il s'agissait là de la dernière leçon du sculpteur allemand. Appropriez-vous l'œuvre de Ben, faites-la vivre, ayez un rapport direct avec elle, sans intermédiaire, sans prêtre.

Ainsi que l'a voulu son créateur. Osez rêver par vous-mêmes. C'est ce que son absence voulait dire.

Un soir, dans le café de Thérèse, Elma a pu exprimer la première l'idée qu'ils étaient seuls mais que c'était bien ainsi. Sur le coup, ils se sont sentis abandonnés. Et puis, lentement, ils ont compris la confiance que leur témoignait Markus, leur responsabilité. La victoire qu'ils avaient remportée sur l'indifférence, le vide et la soumission aux pensées dominantes. Ils se sont sentis plus forts. Responsables d'eux-mêmes. Libres.

Ce soir, Thérèse gravit la côte, au-delà la ferme d'Albert. La lumière possède cette douceur des fins de mois d'août qui porte déjà en elle la mélancolie de l'automne. Des odeurs de pommes traversent le sentier. Ses pensées reviennent à cet instant où les mâchoires hydrauliques des camions de Roger et d'un forestier turc ont soulevé la dalle toujours protégée sous son enveloppe de plastique. La trentaine de personnes tout autour a vu l'énorme parallélépipède descendre sur les broches d'acier, avec une perfection qui disait toute l'attention mise dans la réalisation du socle. Les dernières cales ôtées, l'œuvre s'est trouvée en position définitive. Comme en équilibre sur un sol que le temps, la reconquête par les mousses et les herbes folles feraient très vite apparaître naturel.

Il restait à retirer la bâche. Les hommes s'y sont employés précautionneusement. De grands pans de plastique ont été détachés du bloc et finalement le cube est apparu dans sa nudité de bois blond, ses arêtes droites, sa forme géométrique au milieu des colonnes mouvantes des arbres.

Un enfant s'est alors exclamé :

— Il y a quelque chose d'écrit !

Dans le bois, taillée en creux, une simple phrase :
C'EST ELLE. Tous ont longtemps regardé l'inscription,
cherchant un sens. Elma, la première, a vu Estelle
rougir. Elle lui a saisi les épaules et les deux jeunes
femmes se sont écartées du groupe.

Thérèse s'approche du pré en lisière du bois bordé
de genêts. Son cœur bat à se rompre. Un minuscule
sentier d'herbes froissées va en ligne droite jusqu'aux
arbres en face. Thérèse prend une inspiration et lève
les yeux. Elle hésite encore. Elle sait que d'autres viennent régulièrement accomplir le même rite, dans la
plus grande discrétion. Sinon, comment expliquer que
le chemin soit encore visible ?

Elle s'avance sur l'étroite bande. Quelques mètres
devant elle, un jeune garçon marche, mettant avec
application ses pas sur l'ombre des herbes foulées.
Alors, elle le suit, l'esprit soudain léger. Au ciel, un
épervier boucle inlassablement sa course dans l'éternité des nuages.

Remerciements

Ma rencontre avec le land art trouve en partie sa source dans l'existence du Centre national d'art et du paysage de Vassivière-en-Limousin. Que les animateurs de ce lieu de création soient remerciés. Des ouvrages ont également accompagné mon travail. Je citerai en particulier *Land Art et Art environnemental*, de Jeffrey Kastner et Brian Wallis, aux éditions Phaidon. Je me dois d'insister sur l'apport décisif du superbe travail de Colette Garraud dans son très classique *L'Idée de nature dans l'art contemporain*, aux éditions Flammarion.

Mes remerciements vont également à l'œuvre critique de Michel Ragon, en particulier pour ce qui concerne l'attention qu'il a portée à Soulages dans *Les Ateliers de Soulages*, paru aux éditions Albin Michel.

Je suis enfin redevable à tous ces artistes du land art dont les œuvres bien réelles ont inspiré celles de Ben Forester : Carl Andre, Jean Clareboudt, Gloria Friedmann, Hamish Fulton, Andy Goldsworthy, Michael Heizer, Peter Hutchinson, Wolfgang Laib, Richard Long, Walter de Maria, Ana Mendieta, David Nash, Nils-Udo, Giuseppe Penone, Gilles Richard, Michael Singer, Jacques Veille...

Made in the USA
San Bernardino, CA
01 October 2014